GW00384775

»Mit zehn Jahren schrieb ich meinen ersten Roman über einen Indianerstamm, mit vierzehn eine Novelle, mit siebzehn ein griechisches Drama, mit achtzehn eine Komödie. Den ersten Abdruck erlebte ich mit sechzehn Jahren – es war die Geschichte eines alten Schuhs.« So erinnert sich Heinz G. Konsalik, 1921 in Köln geboren, an seine schriftstellerischen Gehversuche. Nach dem Abitur sollte er auf Wunsch des Vaters Medizin studieren, belegte aber heimlich die Fächer Theater-, Literatur- und Zeitungswissenschaft. Der Krieg unterbrach das Studium.

Nach dem Krieg begann die eigentliche schriftstellerische Laufbahn, und 1958, mit der Veröffentlichung des Romans »Der Arzt von Stalingrad«, kam der große Durchbruch: die Geburt eines Weltautors.

Heinz G. Konsalik, der heute zu den erfolgreichsten deutschen Schriftstellern gehört (wenn er nicht sogar der erfolgreichste ist), hat inzwischen 80 Bücher geschrieben, die in 16 Sprachen übersetzt wurden. Weit über 400 fremdsprachige Ausgaben sind zu zählen, und die Weltauflage beträgt über 43 Millionen Exemplare. Elf Romane wurden verfilmt.

Außer dem vorliegenden Band sind von Heinz G. Konsalik
als Goldmann-Taschenbücher erschienen:

Auch das Paradies wirft Schatten / Die Masken der Liebe.
Zwei Romane in einem Band (3873)
Der Fluch der grünen Steine. Roman (3721)
Ich gestehe. Roman (3536)
Das Lied der schwarzen Berge. Roman (2889)
Manöver im Herbst. Roman (3653)
Ein Mensch wie du. Roman (2688)
Morgen ist ein neuer Tag. Roman (3517)
Schicksal aus zweiter Hand. Roman (3714)
Das Schloß der blauen Vögel. Roman (3511)
Die schöne Ärztin. Roman (3503)
Die schweigenden Kanäle. Roman (2579)
Die tödliche Heirat. Kriminalroman (3665)
Verliebte Abenteuer. Heiterer Liebesroman (3925)

Stalingrad. Bilder vom Untergang der 6. Armee (3698)

Heinz G. Konsalik

Eine glückliche Ehe

Roman

Wilhelm Goldmann Verlag

Ungekürzte Ausgabe

1. Auflage Januar 1981 · 1.–150. Tsd.

Made in Germany

Umschlagentwurf: Atelier Adolf & Angelika Bachmann, München
Umschlagfoto: Photofile
Satz: IBV Lichtsatz KG, Berlin
Druck: Mohndruck Graphische Betriebe GmbH, Gütersloh
Verlagsnummer: 3935
Lektorat: Martin Vosseler · Herstellung: Peter Papenbrok
ISBN 3-442-03935-5

Für meine Frau Ebbi

Erkenne in manchem dich selbst

I

Die Beerdigung war endlich vorbei.

Es war ein trüber, näßlicher Tag, einer jener Herbsttage, an denen es der Sonne nicht gelingt, den Dunst aus Feuchtigkeit und städtischen Abgasen zu durchdringen. Der Nebel klebte an den Bäumen des Südfriedhofs, die Wege glitzerten in der Nässe, Pfützen zwischen den Gräbern trieben Kälte durch die Schuhsohlen bis in die Füße. Fröstelnd stand man herum, die Kragen hochgeschlagen, mit entblößtem Haupt, hörte dem Pfarrer zu, den vielen lobenden Worten der guten Freunde, der Verbandsvertreter, des Reitervereins, des Rotari-Clubs, der Schützengesellschaft, des Bundesverbandes deutscher Pharmazeuten, des Sprechers der Partei, des Golfclubs und des deutschen Jacht-Verbandes. Die Jäger bliesen das große Halali, Fahnen senkten sich über den Sarg aus schlichtem Eichenholz, der statt des Kreuzes auf dem Deckel nur ein Gebinde langstieliger roter Rosen trug.

Sie alle wußten, wer die Rosen dort angeheftet hatte, und als der Pfarrer in seiner schönen, etwas pathetischen Rede von der glücklichen Ehe sprach, die »ein Hohelied nie versagender Liebe« gewesen sei, blickte ein jeder aus der Trauergemeinde verstohlen hinüber zu ihr.

Eine schlanke, mittelgroße Frau stand aufrecht am offenen Grab. Sie trug ein schlichtes schwarzes Kleid, darüber einen pelerinenartigen schwarzen Umhang. Der Witwenschleier bedeckte ihr schmales Gesicht, unter der auffälligen runden Filzkappe quollen nach allen Seiten die blonden, lockigen Haare hervor.

Eine schöne Frau, mit dreiundfünfzig noch zu jung, um Witwe zu sein. Aber man hatte es kommen sehen, jetzt, hier am Grab, wußte es plötzlich jeder: Millionen verdienen ist eine schöne Beschäftigung, aber was nutzen Millionen, wenn sie an uns zum Mörder werden? »Sie sind ein Idiot!« hatte Dr. Bernharts gesagt. Er konnte sich das leisten, er kannte die Familie seit zwanzig Jahren und war in dieser Zeit mehr Beichtvater als Arzt gewesen. »Mit jeder Million hacken Sie ein Stück Ihres Herzens weg! Lassen Sie es langsamer gehen, Hellmuth...«

Am Grab sang ein Männergesangverein. Nicht Schubert oder Brahms, die der Verstorbene geliebt hatte, sondern das alte Lied vom Guten Kameraden. Dazu spielte eine Bläsergemeinschaft der Kirche; Hellmuth Wegener hatte ihr die Instrumente gestiftet.

Hellmuth Wegener... Kamerad, Freund, Spender, Chef, wir werden dich nie vergessen.

Dann das Défilé der Kondolanten, dieses schreckliche, immerwährende, nie aufhörende Händedrücken, diese leisen, bebend hervorschleichenden Worte, diese Blicke, tränenumflort und forschend zugleich, dieses einstudierte Schluchzen, die Umarmungen der guten Freunde, die gehauchten nassen Küsse der Freundinnen, die markigen Worte der vielen Abgeordneten aus Vereinen und Verbänden... eine Qual, eine einzige, unentrinnbare Qual, ein Einbrennen der Erkenntnis mit jedem Händedruck: Jetzt bist du allein! Er ist tot! Du bist eine Witwe. Du stehst da am Grab, das nicht ein halbes, sondern dein ganzes ferneres Leben in ein paar Minuten zudeckt, du stehst allein da und mußt es mit anhören: Mein Beileid! Er war ein so guter Mensch! Daß er so früh sterben mußte! Meine Liebste, Beste, Kopf hoch, das Leben geht weiter! Wie konnte das nur geschehen? Wir sind untröstlich! Wir werden ihn nie vergessen... nie vergessen... nie vergessen...

Wie eine Platte mit einem Riß. Umarmung. Kuß, Tränen, Worte, Worte, Worte. Und Händeschütteln. Dicke Hände, dünne Hände, feuchte Hände, heiße Hände, kalte Hände, knochige Hände, glitschige Hände, harte Hände, weiche Hände...

Hände, Hände, Hände...

»Es waren siebenhundertneunundachtzig, Mama.«

Der Sohn. Er stand neben ihr und hatte den Arm unter ihren Arm geschoben, um sie zu stützen. Der Sohn Peter, siebenundzwanzig Jahre alt, Chemiker mit einem Examen magna cum laude. Zwei Köpfe größer als seine Mutter, blond wie sie. Der Erbe. Auf der anderen Seite die Tochter. Braune Haare wie der Vater, zierlich und feingliedrig wie die Mutter, jetzt 23 Jahre, Studentin der Medizin, mit der Ambition, Sängerin zu werden. Sie hatte ihren Arm um die Hüfte der Mutter geschlungen, hielt die Hand hin und drückte Hände und nickte und sagte danke und weinte nicht, was allen auffiel.

Siebenhundertneunundachtzig Hände!

»Sie sind alle gekommen, Mama«, sagte Peter leise neben ihrem vom schwarzen Schleier verdeckten Ohr. »Fast ein Staatsbegräbnis. Pa hatte wirklich nur Freunde in seinem Leben.«

»Ich will gehen, Junge«, sagte sie mit fester, ruhiger Stimme. »Ist es vorbei?«

»Was, Mama?«

»Der Aufmarsch...«

»Ja.« Peter blickte hinter dem Rücken seiner Mutter zu seiner Schwester hinüber. Vanessa Nina nickte und hob fragend die Schultern. Daß sie Vanessa Nina hieß, verdankte sie einem Roman, den ihre Mutter während der Schwangerschaft gelesen hatte. Ein Name wie Musik... Vanessa Nina Wegener... und er hatte nichts dagegen, wie er nie etwas dagegen gehabt hatte, wenn sie einen Wunsch äußerte. Als Kind hatte die Tochter unter diesem Namen gelitten, aber jetzt war sie fast glücklich. Vanessa Nina... das war ein guter Name für eine Sängerin. Der blieb im Ohr. Die halbe Karriere, meinte der Manager, der schon hellhörig geworden war, obwohl Vanessa Nina Wegener erst ein halbes Jahr, so nebenher, an der Musikhochschule Köln Gesang studiert hatte.

»Wir sind allein, Mama«, sagte Peter. »Der Pfarrer wartet am Ausgang.«

Hinter ihnen knirschte der Wegrand unter hundert Schuhen. Die Fahnen wurden eingerollt und in die Schutzhüllen geschoben, die Instrumente des Kirchenbläserchors und der Jäger klapperten. Schirme wurden entfaltet, lautlos, sanft begann es zu regnen – kaum Tropfen, nur der Niederschlag der Nebelschwaden.

Das gibt einen Bombenschnupfen, Leute. Daran verdient der alte Wegener noch im Grab. Sein Rhinoperm ist das meistgekaufte Schnupfenmittel! – So mochte mancher jetzt denken...

»Laß mich los, Peter. Ich kann allein stehen«, sagte sie.

»Mama...«

»Bitte!«

Sie ließen sie los, und sie ging die drei Schritte bis zum offenen Grab ohne Stütze. Sie starrte in die Tiefe. Den Sarg sah sie nicht mehr, er war zugedeckt mit Blumen und mit der Erde, die man mit einem Schäufelchen als letzten Gruß hinuntergeworfen hatte.

Sie haben meine Rosen zerquetscht, dachte sie. Aber er weiß ja, daß sie auf ihm liegen. Jedes Jahr zum Geburtstag hat er mir langstielige Rosen geschenkt, zuletzt dreiundfünfzig, und immer waren in den roten Rosen zwei weiße Rosen. Für Peter und Vanessa Nina. »Und wo bist du?« hatte sie gefragt, jedes Jahr. Er hatte gelacht, mit jenem jungenhaften Lachen, in das sie sich damals sofort verliebt hatte – ein Lachen, das nicht allein aus seinem Mund, sondern auch aus seinen blauen Augen sprang. »Ich bin keine Rose, Irmi. Und eine Distel verdürbe den ganzen Strauß.«

Hinter sich hörte sie Flüstern. Peter hielt Vanessa Nina zurück, die an die Seite ihrer Mutter wollte. »Laß sie jetzt allein«, sagte er leise. »Jetzt muß sie allein sein. Ich glaube, es gibt keine Frau, die einen Mann so geliebt hat wie Mama unseren Pa. Nini, sei jetzt still!«

Sie blieb ganz nahe an der mit Tannengrün ausgeschlagenen Grube stehen, faltete die Hände vor ihrem Schoß und blickte in das Grab. Sie betete nicht. Sie sah auf die Blumenhaufen und die Erdbrocken und die wenigen hellbraunen Flecken, die dazwischen schimmerten. Der Sarg aus Eiche. Hellmuth Wegener.

Siebenundzwanzig Jahre, dachte sie. Siebenundzwanzig Jahre Hand in Hand. Und jetzt läßt du mich allein. Die Welt ist leer geworden, Hellmuth, trotz der Kinder. Sie sind groß und gehen in Kürze ihre eigenen Wege. Was bleibt mir? Die Pharmazeutischen Werke, die Villa am Stadtwald, das Sommerhaus in Tirol, das Chalet im Wallis, das Landhaus an der Côte d'Azur, das Geld, das viele Geld... Was ist das alles ohne dich? Natürlich geht das Leben weiter, es gibt Millionen Witwen, und die Zeit bügelt alle Falten glatt in unserer Seele. Es geht immer weiter... Aber das wirkliche Leben waren diese siebenundzwanzig Jahre mit dir.

Sie schrak nicht zusammen, als Peter wieder neben sie trat und seinen Arm unter ihren Ellenbogen schob. Sie hörte hinter sich Vanessa Nina schluchzen, die kleine Nini, wie Hellmuth sie genannt hatte, sein Spätzchen mit dem Silberstimmchen.

»Wir müssen gehen, Mama«, sagte Peter. Er gab sich alle Mühe, seine Stimme nicht schwimmen zu lassen. Der unbewegliche Abschied seiner Mutter von ihrer einzigen, großen Liebe gefährdete seine männliche Selbstbeherrschung.

»Gehen? Wohin?« Sie wandte langsam den Kopf und sah ihn durch den schwarzen Schleier an. Augen, die noch gar nicht gegenwärtig waren.

»In den ›Rosengarten‹, Mama.«

»Rosengarten?«

»So heißt das Lokal, in dem das Totenessen stattfindet. Du weißt doch, Mama: der Sektempfang, das kalte Büffet, die offizielle Kondolationscour. Wir erwarten über achthundert Gäste!«

»Laßt mich nach Hause bringen«, sagte sie und wandte das Gesicht wieder dem Grab zu.

»Mama, die Gäste...«

»Bitte, Peter! Vertritt du mich. Und du, Spätzchen, hilf ihm. Ihr könnt das gut, ich weiß es. Ich – ich möchte jetzt allein sein. Ich kann keinen mehr sehen. Versteht ihr das?«

»In einer Stunde ist alles vorbei, Mama.«

»Diese Stunde ist mir zuviel. Bitte!«

Peter nickte seiner Schwester zu. Sie faßten ihre Mutter wieder unter und zogen sie sanft vom Grab weg. Hinter einem großen Stein warteten zwei Totengräber, städtische Angestellte, unterer Dienst, auf die Freigabe des Grabes. Sie stützten sich auf ihre Spaten, rauchten in der hohlen Hand – wegen des Regens – Zigaretten aus schwarzem Tabak und wünschten sich, daß die Witwe endlich wegginge und das Warten in der Nässe aufhörte. Am Eingang des Friedhofs heulten die Autos auf, quietschten Reifen über den nassen Asphalt, schlugen Türen, flatterte ein Stimmengewirr in die Stille jenseits des Tores, sogar ein paar Lacher waren darunter, weil Rechtsanwalt Dr. Schwangler einen Witz erzählte von einem Scheintoten, der nach seiner Erweckung noch vier Kinder gezeugt hatte...

Der Pfarrer wartete unter einem großen schwarzen Schirm. Neben ihm stand der Orgelspieler, der in der Kapelle einen Satz aus einem Concerto grosso von Händel gespielt hatte, ein letzter Wunsch des Toten. Direkt am breiten Torausgang stand in einem Trauermodellkleid aus schwarzem Breitschwanz mit schwarzem Nerzbesatz Elena Preiß, seit drei Jahren Witwe des Fabrikanten Johann Preiß und beste Freundin des Hauses Wegener. Eine so gute Freundin, daß sie sich leisten konnte zu sagen: »Hellmuth hat die falsche Frau geheiratet. Irmgard ist immer eine Apothekerstochter geblieben. Ein Adler braucht eine Adlerin, aber keinen Finken...«

»Müssen wir da durch, Peter?« fragte Irmgard Wegener und blieb stehen.

»Nicht unbedingt, Mama. Es gibt auch noch einen Seitenausgang.«

»Gehen wir den!«

»Es wäre unhöflich, Mama.« Peter drückte den Arm seiner Mutter fester. »Der Pfarrer und der Organist wollen sich verabschieden.«

»Sie sind nicht zu dem... Totenessen geladen?«

»Nein. Du weißt doch, daß nur ein bestimmter Kreis...«

Sie blickte hinüber zu Elena Preiß, die auf sie wartete wie ein Geier auf das Aas. Ihre rotgefärbten Haare wallten lang über die Schultern und den Nerzkragen. Sie trug das Modellkleid sehr kurz, um ihre noch immer schlanken, langen Beine zu zeigen. Dabei ist sie drei Jahre älter als ich, dachte Irmgard Wegener. Aber sie war ihrem Mann nicht einen Monat treu. Ich habe nie eine Liebschaft gehabt, nie einen intimen Freund, ich war Hellmuth die treueste Frau von jener Stunde an, als ich ja sagte und seinen Namen annahm.

»Ich will weg!« sagte sie hart. Peter zuckte zusammen und starrte sie an. »Weg von den Menschen! Durch den Seitenausgang. Ich will keinen mehr sehen und keinen mehr hören!«

Peter Wegener schwieg. Er warf einen Blick hinüber zu seiner Schwester, und sie verstanden sich. Die Nerven! Jetzt kommt der Zusammenbruch, jetzt, wo alles vorbei ist, fällt sie zusammen. Sie hat sich tapfer gehalten, die Mama, wie ein Denkmal stand sie da. Am offenen Sarg während der Aufbahrung in der Halle der Villa Fedeltà, und jetzt am Grab. Fedeltà heißt Treue. Man hat bis zuletzt gerätselt, warum Hellmuth Wegener seinem Haus diesen italienischen Namen gegeben hatte. Fedeltà. Treue. Auch die Kinder wußten es nicht – nur sie, Irmgard Wegener, geborene Lohmann, Apothekerstochter aus Köln-Lindenthal.

Sie führten sie weg, bogen ab zum Seitenausgang; der Pfarrer, der Organist, die Trauergäste blickten ihr betroffen nach. Elena Preiß hob, maliziös lächelnd, die Schultern, schürzte die zyklamengeschminkten Lippen und trippelte auf die Straße, wo ihr Chauffeur die Tür des Wagens öffnete und seine Mütze zog. Er stammte aus Korsika, sah blendend aus, und man munkelte, daß sich seine Aufgabe nicht nur im Wienern lackierter Autobleche erschöpfe.

Der Wagen der Wegeners fuhr zum Seitenausgang, Irmgard Wegener stieg schnell ein und gab ihrem Sohn und ihrer Tochter die Hand. »Ich danke euch«, sagte sie und versuchte sogar zu lächeln. »Bringt dieses... dieses Totenessen mit Anstand hinter euch. Kümmert euch nicht um mich. Ich bin froh, daß ich jetzt allein sein kann.«

Sie zog die Tür zu, der Chauffeur trat auf das Gaspedal, und der Wagen fuhr schnell davon, die vom Nebel verhangene Allee hinunter, von deren Bäumen die Nässe tropfte.

Das Herrenzimmer – nach alter Überlieferung wurde Hellmuths persönlicher Arbeitsraum in der Villa Fedeltà so genannt – wirkte auf sie in seiner der Renaissance nachempfundenen Pracht ohne Hellmuths Zweizentnervitalität im höchsten Maße fremd. Kalter Prunk, den nur sein Lachen mit Leben erfüllt hatte, seine Stimme, sein Gang. Und dieser klotzige geschnitzte Schreibtisch, wo ihm seine besten Ideen kamen – unerschöpflich und immer erfolgreich waren seine Einfälle. Bis zu dem Morgen, da er im Badezimmer auf dem orangefarbenen Teppich lag, die eine Gesichtshälfte rasiert, die andere noch mit Seifenschaum bedeckt.

»Ein klassischer Fall von Herzinfarkt!« hatte Dr. Bernharts gesagt. »Ich habe es kommen sehen. Ich habe es kommen sehen! Aber Ärzte waren bei ihm ja Bogenpisser! Ich bin gesund wie hundert Bullenschwänze – das hielt er mir immer vor, wenn ich ihm riet, einmal auszusetzen und an sich zu denken!«

Das sagte Dr. Bernharts natürlich nicht zu der Witwe, das erzählte er nur am Ärztestammtisch im Restaurant Kuckuck.

Aber irgendwie stimmte das mit der ungebrochenen Gesundheit. In einunddreißig Jahren hatte Hellmuth Wegener nicht länger als sechs Wochen krank im Bett gelegen, davon am längsten vierzehn Tage hintereinander, weil er sich beim Richtfest eines seiner Neubauten den linken Knöchel angebrochen hatte, mit besoffenem Kopp, wie er später lachend erzählte. Ein Stier, den nichts umwarf. Bis plötzlich das Herz aussetzte.

Das Herrenzimmer, so kalt und unpersönlich es sich auch ausnahm, war wohlig warm. Der Regen hatte zugenommen; hier, im Stadtwald, war es keine Nässe mehr, die aus Nebeln schwebte, hier trommelten dicke Tropfen an die Scheiben. In der großen Villa Fedeltà war es still. Das Personal war beim Totenessen und half servieren. Es hatte sich freiwillig dazu gemeldet, im Gedenken an den Chef, der sie alle geduzt hatte und eher Kumpel als feiner Herr gewesen war. Natürlich konnte er auch ganz vornehm sein, bei offiziellen Empfängen, im Frack oder Smoking, im Konzert oder bei den Wagner-Festspielen, er gehörte ja zum Ring der Freunde Bayreuths – aber wenn er zu Hause war, nannte er den Gärtner ›Franz, die Kanaille‹ und den Chauffeur, der den Mercedes fuhr, ›Hugo vom Stuttgarter Stern‹. Paula und Doris, Köchin und Hausmädchen, liebten ihn heimlich. Es war rein platonisch, aber es wirkte sich auf die Küche und die Sauberkeit im Hause aus.

Sie trat ans Fenster, blickte hinaus in den grauen, vom Regen betrommelten Park und drückte die Stirn gegen die kalte, feuchte Scheibe. Man muß das Alleinsein jetzt üben, dachte sie. Siebenundzwanzig Jahre war er immer da, konnte man mit ihm reden, kam auf jede Frage seine Antwort, lag er neben mir, hörte ich seinen Atem, wachte ich nachts von seinem Schnarchen auf oder wachte auch auf, wenn er nicht schnarchte, aus Angst, ihm könnte etwas passiert sein, denn solange er schnarchte, war er da, lebte er, gab es einen neuen Morgen mit ihm ... Und plötzlich ist man allein, man hört nur seine eigene Stimme widerhallen in allen Räumen, und man hört nicht mehr: ›Irmi, du bist mein Dummerchen!‹ oder ›Irmi, ich habe schon wieder zugenommen. Im Büro, bei der Sitzung mit dem Vorstand, ist mir der Hemdenknopf überm Bauch abgeplatzt. Diese verdammten Arbeitsessen! Warum muß man Verträge immer beim Fressen machen?!‹

Das alles fehlte jetzt. Einsamkeit ist wie ein Helm, dessen Visier herunterklappte. Man hört und sieht die Welt, aber man steht draußen. Sie stieß sich vom Fenster ab, ging in den Raum hinein und setzte sich in den breiten Sessel, in dem Hellmuth es sich immer bequem gemacht hatte, wenn ihm eine Idee eingefallen und er davon überzeugt war, daß sich aus dieser Idee etwas machen ließe. Dann trank er immer einen Wodka, nur einen, und fiel in tiefe Nachdenklichkeit.

»Woran denkst du?« hatte sie dann gefragt.

Und er hatte geantwortet: »Das Leben ist manchmal verrückt. Total verrückt.«

Dann lachte er wieder, und die Minute der Besinnung (auf was besann er sich?) war vorüber.

Jetzt saß sie in seinem Sessel, öffnete die schwarze Handtasche und holte einen kleinen, flachen Kasten heraus. Er war aus goldbepinseltem Holz, eine venezianische Handarbeit, wie man sie massenhaft an Touristen verkauft. Dr. Schwangler, der Rechtsanwalt und Freund der Familie, hatte den Kasten nach der amtlichen Todeserklärung der wie erstarrt sitzenden Irmgard Wegener übergeben.

»Es war Hellmuths Wille«, hatte Dr. Schwangler, dieses Mal nicht zu Witzen aufgelegt, gesagt. »Hier, sein Brief an mich.«

»Lies ihn bitte vor«, hatte sie geantwortet.

»›Im Falle meines Ablebens‹... Soll ich weiter?«

»Bitte!«

»...›Ablebens bitte ich meinen Freund Schwangler, dieses Kästchen meiner Frau auszuhändigen. Es enthält einen Schlüssel. Den Schlüssel zu meinem Tresor unter dem Bild von Gauguin. Ich bitte Dich, Irmi, öffne den Tresor nach meiner Beerdigung – ob allein oder mit den Kindern, das überlasse ich Dir. Glaube mir eins: Ich habe Dich immer geliebt‹...«

Sie hatte das venezianische Kästchen genommen, nicht hineingeblickt, sondern es gleich in ihre Handtasche gesteckt.

»Überzeug dich, ob der Schlüssel wirklich drin ist«, sagte Dr. Schwangler.

»Wenn Hellmuth schreibt, er sei drin, dann ist er drin«, hatte sie geantwortet.

Sie sah das Kästchen lange an und wunderte sich, daß Hellmuth so etwas gekauft hatte. Es war nicht seine Art, Geld für Talmi auszugeben, wie er auch sogenannten Modeschmuck ablehnte, gestanztes Eloxalblech, bunte Glasperlen, bemalte Holzklötzchen, Kunststoffsteine, all diese billigen modischen Behängsel. Sein erstes Schmuckstück – sie erinnerte sich, es war im Jahre 1948, zur Geburt von Peter – hatte er ihr nur schenken können, weil er es beim Juwelier in vier Monatsraten abzahlte: einen schmalen, in der Mitte sich verbreiternden goldenen Ring, in dem in eingestanzten Sternen ein winziger Brillant, ein Rubin, ein Saphir und ein Smaragd staken. Milliware, wie es der Juwelier nennt – aber damals für den jungen Mann, der nichts geschenkt haben, sondern sich alles selbst erarbeiten wollte, ein kleines Vermögen. Der Ring lag noch heute in ihrem Schmuckkasten, sie trug ihn nicht mehr, sie besaß jetzt Colliers und Brillantarmbänder, Ringe und Ohrringe, deren Fotos bei den Versicherungsgesellschaften lagen und einige Hunderttausend wert waren, aber der armselige Ring war noch da, und manchmal, wenn sie aus den Schatullen ihren Schmuck zusammenstellte, betrachtete sie ihn lange, und die Zeit drehte sich zurück bis zu jenem Vormittag, als er an ihr Bett trat und den Ring auf ihre nackte Brust legte, an der das Kind lag und trank.

Sie öffnete den venezianischen Holzkasten und lehnte sich weit im Sessel zurück. Der Regen prasselte gegen die Scheiben, und plötzlich dachte sie erschrocken: Jetzt wird er naß. Das ganze Grab läuft voll. Er hatte immer einen Abscheu gegen kalte Füße und Regen, der aus dem Nebel kommt. Er liebte so sehr die Sonne. Und jetzt, in seiner letzten Station...

Es war ein Schlüssel mit verschieden langen Bärten und vielen Zacken, der typische Tresorschlüssel. Er lag allein in dem Kästchen, kein Zettel begleitete ihn, kein Wort.

Sie nahm ihn heraus, legte ihn auf ihre schmale Handfläche und betrachtete ihn. Der Tresor im ›Herrenzimmer‹ war so etwas wie ein Tempel gewesen, den nur er allein betreten durfte. Was er dort verbarg in all den Jahren, wußte keiner, es hatte auch keiner gefragt, und – ehrlich gesagt – es hatte auch keinen interessiert. Die kleinen oder großen Geheimnisse eines Mannes werden nicht durchsichtiger, wenn man ihnen nachspürt oder wenn man sie attackiert, – sie werden nur noch unerreichbarer und belasten unerträglich den harmonischen Alltag. Welche Geheimnisse hat ein Mann schon? Eine kluge Frau wird sich meist das Richtige denken – und schweigen, so wie ein Kind versucht, eine Stück gestohlener Schokolade zu verstecken. In jedem Mann schläft ein großes Kind – wacht es zuweilen auf, soll man es spielen lassen. Das macht ihn glücklich, hebt sein Selbstbewußtsein, läßt ihn glauben, er sei ein ›toller Kerl‹. Ein Mann braucht das, um ein Mann zu sein.

Sie erhob sich aus dem breiten Sessel, ging zu der Bibliothekswand und blieb vor dem Gauguin stehen. Südsee-Mädchen, eine Blumenkette flechtend. Als echt anerkannt durch sieben Expertisen. Bei Partys oder wichtigen Geschäftsbesuchen wurde das Gemälde durch einen in der getäfelten Decke verborgenen Stichscheinwerfer angestrahlt. Dann lebte das kleine Südseemädchen, und ihre Brüste schienen sich beim Atmen zu heben, so vollkommen war die Illusion.

Das Bild war nicht schwer. Leinwand in einem schmalen Rahmen. Sie konnte es mühelos herunternehmen und auf den riesigen Aubusson-Teppich stellen, der den ganzen Fußboden bedeckte.

Der Tresor war bündig mit der Wand, eine kleine Stahlklappe mit einem Schlüsselloch. Keine elektronischen Sicherungen, keine Alarmanlage, keine Zahlenkombination.

Nur ein einfacher Mauertresor, nicht höher als zwei aufgestellte Bücher, nicht geeignet, Millionen oder andere Schätze dahinter zu verstecken.

Der Schlüssel paßte, er knirschte etwas im Schloß, als Irmgard ihn umdrehte, dann zog sie mit dem Schlüssel die Klappe auf. Sie war nicht erstaunt, im Inneren des Tresors nichts zu finden als ein paar dicke Schulkladden. Gewöhnliche Kladden mit einem harten Dekkel, wie sie die Kinder für ihre Hausaufgaben benutzt hatten. Das eine Heft rot, das andere blau, das dritte grün, das vierte gelb, das fünfte violett. Auf den Schildchen stand in Hellmuths steiler Handschrift Nr. 1, Nr. 2 und so fort, und darunter Jahreszahlen: 1944–1948. 1948–1955. 1956–1965. Das letzte Heft endete mit 19... Ohne weitere Zahl. Hellmuth Wegener hatte nicht sterben wollen. Jetzt noch nicht.

Sie nahm die Hefte heraus, trug sie zum Sessel, setzte sich wieder, knipste die Stehlampe an, denn der Himmel war ein dumpfes Grau und besiegte die Sonne völlig, sie legte die Hefte auf die breite Lehne und stützte das Kinn auf die gefalteten Hände.

Er hat Buch geführt, dachte sie. Er hat sein Leben in Worte gepreßt. Woher hat er bei all der Arbeit noch die Zeit gefunden, das zu schreiben? Wann hat er es getan? Ich habe ihn nie über einem dieser Hefte angetroffen, und er hat nie darüber gesprochen, daß sein Leben wichtig genug sein könnte, es schriftlich festzuhalten.

War es ein wichtiges Leben? War es nicht ein Leben wie Millionen anderer Leben auch? Ein erfolgreiches Leben, sicherlich, aber normal, wie ein Leben nur sein kann, angefüllt mit Arbeit, Liebe, Sorgen und Freuden, Höhen und Tiefen, Problemen und Ausgleichen. Ein Mensch, der sechsundfünfzig Jahre gelebt hat, in dieser unserer Zeit, kann etwas erzählen. Aber er wird nicht viel anderes erzählen, als was der Mann neben ihm auch erlebt hat.

Sie ergriff das erste Heft – roter Deckel – mit der Zahl 1944–1948. Bevor sie es aufschlug, schloß sie die Augen und erinnerte sich.

Das Prasseln des Regens gegen die Scheiben – jetzt klang es wie fernes Maschinengewehrfeuer, wie das Knistern von Flammen...

Sie schlug das Heft auf und rückte die Stehlampe näher heran.

Hellmuths Schrift, engzeilig und – damals, 1948, als er dies geschrieben hatte – ergreifend jungenhaft und ohne Charakteristikum, begann mit einem Satz, den sie viermal las, ehe sie zur zweiten Zeile kam.

»Ich bekenne.«

Was hat ein Hellmuth Wegener im nachhinein zu bekennen, dachte sie. Ich kenne ihn besser als er sich selbst. Er sah sich so, wie er sein wollte. Ich sah ihn, wie er war. Beides zusammen war er: der

Mensch Hellmuth Wegener. Wie jeder Mensch ein Geschöpf aus Wunsch und Wirklichkeit.

Sie legte das rote Heft auf ihre Knie, beugte sich darüber und las weiter.

Das Prasseln des Regens klang noch immer wie Maschinengewehrfeuer...

1944.

Ein Juni-Vormittag mit Sonne und unerträglicher Wärme.

Der Erdbunker des Bataillonsgefechtsstandes östlich von Orscha war mit einer Fahne und zwei Girlanden aus geflochtenem Tannengrün geschmückt. Hauptmann Hillemann lehnte an der mit Holzschwarten verkleideten Wand und rauchte eine Zigarette. Leutnant Brokamp stand draußen auf den festgestampften Stufen und wartete auf den Regimentskommandeur und den Wehrmachtspfarrer. Auf einem aus Birkenknüppeln gezimmerten Tisch stand ein Strauß mit Feldblumen und ein selbstgemachter Bilderrahmen mit einem Foto. Vier Kerzen umrahmten das Stilleben und belebten mit ihrem flakkernden Schein die Augen des jungen Mädchens auf dem Bild. Blonde Haare, zu einer Olympiarolle zusammengedreht, blaue große Augen, ein sanft geschwungener Mund, in dessen Winkeln noch Kindlichkeit nistete. Über die Brust hatte sie geschrieben: Für Dich, Hellmuth. In Liebe – Irmi.

Helmuth Wegener stand neben dem Eingang des Bunkers und trank langsam, in kleinen Schlucken ein Glas Weinbrand. Er hatte seine Uniform gesäubert, so gut es ging, trug seine Orden – das EK II, das EK I, das Infanteriesturmabzeichen, den »Gefrierfleischorden« und das Panzerabschußzeichen. Den Helm, ebenfalls blank geputzt, hielt er unter dem Arm. Neben ihm stand Unteroffizier Peter Hasslick, Schlosser aus Osnabrück, groß, hager, an einem Stück Schoka-Kola kauend. Hinter dem Tisch saß Hauptfeldwebel Emil Knoll, sah auf seine wasserdichte Aluminiumuhr und ärgerte sich, daß der Kommandeur, der von allen Pünktlichkeit verlangte, eine halbe Stunde später kommen durfte.

»Sie haben sich die dämlichste Zeit zur Hochzeit ausgesucht, Wegener«, sagte Hauptmann Hillemann und steckte sich an der abgerauchten eine neue Zigarette an. Er war Kettenraucher, und im Bataillon ging die Sage, in den Pripjetsümpfen habe er sogar getrocknetes Schilf gepafft. »Es liegt gewaltige Scheiße in der Luft! Der

Iwan marschiert auf. Man glaubt es höheren Orts noch nicht, aber uns kann man nicht in die Tasche pissen! Da braut sich was zusammen. Immer, wenn der Iwan so still ist, rappelt's nachher um so wilder!«

Die Front schwieg, das stimmte. Seit Tagen lagen sie dem Russen gegenüber, ohne daß es zu nennenswerten Kampfhandlungen gekommen war. Ein paar Spähtrupps, ab und zu eine Schießerei der verdammten sibirischen Scharfschützen, die auf alles zielten, was sich bewegte... aber wer redet darüber. Um so heftiger ging es im Norden und Süden zu. Hier griffen die Sowjets massiv an, anscheinend um die Flanken einzudrücken und den Mittelabschnitt der deutschen Front zu zwingen, freiwillig zurückzugehen.

»Es war der einzige Termin, Herr Hauptmann«, sagte Hellmuth Wegener. Seine Fähnrichslitzen glitzerten im Kerzenschein.

»Heimaturlaub bekommen Sie sowieso nicht. Urlaubssperre von oben bis unten.«

»Eben darum.«

»Was haben Sie dann von der Heirat und Ihrer jungen Frau?« Hauptmann Hillemann lachte verhalten. »Hochzeitsnacht per Post... das ist doch Mist!«

»Wir lieben uns.«

»Das ist ja das Dämliche. Morgen oder übermorgen rollt die sowjetische Offensive, und uns kocht das Wasser im Arsch, und Sie liegen statt bei Ihrer jungen Frau im Dreck und verrecken vielleicht.« Hillemann drückte seine Zigarette, sie war zu hart gestopft mit dem russischen Machorka. »Verzeihen Sie, Wegener, das ist kein Hochzeitsgespräch, ich weiß. Wir sollten Halleluja singen und uns anschließend besaufen. Aber wir kennen uns, mein Junge. Ich halte einen Dreck von diesen Ferntrauungen. Man kann ein junges Ding zur Witwe machen, ohne daß sie weiß, wie ihr Mann überhaupt ausgesehen hat. Was hat das für einen Sinn?!«

»Ich denke nicht ans Sterben, ich denke nur ans Überleben, Herr Hauptmann«, sagte Hellmuth Wegener. Und plötzlich brach es aus ihm heraus: »Und wohin soll ich denn sonst?! Man braucht doch einen, an den man denken kann. Der auf einen wartet, wenn man jemals aus dieser Scheiße herauskommen sollte!«

Hauptmann Hillemann schwieg. Es stimmte ja: dieser Fähnrich Wegener war mutterseelenallein. Wortwörtlich zu verstehen. Seine Mutter war erst vor wenigen Monaten bei einem Bombenangriff ums Leben gekommen; der Vater war schon vor Jahren gestorben.

Hauptmann Hillemann ging zu einem anderen Tisch, kam mit einer Flasche Kognak zurück und goß Wegener das Glas erneut voll. Auch Hasslick und Hauptfeldwebel Knoll bekamen ein Glas. Sie tranken und blickten dann wie auf ein Kommando auf das Foto des jungen, blonden Mädchens. Ihre Augen lachten. Die Heimat, dachte Hillemann. Sie ist die Heimat, ist alles, wonach wir Sehnsucht haben.

»Wie lange kennen Sie Fräulein Lohmann?« fragte er.

»Ein halbes Jahr. Ich bekam damals einen Brief von ihr. Aktion ›Deutsche Mädel schreiben an die Front‹. Es war ein Zufall, daß gerade Irmis Brief an mich ging. Bei der Postverteilungsstelle hatte man Schicksal gespielt und willkürlich Namen auf die Umschläge geschrieben. Damals hatten wir gerade Smolensk aufgegeben.«

»Ein Scheißjahr!«

»Ich schrieb wieder, und die Briefe gingen schnell hin und her – erstaunlicherweise.«

»Beleidigen Sie nicht die deutsche Feldpost, Wegener.« Hillemann lächelte. »Und per Brief haben Sie sich verliebt, verlobt und heiraten jetzt?! Sie haben ihr Bild, sie hat Ihr Bild... das genügt?! Sonnige Jugend!«

»Mein zukünftiger Schwiegervater hält uns für verrückt.«

»Ein kluger alter Herr!« Hillemann blickte wie Hauptfeldwebel Knoll auf die Uhr. »Wenn jetzt der Kommandeur nicht kommt, bricht der Zeitplan auseinander. Dann ist Fräulein Lohmann in Köln Frau Wegener, und Sie wissen davon nichts! Uns bleiben noch zwanzig Minuten.«

»Der Iwan kann die Schneise einsehen, Herr Hauptmann«, sagte Leutnant Brokamp. Er kam von der Bunkertreppe zurück. »Wir haben es ausprobiert mit einem Helm auf einem Stock. Pffff... der Helm war weg. Sibirische Scharfschützen. Wir wissen noch nicht, wo die Kerle sitzen, aber ich habe vier Mann losgeschickt, das rauszukriegen. Der Kommandeur wird mit dem Pfarrer zu uns kriechen müssen.«

»Sauber!« Hillemann lachte dröhnend. »Auf allen vieren zur Hochzeit. Das gibt Stimmung, Wegener!«

Er schenkte wieder Kognak ein, ließ die Flasche herumgehen und verteilte seine Machorkazigaretten, die im Stab gefürchtet waren. »Sie haben ein Gutes, sie machen immun gegen Gas jeder Art!« hieß es im Bataillon. »Wenn es zu einem Gaskrieg kommt, – unser Bataillon wird überleben, auch ohne Gasmaske!«

»Noch eine Viertelstunde!« sagte Hauptmann Hillemann. »Ich glaube, ich muß mir anmaßen, selbst die Trauung vorzunehmen...«

Juni 1944.

Ein sonniger Tag mit erträglicher Wärme.

Über der teils zerbombten Innenstadt von Köln lag ein blauer Himmel. Die Menschen waren dabei, die Trümmer wegzuräumen, ihre Wohnungen zu flicken, mit alten Steinen und Ziegeln Neues zu bauen, die Fenster mit Drahtglas erneut dicht zu machen. Vor den Geschäften standen die Menschen in Schlangen: Sonderzuteilung von 100 Gramm Zucker und 200 Gramm Brot. Alte Frauen tauschten Zigarettenmarken gegen Milchmarken, vor den Fleischereien stauten sie sich mit Kannen und Töpfen in den Armen, um Wurstbrühe zu ergattern. Wasser mit ein paar Fettaugen, aus dem man eine Suppe machen konnte, mit Nudeln oder Grieß, Graupen oder auch nur Mehl. Auch Brotaufstrich konnte man daraus machen, dick eingekocht mit Salz und anderen Gewürzen: Leberwurstersatz, nur die Farbe stimmte nicht.

Im Standesamt Köln-Lindenthal, im geräumigen Zimmer II, mit dem Führerbild als einzigem, aber unübersehbarem Schmuckstück, war der große Tisch mit Blumen und einem blankpolierten Stahlhelm dekoriert. Hinter dem Stahlhelm stand in einem silbernen Rahmen (vom Standesamt geliehen für die Dauer der Zeremonie) das Foto des Fähnrichs Hellmuth Wegener, ein lachendes Jungengesicht mit braunen Haaren und fröhlichen Augen. Der noch nicht vom Leben gezeichnete Mund verbarg Energie und Zärtlichkeit.

Vor dem Tisch saßen in einer Reihe nebeneinander, von links nach rechts, der Onkel Hannes Lohmann, der Apotheker Johann Lohmann und die Braut Irmgard Lohmann, in einem blaßblauen, wadenlangen Kleid, im frisierten blonden Haar einen schmalen Kranz aus gelben Rosen, die Lohmann nur durch Beziehungen, und weil er Apotheker war, von einer Gärtnerei am Stadtwald bekommen hatte. Neben der Braut saß Heribert Bluttke, Freund Johann Lohmanns, ein Transportunternehmer, dem man alle Lastwagen eingezogen hatte bis auf einen alten dreirädrigen Tempowagen, mit dem er jetzt Trümmerumzüge machte, die Hälfte für Bargeld, die Hälfte für Naturalien.

Einen Strauß roter Rosen – aus der gleichen Gärtnerei, Kostenpunkt vier Pfund Kindergrieß – hielt Irmgard auf ihrem Schoß. Sie blickte stumm auf den grauen Stahlhelm und das Foto, ihr kindliches Gesicht war angespannt, völlig hingegeben dem Augenblick.

Hinter dem Tisch stand der Standesbeamte Peter Schmitz VII, der Größe des Geschehens bewußt. Durch das Fenster flutete die Sonne über seine gelbbraune Parteiuniform. Glänzt wie Kinderscheiße, dachte Lohmann unfeierlich. Überhaupt ist das alles hier ein Affentheater. Ferntrauung. Daß Irmi zu so etwas fähig ist! Wo hat meine Erziehung versagt? Wenn ihre Mutter noch lebte, wäre das alles anders gekommen, dachte er. Aber damals, beim großen Angriff auf Köln, im Mai 43, hatte sich Frau Lohmann, als sie mit zwei Koffern in der Hand die Treppe zum Luftschutzkeller hinuntergestürzt war, einen Oberschenkelhalsbruch geholt und war ein paar Tage später an einer Embolie gestorben.

»Noch zehn Minuten!« sagte Schmitz VII feierlich. Er rückte seinen Uniformrock gerade, und Lohmann wunderte sich, daß die Kinderscheiße nicht an seinen Fingern kleben blieb. Er hatte nie Sympathie für diese »politischen Leiter« empfunden, und seine Freunde, die selbst eine Uniform trugen, weil man es ihnen befohlen hatte, besuchten ihn nur in Zivil. »Jetzt wird Ihr Bräutigam an der Front ebenfalls vor einem Tisch stehen und an Sie denken, Fräulein Lohmann. Welch eine erhebende Stunde. Ein junger Held und ein deutsches Mädchen finden sich zum ewigen Bund in Deutschlands schwerster, aber größter Zeit! Außerdem ist es zum erstenmal, daß im Standesamt Lindenthal eine Ferntrauung stattfindet.«

So einen Blödsinn gibt es auch nur selten, dachte Johann Lohmann und schielte zu seiner Tochter. Sie saß kerzengerade, den Rosenstrauß auf dem Schoß, und sah mit einem verträumten Lächeln das Foto von Hellmuth Wegener an. Sie liebt ihn wirklich, dachte Lohmann. Ist das zu glauben?! Kennt nur seine Briefe, ein retuschiertes Foto, vergräbt sich in Worte und weiß plötzlich, das ist der Mann fürs Leben, den heirate ich, auch wenn ich morgen Witwe sein kann! Stundenlang, tagelang habe ich mit ihr gesprochen – es hatte keinen Sinn. Das ist jetzt eine Zeit, in der die Hirne gelähmt werden. Wahrheiten sind wie Seifenblasen. Ihn kann ich ja noch eher verstehen, hat beide Eltern verloren...

Irgendwo tickte eine Uhr, gemein laut in dieser Stille. Von der Wand hinter dem Schreibtisch blickte der Führer mit ehernem Blick herunter. Johann Lohmann sah ihn böse an. Auch daran bist du schuld, dachte er. Ich weiß, es ist primitiv, so zu denken, aber auch der kleinste Baustein von Schuld wird zum Berg, und der wird dich einmal erdrücken. Und uns alle mit, denn wir haben dich gewählt, Führer, wir sind eine schizophrene Generation...

»Noch fünf Minuten!« sagte Schmitz VII mit gehobener Stimme. Er klappte die Trauakte auf und starrte auf den grauen Stahlhelm. Aus seinen Augen sprach Ergriffenheit und deutsche Manneswürde. »Wenn die Uhren auch in Rußland stimmen, steht Ihr Bräutigam jetzt vor seinem Kommandeur. Fräulein Lohmann, das müßten Sie jetzt eigentlich fühlen...«

O Himmel, halt die Fresse, dachte Johann Lohmann und schlug die Beine übereinander. Heribert Bluttke räusperte sich, und Onkel Hannes bekam feuchte Augen. Er war wie seine Mutter und weinte gern, wenn es ans Herz ging.

»Es ist soweit!« sagte Schmitz VII in die Stille hinein. »Jetzt ist die Heimat mit der Front verbunden...«

Zehn Minuten vor dem angesetzten Termin stürzten der Regimentskommandeur, Major Blauer, und der Wehrmachtspfarrer Dr. Zoller die Treppe zum Bunker hinunter und rollten, obgleich sie Leutnant Brokamp aufhalten wollte, bis vor den Trauungstisch. Draußen machte es mörderisch Pfff-pfff-pfff, dann rumpelten einige Gewehrgranaten heran, aber sie schlugen weit vom Bunker entfernt in die trockene Erde. Es gab Staubwolken, aber sonst nichts.

Major Blauer und Dr. Zoller sprangen auf, klopften den Dreck von ihren Uniformen und holten tief Luft. Hauptfeld Emil Knoll und der Unteroffizier Hasslick standen stramm, Hauptmann Hillemann und Leutnant Brokamp halfen, die Uniformen zu säubern.

»Zwei oder drei Dreckskerle sitzen da herum!« schrie Major Blauer. »Ich vermute, drüben auf dem Hügel, in dem Kusselgelände. Die muß man doch mit Granatwerfern erreichen können, Hillemann!«

»Wir haben Befehl von der Division, so viel wie möglich Munition zu sparen. Keine Einzelaktionen, Freigabe des Materials nur bei Angriff.« Hillemann grinste schief. »Mit Blasrohren reiche ich nicht bis zu den Sowjets, Herr Major.«

»Hier ist ein Notstand, Hillemann! Sollen wir uns abknallen lassen wie die Hasen?« Er nahm aus der Hand von Leutnant Brokamp seine Mütze und setzte sie auf. Dr. Zoller suchte unter seinem Uniformrock und fluchte unchristlich.

»Scheiße!« sagte er. »So eine Scheiße! Verzeihung! Aber ich habe auf dem Kriechgang mein Kreuz verloren. Glatt von der Kette abgerissen!«

»Und jetzt stehen Sie da wie eine Jungfrau ohne Hymen, was?« Major Blauer lachte unverschämt.

»Ich habe meine Hände«, sagte Pfarrer Dr. Zoller gelassen und rieb sich die schmutzigen Handflächen. »Gott ist überall, wo Glauben ist.«

»Amen!« Major Blauer sah auf seine Armbanduhr, verstohlen tat das der korrekte Hauptfeldwebel Knoll auch. »Noch fünf Minuten!« Er wandte sich an Hellmuth Wegener, der vor dem Tisch stand und das Foto Irmi Lohmanns ansah. Jetzt sitzt sie in Köln vor meinem Bild, dachte er. Ein Stahlhelm liegt symbolisch auf dem Tisch. In ein paar Minuten sind wir Mann und Frau. Irmi, ob das wirklich richtig ist...?

»Ist das der glückliche Bräutigam?«

Wegener fuhr herum und schlug die Hacken zusammen. »Jawoll, Herr Major. Fähnrich Hellmuth Wegener, Dritte Kompanie.«

»Neu bei uns?«

»Seit drei Monaten, Herr Major. Ich hatte mich bei Ihnen gemeldet, als ich...«

»Ich behalte weder Namen noch Gesichter, Wegener.« Major Blauer winkte ab. »Fangen wir an. Wer zuerst? Sie, Herr Pfarrer?«

»Sprechen Sie erst Ihre Heldenworte.« Dr. Zoller holte aus der Tasche seiner Uniform ein Metallkästchen. Es enthielt eine Hostienschachtel und einen winzigen silbernen Kelch. »Wenigstens das habe ich behalten. Haben Sie Wein hier, Hillemann?«

»Nee, nur Kognak. Ist das eine Gotteslästerung?«

»Kognak wird aus Wein gemacht... also ist es gottgefällig«, sagte Dr. Zoller sanft. »Noch eine Minute, Herr Major.«

Draußen rumsten die Granatwerfer der Russen. Die deutschen Landser verkrochen sich, beneideten die Iwans um die Verschwendung von Munition und fühlten sich wohl. Ein warmer, ruhiger Tag, vielleicht der letzte. Wenn morgen oder übermorgen die sowjetische Offensive losrollte, gab es keinen blauen Himmel mehr. Dann war die Welt rot, die Erde brach auf, und viele, die jetzt in der Sonne lagen und pennten, schliefen dann für ewig.

Major Blauer trat hinter den Tisch, betrachtete das Bild von Irmi Lohmann, nickte Wegener lobend zu und hob die Hand. Er musterte die Uhr auf dem Handgelenk... genau zur vollen Stunde wollte er mit seiner Rede beginnen, wie in Köln-Lindenthal der Parteigenosse und Standesbeamte Schmitz VII.

»Na also –« sagte er, als der Zeiger auf die volle Stunde zuckte. »Fähnrich Hellmuth Wegener. Sie haben sich entschlossen, in Deutschlands schwerster Zeit und Aug in Auge mit dem Feind, tapfer, wie ein deutscher Mann ist, den Bund der Ehe mit einem ebenso tapferen deutschen Mädel einzugehen.«

Hauptmann Hillemann hustete. Major Blauer schielte zu ihm hin, verstand Hillemanns Grinsen und beugte sich etwas über den Tisch vor.

»Machen wir es kurz, Wegener. Über Liebe soll man nicht diskutieren, über den Optimismus der Jugend schon gar nicht. Es ist herrlich, daß es so etwas gibt und immer geben wird. Das ist für mich der Begriff des ewigen Lebens, nicht das, was uns gleich der Pfarrer erzählt. Fähnrich Hellmuth Adalbert Wegener, ich frage Sie, sind Sie gewillt, die Irmgard Helena Erna Lohmann zu heiraten, dann antworten Sie mit Ja.«

»Ja!« sagte Hellmuth Wegener laut.

Dann zogen sie die Köpfe ein, Staub rieselte von der verschalten Decke, irgendwo knackte es. Eine Granate hatte den Bunker getroffen, aber sie war zu schwach, um durchzuschlagen.

»Dann erkläre ich Sie hiermit für Mann und Frau«, sagte Major Blauer und hustete heftig. »So eine Scheiße! Hillemann, ich gebe Ihnen zehn Schuß Granatwerfer frei. Säubern Sie den verfluchten Hügel vor uns!«

In Köln hatte Schmitz VII zur gleichen Minute über Führer und Vaterland geredet und über die Verpflichtung junger deutscher Menschen, dem Volke viele Söhne zu schenken. Er sprach von Heldentum und Opfergeist, zitierte sogar Rommel und wuchs in dieser Stunde über sich hinaus. Johann Lohmann starrte ihn entgeistert an. Er kannte Schmitz VII nur als Magenleidenden, der dreimal wöchentlich in seine Apotheke kam und ohne Rezept ›Aufbaumittel‹ holte.

»Und so frage ich Sie, Irmgard Helena Erna Lohmann, wollen Sie den Fähnrich Hellmuth Adalbert Wegener heiraten, dann antworten Sie deutlich und klar mit einem Ja!« sagte er endlich.

»Ja!« anwortete Irmgard laut.

Johann Lohmann zuckte zusammen. Es war das schmerzhafteste Wort, das er bisher in seinem Leben gehört hatte. Ein einfaches Ja – aber er verlor mit ihm seine Tochter. Sie hieß in diesem Augenblick nicht mehr Lohmann, sondern Wegener. Ein neues Leben begann.

Schmitz VII wollte noch ein paar Worte sagen, bevor man gratulierte, aber das bis in die Knochen dringende Heulen der Luftschutzsirene unterbrach ihn. Sie war direkt über ihnen auf dem Dach, und es gab keinen anderen Laut mehr als dieses Geheul.

»Am hellen Tag!« schrie Schmitz VII und raffte seine Akten zusammen. »Alles in den Keller!«

Johann Lohmann blieb stehen. Er umarmte seine Tochter, gab ihr einen Kuß auf die kalten, zuckenden Lippen und nahm ihr den Rosenstrauß ab. Sie beugte sich über den Tisch, riß das Foto ihres Mannes an sich und steckte es in den Ausschnitt des Kleides, zwischen ihre Brüste. Von weitem dröhnte bereits die Flak und explodierten dumpf die ersten Bomben. Schmitz VII rannte aus dem Zimmer, Onkel Hannes, Tränen in den Augen, folgte ihm, nur Heribert Bluttke blieb an der Tür stehen.

»Die da oben wissen nicht, daß hier eine glückliche Braut ist«, sagte er, als die Sirene schwieg. »Kommt in den Keller.«

»Mir fällt etwas ein«, sagte Lohmann ruhig. »Schmitz VII hat vergessen zu sagen: Hiermit erkläre ich Sie kraft meines Amtes für Mann und Frau. Ist die Trauung nun gültig?!«

»Ich habe ja gesagt.« Irmgard Wegener, so hieß sie ja jetzt, schob ihren Arm unter den ihres Vaters. »Alles andere ist unwichtig. Hellmuth wird Weihnachten Urlaub bekommen.«

Er bekam keinen Urlaub.

Am 21. Juni traten die Russen bei Bobruisk, Mogilew, Orscha und Witebsk zu ihrer alles vernichtenden Offensive an. Mit einem Donnerschlag ohne Beispiel, mit Trommelfeuer aus vielen tausend Geschützen hämmerten sie die deutschen Divisionen in den Boden. Die 3. deutsche Panzer-Armee, die 4. und die 9. Armee standen einem russischen Aufgebot gegenüber, das unaufhaltsam wie eine Sturmflut über das trockene Land rollte.

Vier sowjetische »Fronten«, die »Erste Baltische Front« unter Bragamyan, die »Dritte Weißrussische Front« unter Tschernjakowki, die »Zweite Weißrussische Front« unter Zakharow und die »Erste Weißrussische Front« unter Rokossowski, warfen sich ohne Rücksicht auf Verluste an Menschen und Material gegen die deutschen Bunkerstellungen. Aus einem Sommertag wurde die Hölle, der blaue Himmel verdunkelte sich mit den Wolken aufgerissener Erde.

Am 24. Juni klaffte südlich von Witebsk eine Lücke von vierzig Kilometern in den Stellungen der 3. Panzer-Armee. Die russischen Divisionen fluteten in das Hinterland, kreisten die Deutschen ein und vernichteten sie, ehe noch das Hauptquartier der Heeresgruppe Mitte reagieren konnte.

An diesem 24. Juni, an dem das Ende der deutschen Mittelfront schon abzusehen war, befahl Hitler, die Stellungen zu halten, und verbot jeglichen Rückzug.

Am 25. Juni zerriß die Verbindung zur 4. Armee. Die Dritte Weißrussische Front erreichte die Rollbahn Orscha-Borissow, die Lebensader Rußlands. Auf ihr rollte der Nachschub – und auf ihr kämpften sich jetzt Teile der auseinandergerissenen 4. Armee zurück.

Hauptmann Hillemann war gleich am 21. Juni gefallen, Leutnant Brokamp war vermißt, dem Hauptfeldwebel Knoll hatte eine Granate das halbe Gesicht weggerissen, man mußte ihn zurücklassen, er heulte wie ein angeschossener Wolf und bettelte darum, daß ihm jemand eine Pistole gebe. Dann verfiel er von einer Minute zur anderen und lag still da, während die anderen weiterrannten, einen Kübelwagen enterten und sich absetzten.

Von Major Blauer hörte man nichts mehr, es hieß, sein Regimentsgefechtsstand sei von sowjetischen Panzern überrollt worden. Der ganze Stab war noch im Erdbunker, und der T 34 habe sich wonnevoll über dem Bunker gedreht und alles zu einer blutigen Masse zermalmt. Nur Wehrmachtspfarrer Dr. Zoller lebte noch, weil er gerade hinten bei der Division gewesen war. Er tauchte im Lazarett Borissow auf, mit zerrissener Uniform, blutbespritzt, unrasiert, ging durch die Reihe der Sterbenden und segnete sie.

Hellmuth Wegener und Peter Hasslick kamen bis zu dem kleinen Dorf Saledjow am Dnjepr. Sie waren allein, abgesprengt von der Truppe, und saßen jetzt am Ufer des trägen Flusses. Das Dorf war verlassen, die Katen waren zum größten Teil abgebrannt. Südlich von ihnen donnerte es ununterbrochen – dort hämmerte die russische Artillerie den Weg nach Mogilew frei. Nördlich von ihnen war der Himmel von Rauch geschwärzt – dort brannten die Öllager von Orscha. Und vor ihnen war der Fluß und kein Kahn, um ihn zu überqueren.

»Schwimmen wir!« sagte Wegener. »Du kannst doch schwimmen, Peter?«

»Nicht gut, aber durch diese Brühe komme ich schon durch.«

Sie gingen zum Dnjepr hinunter, zogen ihre Uniformen aus, banden sie zu einem Bündel um die Maschinenpistolen und wateten ins Wasser.

Als sie bis zu den Knien im Fluß standen, erschien oben auf der Uferböschung ein vielleicht neunjähriger, schmächtiger Junge. Sein zerlumpter Anzug war rußgeschwärzt, sein schmales Kindergesicht zuckte, und Tränen liefen ihm über die schmutzverkrusteten Bakken.

Mit zitternden Armen hob er ein Gewehr, drückte es in die Schulter, zielte und krümmte den kleinen Zeigefinger. Der Schuß warf ihn fast um, aber er fing sich auf, blieb mit gespreizten Beinen stehen und ließ das Schloß hin- und herknirschen.

»Das ist für Vater!« sagte er. »Und das für Mamuschka! Ihr habt sie umgebracht, ihr habt sie alle umgebracht! Ihr verdammten Germanski...«

Er schoß wieder, und die Tränen zogen Rillen durch den Schmutz seines Gesichtes.

Im Fluß zuckte Hellmuth Wegener zusammen, als es wie eine heiße Faust gegen seinen Rücken donnerte. Er stolperte nach vorn, fiel gegen den vorangehenden Hasslick und klammerte sich an ihm fest. Dann erst hörten sie den Schuß, widerhallend in der sonnigen Weite des Landes.

»Mich hat's erwischt!« stammelte Wegener. »Peter... im Rücken! Verdammt!«

Seine Stimme begann zu pfeifen, blutiger Schaum quoll über die Lippen, er hielt sich an Hasslick fest und starrte ihn aus weiten Augen an.

»Die Lunge!« sagte er. Der blutige Schaum bettete die Worte ein und blähte sich. »Die linke Lunge, Peter...«

»Hellmuth, mach keinen Quatsch! Hellmuth!«

Hasslick faßte Wegener unter die Achseln und schleifte ihn weiter in den Fluß hinein. Als das Wasser ihnen bis zum Magen ging, knallte der zweite Schuß. Die Kugel klatschte ins Wasser und traf Hasslick in den rechten Oberschenkel. Er knickte zusammen, hieb die Zähne aufeinander und hielt Wegener weiter umklammert.

»Jetzt bist du dran!« keuchte Wegener. »Mensch, laß mich fallen. Schwimm rüber! Du hast noch eine Chance! Hau ab, Peter...«

»Es ist nur ein Streifschuß, Hellmuth.«

»Um so besser! Schwimm los!«

»Halt die Schnauze...« Hasslick atmete tief durch. Sein Oberschenkel brannte, das ganze rechte Bein wurde von innen durchrüttelt, die Nerven revoltierten. Er drehte sich herum, legte sich Wegener auf den Rücken und versuchte, so mit ihm durch den Dnjepr zu kommen. »Kannst du mithelfen?« keuchte er. »Kannst du ein bißchen die Beine bewegen?«

»Die linke Lunge!« Wegener spuckte Blut. Es rann über sein Kinn, über den Hals und die Brust hinunter. »Peter, laß mich los! Es hat keinen Zweck mehr. Peter...«

»Schnauze!«

Jetzt schwammen sie, die Strömung trieb sie etwas ab, und es war, mit Hellmuth auf dem Rücken, leichter, als Hasslick gedacht hatte. Wegener bewegte die Beine, aber dann lag er ruhig, röchelte und blies den blutigen Schaum von sich wie rote Seifenblasen. Am Ufer, am Rande des verbrannten Dorfes Saledjow, saß der kleine Junge im Gras, das Gewehr über den spitzen Knien, und starrte auf die beiden schwimmenden deutschen Soldaten.

»Verreckt!« sagte er und weinte wieder. »Ihr habt Mamuschka getötet und Irinuschka und alle, alle habt ihr getötet! Verreckt endlich...«

Dann warf er sich rücklings ins Gras und heulte wie ein junger Wolf.

Sie erreichten tatsächlich das andere Ufer des Dnjepr.

Mit letzter Kraft kroch Hasslick ans Land und zog Wegener aus dem Wasser. Er lebte noch, hatte die Augen weit offen und atmete pfeifend. Und mit jedem Atemzug quoll hellrotes Lungenblut über seine Lippen.

Hasslick schleifte Wegener weiter auf das Land, er konnte ihn nicht mehr tragen, er wunderte sich selbst, daß er mit dem Schuß in den Oberschenkel überhaupt noch gehen konnte. An einem Erdhaufen blieb er stehen, lehnte Wegener dagegen und setzte sich neben ihn. Er wickelte das Bündel auf, seine Uniform und die MP, die er sich vor die Brust gebunden hatte, breitete alles zum Trocknen in der Sonne aus und holte aus der Tasche die drei Verbandspäckchen, durchnäßt wie alles, ein klebriger Haufen Mull. Hellmuth schüttelte den Kopf.

»Laß den Quatsch, Peter«, röchelte er. Seine Stimme hatte sich verändert, sie war höher und pfeifender. »Es ist vorbei. Glaub mir, du Idiot… ich habe vier Semester Medizin studiert…« Der blutige Schaum wehte über seine zuckende Brust. »Saus weiter, Kumpel!«

»Wenn du noch weiter quatschst, ballere ich dir eine!« sagte Hasslick. Er schob Wegener nach vorn, sah die Einschußwunde im Rücken und wußte, daß es tatsächlich zu Ende war. Er drückte die nassen Mullbinden gegen den Einschuß und schob Wegener zurück gegen den Erdhaufen.

»Das tut gut«, sagte Hellmuth und lächelte verzerrt. »Es kühlt…«

Sie saßen sieben Stunden am Ufer des Dnjepr, bis drüben auf der anderen Seite erdgelbe Lastwagen erschienen. Der rote Stern auf den Kühlern leuchtete in der Nachmittagssonne. Eine Menge sowjetischer Soldaten quoll unter den Planen hervor, stellte sich am Ufer auf und blickte hinüber zu den einsamen, nackten deutschen Soldaten. Ihre Stimmen flogen über den Fluß. Dann holten sie ein Schlauchboot aus einem der Lastwagen, bliesen es auf und trugen es in den Dnjepr.

»Jetzt kommen sie«, sagte Hasslick. Er hatte Hellmuths Kopf in seinen Schoß gebettet, einen glühenden, dennoch bleichen Kopf. Das Blut auf den Lippen war geronnen, schaumig, wie roter türkischer Honig.

Wegener schlug die Augen auf. Er sammelte Kraft, um zu sprechen, und als es soweit war, tastete er nach Hasslicks rechter Hand, die auf seiner Brust lag.

»Peter…«

»Halt die Klappe, Hellmuth! In einer halben Stunde bist du richtig verbunden, und morgen früh liegst du in einem russischen Feldlazarett.«

»Nimm meine Papiere…«

»Warum?«

»Damit Irmi – damit meine Frau nicht Witwe wird…«

»Junge, du hast einen Lungenschuß, aber keinen Kopfschuß.«

»Sie soll nie wissen, daß ich gestorben bin. Sie liebt mich so sehr.

Irgendwie siehst du mir ähnlich... und wenn... wenn ich Irmi einem gebe, dann bist du es...« Er hustete, sein bleicher Körper bäumte sich auf. Der blutige Schaum wuchs wieder aus seinem Mund. »Du... du bist ein verdammt guter Freund, Peter... ein guter Kerl... Wenn du überlebst... bitte, tu es...«

»Mensch, halt die Fresse!« sagte Hasslick grob. »Die flicken dich wieder zurecht, die Iwans. Es haben schon mehr mit einem Lungenschuß überlebt.«

Das Schlauchboot stieß an ihr Ufer, die russischen Soldaten stürmten durch das hohe, dürre Gras. »Stoj!« schrien sie. »Stoj!«

»Als wenn wir noch laufen könnten, ihr Arschlöcher!« sagte Hasslick. Er legte den Arm um Hellmuth Wegener, spürte, daß sein rechter Oberschenkel wie abgestorben war, zog Wegeners Jacke zu sich heran und fingerte dessen Papiere aus dem Rock. Dann überlegte er es sich, schob die Papiere zurück, vertauschte nur die Uniformröcke und breitete seinen Unteroffiziersrock über Wegeners nackten Leib.

»Danke, Peter«, flüsterte Hellmuth. »Du bist ein Pfundskamerad.«

»Alles überflüssig. Du wirst durchkommen, Hellmuth. Verdammt noch mal!«

Dann hob er beide Hände und lächelte schief.

Die Russen umringten ihn und schrien durcheinander. Er verstand sie nicht, es waren Asiaten, aber er hörte »sanitarni« oder so ähnlich, Sanitäter, und das machte ihn glücklich.

Er nickte, der Fluß, das Land und der Himmel drehten sich plötzlich, und er fiel in Ohmacht.

2

Er erwachte durch den Schmerz, der wie ein Feuer seinen rechten Oberschenkel zerfraß. Eine schmutzige Decke lag unter ihm, die nach Urin stank, und der Boden schwankte merkwürdig, rüttelnd, hüpfend, mit kleinen widerlichen Stößen, die den brennenden Schmerz bis in sein Hirn nagelten.

Er hob den Kopf, die letzten Schleier der Besinnungslosigkeit zerstoben mit der Rückkehr der Gedanken. Ich liege in einem Lastwagen, dachte er. Ich liege unter der Plane auf der Ladefläche, und sie fahren mich irgendwohin. Jetzt hörte er auch das Klatschen der Leinwand, das Brummen des Motors, das Knirschen der Reifen und fern, wie ein ungeheures Gewitter, das pausenlose Donnern von der Front.

Ich lebe, dachte er. Ich lebe wirklich. Sie haben mir nicht den Schädel eingeschlagen, nicht ihre Bajonette in den Leib gerammt, mir keinen Genickschuß gegeben. Sie haben mich verbunden und fahren mich jetzt nach hinten in das von ihnen zurückeroberte Land. In ihr Land... Sie haben mich tatsächlich gerettet! Wer hätte das von den Russen gedacht?

Er ließ den Kopf zurückfallen auf die urinstinkende Decke, tastete mit der Hand vorsichtig nach seinem Oberschenkel und merkte, daß sein Unterkörper nackt war. Sie hatten ihn tatsächlich verbunden, ihm den Uniformrock angezogen, ihn in den Lastwagen geschoben. Er schüttelte den Kopf, fand keine Erklärung dafür, daß man einen deutschen Soldaten rettete, während man auf breiter Front Tausende in den Boden stampfte, und sagte sich, daß der Krieg nun vorbei sei. Draußen mußte es Abend sein, die Sonne durchleuchtete nicht mehr die Leinwand der Wagenplane. Ich habe stundenlang besinnungslos gelegen, dachte er. Und der Uringestank, das bin ich! Ich habe in der Ohnmacht unter mich gepißt, ich liege in der eigenen Schiffe. Aber ich lebe...

Er schloß die Augen, der brennende Schmerz ergriff ihn völlig, er stöhnte leise und preßte die rechte Hand an den verwundeten Oberschenkel. Und mit diesem Stöhnen erinnerte er sich, daß er nicht allein gewesen war. Als die Russen, diese kleinen schlitzäugigen, erdbraunen Männchen aus Asiens Steppen, ihn umringten, hatte er an einem Erdhaufen gesessen, und Hellmuth Wegeners Kopf lag in seinem Schoß. Sie hatten die Jacken getauscht, und vor Wegeners Mund blähte sich der blutige Schaum wie roter türkischer Honig.

»Hellmuth!«

Peter Hasslick drehte sich ächzend herum. Neben ihm, an der Wand des Wagens, nackt im umgekehrten Verhältnis, nämlich mit einer Hose bekleidet, aber mit bloßem Oberkörper, lag Wegener auf dem Rücken. Auch ihn hatte man verbunden, sein Gesicht war sogar gewaschen, das ausgespuckte Blut war weg, nur ein dünner Blutfaden lief aus dem rechten Mundwinkel über das Kinn. Er hatte die

Augen geschlossen und sah fremd aus. Kalkig, mit einer spitzen Nase und eingefallenen Wangen.

»Hellmuth...« sagte Hasslick laut und knirschte mit den Zähnen. Der Wagen rumpelte, es war ein Hüpfen über Löcher und Querrillen, über Steine und durch weichen, nachgebenden, zweimal im Jahr sich in Schlammseen verwandelnden Boden.

»Ja...«, sagte Wegener. Das Blutrinnsal vergrößerte sich um ein paar Tropfen. Aber es kam kein Schaum mehr. Der Atem hob kaum die Brust.

»Wir leben, Hellmuth! Was hab ich dir gesagt, du alte Unke? Wir bringen diese Scheiße hinter uns und krepieren nicht! Sie haben uns verbunden und karren uns nach hinten. Uns kann jetzt der ganze Krieg am Arsch lecken!« Hasslick rutschte auf seiner vollgepißten Decke zur Seite und schob sich nahe an Wegener heran. Er beugte sich über ihn und starrte ihm ins Gesicht.

Ist er das wirklich, dachte er erschrocken. Mensch, der ist tot und redet noch... Er tastete nach Wegeners Kopf, ein zusammengefallenes, im Fieber glühendes Kindergesicht, aber es war ein Fieber der fahlen Blässe.

»Hellmuth –« sagte Hasslick. Seine Kehle war wie zugeschnürt. »Hellmuth, wir schaffen es! Junge, kneif den Hintern zusammen! Irgendwann laden sie uns aus, und dann ist ein Arzt da...«

»Irgendwann...« sagte Wegener kaum hörbar. Hasslick mußte sich über seine Lippen beugen, um ihn zu verstehen. »Sinnlos...«

»Im Lazarett päppeln sie dich hoch.«

»Steckschuß...« Wegener wollte die Augen öffnen. Es gelang nur halb. Unter den flatternden Lidern hindurch sah er Hasslick an. Augen, die ihm nicht mehr gehorchten. »Steckt in der Lunge, Peter... Operieren... Sinnlos...«

Die Erschöpfung ließ ihn zusammenfallen. Die Augendeckel klappten wieder zu, der Atem pfiff über die aufgequollenen Lippen.

Verdammt, wo fahren sie uns bloß hin, dachte Hasslick. Stundenlang querfeldein, diese Idioten! Dann konnten sie uns auch am Dnjepr krepieren lassen oder uns den Schädel einschlagen!

»Wir sind gleich da, Hellmuth«, sagte er und streichelte Wegeners fahlbleiches spitzes Gesicht. »Wir sind gleich da. Die haben sich doch was dabei gedacht, als sie uns aufgeladen haben...«

Nach einer Stunde fuhr der Wagen ruhiger. Die Räder tuckerten, der

Aufbau zitterte rhythmisch. Hasslick lag neben Wegener und starrte auf die über ihm im Fahrtwind knatternde Plane.

Eine gepflasterte Straße, dachte er. Wir kommen in eine Stadt! Mensch, Hellmuth, sie fahren uns wirklich in eine Stadt!

Und dann, als zöge man einen Vorhang weg, waren tausend Geräusche um sie herum. Motorengebrumm, Panzerlärm, Pferdewiehern, Stimmen, das Gedröhn von Panzerkanonen, laute Rufe, Hupen. Der Wagen schwankte noch stärker, anscheinend ging es in scharfe Kurven, dann seufzten und knirschten die Bremsen, und das Fahrzeug hielt.

Wieder Stimmen, jemand schlug mit einem harten Gegenstand gegen den Wagen.

Hasslick legte seine Hand auf Wegeners Brust und wartete. Er hob den Kopf, als die Plane zurückgeschlagen wurde und im Dunkel – es war tatsächlich Nacht – die Umrisse eines Kopfes erschienen.

»Kannst du gähän?« fragte eine Stimme.

»Wenn's sein muß ...« Hasslick richtete sich auf. Der Kopf schob sich etwas zurück.

»Komm raus!«

Hasslick rutschte etwas nach vorn, die Ladeklappe fiel herunter. »Mein Freund –« sagte er laut. »Zuerst meinen Freund. Ich habe Zeit.«

»Raus!« sagte die Stimme. Sie wurde scharf. »Dawai!«

»Sofort.« Daran muß man sich jetzt gewöhnen, dachte er. Kriegsgefangener. Plenny. Herdenmensch, mehr nicht. Aber man lebt, und man hat die Chance, auch das zu überleben.

Er kroch nach vorn, ließ die Beine herunterhängen und blickte sich um.

Der Wagen stand vor einer Schule. Ein alter Ziegelbau, hell erleuchtet. Vor dem Eingang hielten russische Sanitätswagen, man lud Verwundete aus. Im Laufschritt trugen die Sanitäter die Tragen in das Haus.

Mein Gott, die Schule kenne ich ja! durchfuhr es Hasslick. Wir sind in Orscha. Das deutsche Feldlazarett Orscha. In jeder Klasse Strohsack neben Strohsack, im Erdkunderaum die Betten der verwundeten Offiziere, im Lehrerzimmer der Operationssaal. Ein transportabler OP-Tisch, drei Küchentische. Und im Keller stapelten sich die Leichen. Es wurde schneller gestorben, als man begraben konnte.

Vier Hände ergriffen ihn, hoben ihn von der Ladefläche und stützten ihn. Der Fahrer des Wagens, ein kleiner Kalmücke, grinste ihn an.

»Gutt – ja?« fragte er. »Gutt – ja?«

Hasslick versuchte, das rechte Bein zu belasten. Es gelang wider Erwarten, aber er hatte keine Kraft, es zu einer Gehbewegung zu zwingen. Er stützte sich auf die beiden Russen, die ihn aus dem Wagen gehoben hatten, und blickte in das Dunkel des Laderaums zurück.

»Mein Freund –« sagte er.

»Gähänn!« Es war der Russe, dessen Kopf er zuerst gesehen hatte, ein älterer Leutnant, ein Reservist, der in der Etappe für Ordnung sorgen mußte.

Etappe! Orscha ist schon Etappe, dachte Hasslick. Sie haben es geschafft, die Iwans. Sie haben ihren Durchbruch. Ist das nun das Ende?

Er humpelte, gestützt von den beiden Russen, zum Eingang der Schule. Gerade als er im vollen Licht der offenstehenden Doppeltür stand, kam eine russische Ärztin heraus. Ein schlankes, zierliches Mädchen mit breiten Schulterstücken auf ihrer Uniform. Sie blickte über die Sanitätsautos und streifte auch Hasslick mit einem Blick.

In diesem Augenblick wurde sich Hasslick bewußt, daß er untenherum nackt war. Er starrte die schöne Ärztin an, wurde verlegen und spürte, wie das Blut in seine Schläfen stieg. Er wollte eine Hand vor sein Geschlecht legen, aber er wagte es nicht, aus Angst, er könne dann den Halt verlieren. So blieb er zwischen den beiden Russen hängen und hoffte, die junge Ärztin werde wieder ins Haus gehen.

Sie beachtete ihn gar nicht, drehte sich um, rief mit heller Stimme ein paar Befehle ins Haus zurück und lief dann über den langen Flur davon.

»Dawai!« sagte einer der Russen, die Hasslick stützten. »Gähänn!«

Sie luden ihn im Flur auf einer Bank ab. Hasslick lehnte sich zurück, streckte das rechte Bein aus und wartete. Er sorgte sich um seinen Kameraden.

Durch den Eingang trugen sie jetzt Hellmuth Wegener. Sie hatten ihn auf eine Trage aus zwei Stangen und Segeltuch geschoben, stellten sie neben Hasslicks Bank ab und gingen wieder hinaus. Hasslick beugte sich über den Freund. Wegener atmete noch, aber sein Gesicht war noch fremder, noch lebensferner geworden.

»Einen Arzt!« brüllte Hasslick plötzlich, als zwei russische Schwestern an ihm vorbeigingen. »Läkari! Doktor! Läkari!«

Die Schwestern zuckten zusammen, sahen ihn böse an, und eine sagte laut: »Germanski kaputt! Värstähn? Kaputt!« Dann gingen sie weiter und lachten laut.

Er hatte keine Ahnung, wie lange er schon auf dieser Bank hockte, mit nacktem Unterleib. Ein paarmal lief die sowjetische Ärztin an ihm vorbei, und er deckte die Hände nicht über seine Männlichkeit, ihm war's jetzt egal, wer schämt sich, wenn er vor der Hölle sitzt! Er rief sie sogar an, zeigte auf seinen Freund und sagte: »Druck, pomoschtsch* ...«

Die schöne Ärztin blieb stehen, betrachtete Wegener, zuckte dann mit den schmalen Schultern und sah Hasslick mit grauen Augen an.

»Erst russische Verwundete –« sagte sie in einem erstaunlich guten Deutsch.

»Dann hätten wir gleich am Dnjepr krepieren können!« schrie Hasslick.

»Ich schicke deutschen Arzt.«

»Was? Wir haben deutsche Ärzte hier?« Hasslick drückte nun doch die rechte Hand vor seinen blanken Schoß. Die Ärztin lächelte ganz leicht in den Mundwinkeln, in ihren kalten grauen Augen erschien ein gelber Punkt – das Spiegelbild der Glühbirne, die über Hasslick an der Wand pendelte.

»Du Schwein bist!« sagte sie hart. »Stolzes Schwein, was? Stolz auf töten!« Sie tippte Hasslick auf das Infanteriesturmabzeichen und die Panzerspange, holte weit aus, gab ihm eine schallende Ohrfeige, drehte sich schroff um und lief weiter.

Hasslick saß erstarrt und stierte ihr nach. »So eine Scheiße!« sagte er nach einer ganzen Zeit. Ihm war bewußt geworden, daß er ja Wegeners Rock trug. Fähnrich Wegener hatte 1943 vier Panzer mit geballten Ladungen in die Luft gesprengt.

Der Strom der Verwundeten riß nicht ab. Ununterbrochen lud man aus Sanitätswagen zerfetzte Leiber aus, eilten die Träger im Laufschritt zu den Operationsräumen. Jammern und unterdrücktes

* Freund, Hilfe.

Schreien lag in der Luft, ein Geruch nach Blut und Eiter, Urin und Kot.

»Maria Fedorowna sagte mir gerade, daß zwei Kameraden eingeliefert worden sind«, sagte eine Stimme. Hasslick schrak auf. Er war eingenickt, erschöpft, zerstampft von den Schmerzen, die ihn durchtobten und die niemand linderte.

Ein weißhaariger Mann in deutscher Uniform mit Hauptmannsschulterstücken, den blutigen weißen Kittel lose über die Schultern gelegt, stand vor ihm.

»Herr Stabsarzt...« stammelte Hasslick. »Mein Gott, es gibt Sie wirklich?! Tun Sie was für meinen Freund! Er hat einen Lungenschuß.«

Hasslick blickte zur Seite. Die Trage aus Segeltuch war noch da, aber Hellmuth Wegener sah er nicht mehr. Über seinen Körper und sein Gesicht hatte man eine Decke gebreitet.

»Hellmuth...« stammelte er. Dann fuhr er herum, wollte etwas schreien, irgend etwas, weil ihm nach Schreien zumute war, und krallte die Finger in seine Uniformjacke. Der Stabsarzt hob die Schultern und griff in die Tasche seines Kittels.

»Er war schon tot, als ich kam. Sie haben so fest geschlafen, daß Sie nichts gemerkt haben. Ihren Oberschenkel kriegen wir hin. Maria Fedorowna sagte, Sie hätten sogar damit laufen können.«

»Ist das die Ärztin?«

»Ja.« Der Stabsarzt holte aus der Tasche einen Wehrmachtsausweis und schlug damit in seine linke Handfläche. »Der Tote ist Unteroffizier Peter Hasslick aus Osnabrück?«

Hasslick zuckte zusammen. Er starrte auf den flachen Körper unter der Decke. Ihm wurde plötzlich schwindelig. Das ist doch Irrsinn, Hellmuth, dachte er. Das können wir doch nicht tun. Ich hab es dir versprochen, ja – aber das kann man doch nicht machen! Ich kann doch nicht ein ganzes Leben als du herumlaufen... Ich kann doch nicht mit deiner Frau... Hellmuth, das ist unmöglich...

»Kommen Sie! Stützen Sie sich auf meine Schulter!« sagte der Stabsarzt. »Wir gehen zu meinem Verbandsraum. Wie heißen Sie, Fähnrich?«

»Hellmuth Wegener, Herr Stabsarzt.« Ihm war speiübel. Er erhob sich, stützte sich auf den Offizier und humpelte an der zugedeckten Trage vorbei. Ich werde das alles aufklären, Hellmuth, dachte er. Ich kann nicht du sein! Ein ganzes Leben lang ein anderer sein – das halte ich nicht aus. Ich bin Schlosser, Hellmuth, du ein Akademiker, ein Medizinstudent. Da fängt's schon an! Hellmuth, ich kann mein Versprechen nicht halten.

»Meine Papiere sind oben in der linken Rocktasche, Herr Stabsarzt«, sagte er dumpf.

Der Arzt holte das Soldbuch heraus, las und steckte es in die Tasche zurück. »Sie sind Medizinstudent, lese ich. Viertes Semester? Na, dann kommen Sie mal, junger Kollege. Ihr Bein hat Ihnen das Leben gerettet. Für uns ist der Krieg schon Geschichte.«

Später, nachdem man Hasslicks Wunde versorgt und die Kugel herausgeschnitten, ihm eine Tetanusinjektion gegeben und fiebersenkende Mittel in ein Glas Wasser gerührt hatte, lag er im Schulzimmer VI gleich neben der Tür an der Wand auf einem Strohsack. Ein deutscher Sani hatte ihm eine Hose gegeben. Sie war blutbefleckt und am Bund steif vom geronnenen Blut.

»Bauchschuß«, hatte der Sani gesagt. »Ist hinüber. Sie können Sie später waschen, Herr Fähnrich. Im Moment ist Wasser verdammt knapp.«

Um ihn herum lagen in diesem Zimmer sechzig deutsche Verwundete. Eng nebeneinander, wie eingedost, Leib neben Leib, stinkend, blutend, eiternd, fiebernd. Klumpen zerfetzten Fleisches, in denen die Hoffnung glühte: Wir überleben. Wir schaffen es. Wir kommen einmal zurück in die Heimat. Einmal... wann – daran wollen wir nicht denken.

Und in der Nacht starben von den sechzig einundzwanzig.

»Als die sowjetische Offensive losschlug, sind wir in Orscha geblieben«, sagte der Stabsarzt. Er saß bei Hasslick auf dem Strohsack und teilte eine Zigarette mit ihm. »Vier Ärzte, neun Sanis und vier Schwestern.«

»Das Hohelied vom braven Mann...«

»Quatsch!« Der Stabsarzt winkte ab. »Uns blieb nichts anderes übrig. Die Russen rückten schneller vor, als wir abrücken konnten. Für die Sankas hatten wir nicht mehr genügend Benzin. Unmöglich, das Lazarett zu räumen. Da sind wir alle geblieben, und das war gut so. Die russischen Kollegen sind zwar hilfsbereit, aber auch ihnen schlägt ihre eigene Offensive über dem Kopf zusammen.«

Sie rauchten noch zwei Zigaretten, zwischendurch stellte der Stabsarzt noch drei Todesfälle fest und ließ die Toten aus dem Zimmer bringen.

»Man hat uns versprochen, daß wir alle gemeinsam in Gefangenschaft gehen«, sagte er zum Abschied. »Ich freue mich, daß wir uns kennengelernt haben, Herr Wegener. Auch mit Ihren vier Semestern Medizin können Sie uns im Lager sehr helfen.«

Hasslick starrte dem Stabsarzt nach, als er das Klassenzimmer verließ.

Ich bin es nicht, wollte er schreien. Aber er schwieg.

Hellmuth Wegener war als Peter Hasslick bereits in die Totenliste eingetragen.

Später, dachte er. Später wird man das alles klären können. Im Lager, oder nach der Entlassung. In Deutschland.

Gewiß, Hellmuths Eltern waren tot. Nach dem fragte keiner mehr – nur seine Frau. Und die hatte ihn noch nie gesehen. Und ich? Peter Hasslick? Vater schon lange tot, Mutter seit dem schweren Luftangriff auf Osnabrück vermißt. In einem Keller erstickt, verbrannt... Auch nach Peter Hasslick würde niemand mehr fragen.

Würde er wirklich später alles klären können? Er ahnte schon jetzt, daß es später zu spät war.

Auf seinem Strohsack hatte er keine Ruhe.

Da er gleich neben der Tür lag und der Schulsaal VI so etwas wie ein großes Sterbezimmer war, in das man die zerfetzten deutschen Landser trug, die man nicht mehr zusammenflicken konnte, war es ein ständiges Kommen und Gehen, ein Hineintragen von blutverschmierten, stöhnenden, wimmernden Leibern und ein Wegtragen bleicher, stummer, schlaffer Körper. Irgendwo wurden sie abgeworfen – »Da haben wir einen Keller« – sagte ein Sani zu Hasslick – »da liegen sie schon in drei Schichten übereinander« – und später auf Lastwagen verladen und weggefahren. Man machte sich nicht einmal mehr die Mühe, Totenlisten zu führen, die Namen festzustellen oder das Doppelstück der Erkennungsmarke abzubrechen, um später anhand der Nummer die Toten zu identifizieren. Wen interessierte es noch, ob man in Rußland gefallen oder vermißt war? Vor allem, wer dachte hier an später? Später war morgen, war die nächste Stunde, der nächste Atemzug. Das Leben schrumpfte zusammen zu dem Glück, ein Stück glitschiges Brot essen oder ein Glas schales Wasser trinken zu können.

Hasslick war in ein dumpfes Dösen verfallen. Der Betrieb um ihn herum, das immerwährende Sterben ermüdete. Er dachte an Hellmuth Wegener, und wie er zu seinen Füßen verreckt war, während er schlief. Die Wunde im rechten Oberschenkel tuckerte, als habe man einen alten Kuttermotor eingebaut. Das Bein fühlte sich heiß an, aber es schmerzte kaum. Das wunderte ihn. Es ist Fieber drin, dachte er, aber man hat ein Gefühl, als vereise es langsam. Ist das so, wenn ein Glied abstirbt? Was haben sie mit meinem Bein gemacht? Wenn die Kälte weitersteigt, hinauf zum Herzen, dann wird es aus sein! Sie wird eine Witwe werden, so oder so, diese schöne blonde Irmgard aus Köln...

Er schrak auf und hatte Mühe, die Augen zu öffnen. Jemand hatte ihn in die Seite getreten, mit einem spitzen Schuh. Die russische Ärztin stand neben ihm, und gerade, als er die Augen aufriß, stieß sie ihre Stiefelspitze wieder in seine linke Hüfte. Maria Fedorowna hatte die Haare hochgebunden. Um ihre grauen Augen lagen die Schatten der Erschöpfung wie runde schwarze Rahmen um zwei Nebelbilder.

»Du Arzt?« sagte sie hart. »Du wirklich Arzt und liegst herum? Aufstehen!«

»Ich bin Medizinstudent«, antwortete Hasslick.

»Ich weiß. Hat mir gegeben deutsches Stabsarzt Papiere. Vier Semester. Deutsches Universität guttes Universität.«

»Danke.«

»Nix danke! Aufstehen! Operieren!«

Operieren! Mein Gott – wie denn? Soll man jetzt schreien: Ich bin es nicht?! Sie schlagen mich tot, nicht aus Enttäuschung, sondern weil sie glauben, es sei Sabotage. Das ist ein beliebtes Wort bei ihnen. Sabotage. Ein anderes Wort für Tod.

»Ich bin verwundet –« sagte er und lag starr da.

»Wo bist du verwundet?« Maria Fedorowna steckte die Hände in die Taschen ihrer Uniformhose. »Am Bein, ja? Und die Hände? Sind Hände nicht gutt? Sind Hände kaputt?! Solange Arzt noch hat Hände, er kann arbeiten! Aufstehen, los!« Sie trat ihn wieder in die Seite.

Ein deutscher Sani, der abseits gestanden hatte, kam an Hasslicks Strohsack und lächelte die Ärztin verzerrt an. Angst war in seinem Blick. Er schien sie zu kennen, und er wußte selbst nicht, woher er den Mut nahm, dazwischenzutreten.

»Mach keinen Scheiß, Kamerad«, sagte er zu Hasslick. »Bist du

Mediziner?«

»Ja...«

»Dann versuche aufzustehen. Sie tritt dir die Fresse ein, kaltlächelnd. Ob du Schütze Arsch, Fähnrich oder Offizier bist – für die bist du nur ein Deutscher, und das ist ein Stück Hundekacke mehr! Kannst du hoch?«

»Ich will's versuchen.«

Er nahm die Hand des Sanis, ließ sich hochziehen, belastete das linke Bein und hob das verwundete etwas an. Es war gefühllos, pendelte wie knochen- und sehnenlos an seiner Hüfte, und als er ganz vorsichtig versuchte, damit aufzutreten, rutschte es weg wie schlaffer Gummi.

»In Operationsraum III!« sagte Maria Fedorowna kalt. Sie sah Hasslick böse an, und wieder spiegelte sich als goldener Punkt die Glühbirne an der Decke in ihrer grauen Iris. »Ich warte.«

Sie ging voraus, mit wippenden Schritten, die schlanken Beine in engen, weichen Juchtenstiefeln. Ihr rundes Gesäß schwenkte beim Gehen hin und her.

»Man möchte sie vergewaltigen!« sagte der Sani rauh. »Jeden Tag zehnmal! So lange, bis ihr das Feuer zwischen den Beinen rausschlägt.«

»Ich habe andere Sorgen!« Hasslick stützte sich auf den Sani. Sie folgten der Ärztin, kamen auf den Flur und begriffen, warum Maria Fedorowna jede Hand zur Hilfe brauchte. Irgendwo hatte ein deutscher Gegenstoß stattgefunden, vielleicht an der Rollbahn. Lastwagen nach Lastwagen brachten die Verwundeten heran, sie lagen überall, bis hinaus auf den Schulhof. Ein Berg zerrissener Leiber, eine Wolke aus Gestöhn und Schreien. Dazwischen die sowjetischen Feldschere, hilflos, nur noch schleppend, von sich aus die Verwundeten selektierend, Herren über Leben und Tod.

Im Operationssaal III, dem größten Zimmer der Schule, vielleicht war es einmal eine Art Aula gewesen, arbeiteten die Ärzte an neun Tischen. Auch der weißhaarige deutsche Stabsarzt. Im Unterhemd stand er an einem einfachen Küchentisch und schnitt gerade eine Schulter auf.

»Zu mir!« sagte Maria Fedorowna. Sie stand dem Eingang am nächsten an einem schmalen zusammenklappbaren OP-Tisch und säuberte eine tiefe, gezackte Schulterwunde. Granatsplitter. Das Schulterblatt war zertrümmert, die Knochen staken zermalmt in dem aufgequollenen Muskelfleisch, als sei es gespickt.

Die Ärztin holte mit dem Fuß einen Stuhl zu sich heran und nickte zu ihm hin.

»Hol die Knochensplitter raus. Das geht im Sitzen!« fauchte sie Hasslick an, der sich vorsichtig, an der Hand des Sanis, setzte. Hilflos, mit einem Würgen starrte er den zerfetzten Rücken an. »Rock aus!« sagte Maria Fedorowna.

»Rock? Warum?«

Sie fuhr herum, als habe er sie in den Hintern gekniffen, und tippte mit einer Knochenschere, von der das Blut troff, wieder auf sein Infanteriesturmabzeichen und die Panzerspange.

»Willst du Russen anfassen mit das auf Brust?« schrie sie. »Bisher hast du Russen getötet, jetzt retten!«

Sie holte weit aus, gab ihm wiederum eine Ohrfeige, sein Kopf flog zurück. Der Sani machte, daß er wegkam. An der Tür drehte er sich um und hob beide Hände. »Zehnmal vergewaltigen, das Aas! Jeden Tag!«

Hasslick zog seine Uniformjacke aus und warf sie unter den OP-Tisch. »Die Hose auch?« fragte er, als Maria Fedorowna ihn wieder anblickte. Es schien sie nicht zu beleidigen. Sie reichte Hasslik eine große, stumpfe Pinzette und trat einem sowjetischen Sanitäter gegen das Schienbein, weil er sie beim Hereintragen eines neuen Verwundeten angerempelt hatte. Vor der Schule heulten neue Lastwagen auf. Transport nach Transport.

»Trotzdem wirst du den Krieg nicht gewinnen!« sagte Maria Fedorowna. »Und wenn du eine Million Russen tötest. Es kommen immer neue Millionen!«

»Ich will den Krieg gar nicht gewinnen.« Hasslick betrachtete die große Pinzette. Mit der könnte man arbeiten wie mit einer Schlosserzange, dachte er. Man nimmt einen Knochensplitter zwischen die Backen und zupft ihn raus. Weiter nichts. Der Mann hier merkt es ja nicht, er ist besinnungslos.

Er beugte sich im Sitzen zu dem verwundeten Russen vor, faßte mit der Pinzette einen großen Knochensplitter und zog ihn mit einem Ruck aus dem Fleisch. Er tat es schnell und ohne Zögern. Es mußte sich geradezu fachmännisch ausnehmen.

»Warum bist du dann in Rußland, he?« Die Ärztin klemmte eine Ader ab, weil sie die Wunde mit einem Schnitt noch erweiterte.

»Man hat es mir befohlen.«

»Befohlen zu morden!«

»Zu kämpfen. Man hat uns viel erzählt, und wir haben alles geglaubt.«

»Weil ihr dumm seid!«

»Alle Völker, die Krieg führen, sind dumm.« Er holte wieder einen Splitter aus der Schulter und hielt ihn in der Pinzette Maria Fedorowna entgegen. »Er hat den Rücken kaputt und wird ein Krüppel bleiben. Ich habe ein Bein kaputt. Wo wir hinsehen –« er machte mit dem Knochensplitter eine kreisende Bewegung – »nur Blut, nur zerrissene Menschen. Von denen hat keiner Schuld...«

»Kein Russe, das stimmt!«

»Auch ich nicht. Ich läge jetzt lieber in einem Bett, mit einem Mädchen im Arm, als hier Knochensplitter herauszuziehen.«

Bis zum Morgen saß Hasslick im OP III und ging der Ärztin zur Hand. Er stellte sich weniger dumm an, als er befürchtet hatte. Offenbar fiel es nicht auf, daß er keine Ahnung von Chirurgie und Wundversorgung hatte, und wenn er ein Instrument in der Hand hielt, dachte er immer: Nimm an, das ist eine Feile, und das eine Säge, und das eine Zange, und das ein Bohrer. Erstaunlicherweise ging das vorzüglich. Spät in der Nacht kam einmal der Stabsarzt an Hasslicks Tisch und klopfte ihm auf die Schultern.

»Bravo, junger Kollege! Sie sind eine Naturbegabung. Im vierten Semester zeigen Sie erstaunliche Ansätze chirurgischer Fähigkeiten. Waren Sie ein guter Bastler oder Hobbyhandwerker? Chirurgie ist Mut und handwerkliches Können. Alles andere kommt von selbst. Sagte mal ein großer Kollege.«

»Ich bin ein guter Handwerker«, sagte Hasslick. Er war zu müde, um die Gelegenheit einer Beichte wahrzunehmen. »Vor allem die Schlosserei liegt mir.«

»Schlosserei! Sie haben auch noch Humor!« Der Stabsarzt lachte. Es war etwas Ruhe eingetreten im OP, aber per Funk hatte man neue Lastwagen mit Verwundeten angekündigt. Es blieben ein paar Minuten zum Atemholen. »Schlößchen reparieren, gratuliere! Sie wollen also Gynäkologe werden?«

»Vielleicht!« sagte Hasslick müde. Er wankte im Sitzen. Maria Fedorowna kam aus einer Ecke, eine selbstgerollte Papyrossa im Mundwinkel. Ihr schönes, schmales Gesicht war fahlgrau, eingesunken, von der Erschöpfung durchfurcht. Aber sie gab nicht auf.

»Geh auf Zimmer!« sagte sie zu Hasslick. Und dann schrie sie:

»Pjotr! Stanis! Bringt ihn weg! Nummer 8!«

Zwei sowjetische Sanitäter rissen Hasslick vom Stuhl, packten ihn unter die Schultern und schleiften ihn aus dem OP. Der Stabsarzt begleitete sie ein Stück bis zur Tür.

»Sie sind ein Glückspilz, Wegener!« sagte er leise. »Maria Fedorowna mag Sie.«

»Sie ohrfeigt mich unentwegt. Wenn das Sympathie ist?«

»Sie werden überleben, denken Sie an meine Worte. Wissen Sie, was Nummer 8 ist?«

»Woher denn?«

»Das Zimmer der Fedorowna.« Der Stabsarzt lächelte väterlich. »Halten Sie sich steif, Wegener, im wahrsten Sinne...«

Hasslick schlief zwei Tage und zwei Nächte.

Am dritten Tag, gegen 10 Uhr morgens, wachte er endlich auf, weil ihn Maria Fedorowna wieder ohrfeigte. Er fühlte sich sehr erfrischt, viel kräftiger, nur spürte er jetzt sein Bein und den bohrenden Schmerz in der Wunde.

»Guten Morgen!« sagte er. »Der Tag fängt wie gewohnt an. Sie hauen mir eine runter...«

Sie ließ die Hand in den Schoß fallen und blickte ihn mit ihren kalten grauen Augen forschend an. Sie trug heute eine enge dunkelblaue Bluse und um den Hals einen roten Schal. Das gehörte nicht zur Uniform, das war Zivil. Gab es hier so etwas wie einen freien Tag? Oder waren die Verwundeten alle gestorben und man hatte nichts mehr zu tun?

»Arbeitslos?« fragte Hasslick.

»Die Deutschen sind zurückgegangen!«

»Aha!«

»Sie laufen weg wie die Hasen. Wir treiben sie vor uns her, wenn es sein muß, bis zur Nordsee.«

»Und heute ist nun Feiertag?« Er hob den Kopf und sah, daß sie auch einen Rock trug, aus blauem Tuch, glockig geschnitten. Die Beine darunter waren nackt, von einer gesunden, gebräunten Hautfarbe. An den Füßen hatte sie gestickte Samtpantoffeln, eine armenische Arbeit, mit künstlichen Perlen und Glasscherben besetzt. Aber davon hatte Peter Hasslick keine Ahnung. Er wußte nur, daß sie auf seinem Bett saß, ihn gerade geohrfeigt hatte, um ihn aus dem Schlaf zu holen, und nun die Hände auf seine Oberschenkel legte.

»Heute ist Sonntag!« sagte Maria Fedorowna. »Du hast ab Freitag geschlafen. Immer. Hast du Hunger?«

»Nein.« Er ließ den Kopf zurück auf das harte Kissen fallen und blähte die Nasenflügel. Das gibt es nicht, dachte er. Das muß das Fieber sein. Ich rieche Parfüm. Hier riecht es verdammt nach Parfüm. »Warum bin ich hier?« fragte er. »Wo sind die anderen?«

»Die anderen? Tot! Weggebracht! Verscharrt!«

»Der Stabsarzt?«

»Er hat Sonntagsdienst. Zusammen mit Ostap Leonidowitsch Pachomow.«

»Ein sowjetischer Arzt?«

»Warum fragst du? Hast du Schmerzen im Bein?«

»Nicht viel.«

»Das ist gut. Ich habe dir sechs Spritzen gegeben, während du schliefst.« Sie schob ihre Hände höher über seine Schenkel und legte sie über seinen Unterleib. Es war nur ein leichter, ein kaum spürbarer Druck, aber er reagierte sofort und ärgerte sich maßlos darüber, so köstlich das Gefühl auch war.

»Vielleicht haben sechs sterben müssen, weil ich dir die Spritzen gegeben habe –« sagte sie.

»Das ist furchtbar. Das ist Mord!«

»Alles um uns herum ist nur noch Mord. Weißt du denn, was Leben ist, na? Ist das hier Leben?«

Sie umfaßte mit der rechten Hand die deutliche Ausbeulung seiner Hose. Ihre Linke schob sich zwischen seine Beine mit leicht trommelnden Fingern.

»Maria Fedorowna, Sie sind verrückt!« sagte er. Sein Atem hechelte plötzlich. Speichel sammelte sich in seinem Mund, mehr, als er krampfhaft hinunterschlucken konnte. »Ich weiß, ich bin in Ihrer Hand, ich bin machtlos, Sie können mich erschießen oder mit einem Knüppel erschlagen, mir die Kehle durchschneiden, mich aufhängen. Keiner wird Sie fragen, keiner anklagen. Trotzdem sage ich Ihnen: Sie sind verrückt. Gibt es nicht genug Russen? Diesen Dr. Pachomow etwa?«

»Du redest zuviel!« Sie zog den Gürtel seiner Hose durch die Schnalle, knöpfte die Hose mit herumschnellenden Fingern auf und zog sie mit einem Ruck von seinen knochigen Hüften herunter. Er stieß einen dumpfen Schrei aus. Durch sein verwundetes Bein zuckte der Schmerz so jäh wie ein Blitzstrahl.

»Tut weh, nicht wahr?!« sagte sie mit jagender, in flüsternde Heiserkeit abgleitender Stimme. »Erst zuviel töten, dann zuviel reden, ihr Deutschen habt alles zuviel. Ihr selbst seid zuviel auf der Welt!«

Er versuchte, ihre zerrenden Hände festzuhalten, aber sie schlug nach ihm, riß ihm die Hose bis unter die Knie herunter, diese alte, verdreckte, von den Blutflecken des Toten, der sie einmal besaß, stellenweise hart gewordene Hose, und boxte roh gegen das verletzte Bein. Er brüllte wieder auf, hob das Gesäß in einer Reflexbewegung, als könne er damit den brennenden Schmerz von sich wegschleudern, aber das hatte sie wohl gewollt, sie nutzte es aus und zog die Hose über seine zuckenden Füße.

»Sag kein Wort mehr!« fauchte sie ihn an, als er die Augen öffnete und sie anstarrte, als sei er das wehrlose Opfer einer Wahnsinnigen. »Bloß kein Wort!«

Sie schwang sich über ihn, setzte sich auf ihn, und während er wieder aufstöhnte, weil sein verwundetes Bein von ihrem Knie getroffen wurde, warf sie den Kopf weit in den Nacken, ihr Mund riß auf vor der Flut von gurgelnden Lauten, die aus ihrem Inneren hervorstürzte, und ihre Finger krallten sich in Hasslicks Schultern. Kleine, messerscharfe Pranken eines Raubtieres.

Es ging sehr schnell. Es war wie ein heißer Windstoß. Mit einem Seufzer fiel Maria Fedorowna mit dem Gesicht auf Hasslicks Brust, sie biß sich in ihm fest, bis das letzte Zittern in ihr verebbt war, dann hob sie den Kopf, sah ihn mit weiten, fremden Augen an, als sehe sie ihn zum erstenmal, löste sich von ihm, glitt von ihm herunter, streifte den Rock über ihre Beine, beugte sich über Hasslick und schlug ihm rechts und links ins Gesicht.

»Danke, du Hund!« sagte sie leise. »Danke! Du wirst überleben, das verspreche ich dir!«

Eine Stunde später holten zwei sowjetische Sanitäter Peter Hasslick aus dem Zimmer der Ärztin ab und brachten ihn zurück in den großen Krankensaal. Eine massive Luftwand aus Eitergeruch, Blutgestank, fäkalischen Ausdünstungen und widerlich süßem Karbol schlug ihm entgegen. Der Stabsarzt kam sofort zu ihm, als man ihn auf einem leeren Strohsack abgelegt hatte, und hockte sich neben ihm auf den Boden.

»Ist's bei den Ohrfeigen geblieben?« fragte er grinsend.

»Ja.«

»Und weiter nichts?« Der Stabsarzt lachte sarkastisch. »Was Sie an Maria Fedorowna tun, tun Sie für uns alle. Ist Ihnen das klar?«

»Sie ist ein Tier –«

»Aber was für ein Tierchen! Hat sie was gesagt von Abtransporten?«

»Nein.«

»Wenn wir Orscha überleben, haben wir eine echte Chance, auch den Krieg zu überleben. Kollege, wir kommen wieder nach Hause! Über Zeitspannen wollen wir jetzt nicht rätseln... aber es könnte gelingen! Sie haben es in der Hand. Halten Sie Maria Fedorowna bei Laune!«

»Ich werde es kaum können, Herr Stabsarzt.« Hasslick schloß die Augen. Es ist unmöglich, das durchzuhalten.

»Denken Sie an Ihre Kameraden, Wegener! Wir sind noch 189 Mann! Davon werden noch einige sterben, aber die Mehrzahl kann gerettet werden!«

»Indem ich mich von Maria Fedorowna bereiten lasse!«

»Auch das ist Krieg, Wegener. Verrückt wie alles, was in Kriegen passiert. Sie werden später einmal der staunenden Nachwelt erzählen können, daß Sie vielleicht 170 deutsche Soldaten mittels mühsam durchgestandener Erektionen gerettet haben! Sogar Ihre Frau wird das verstehen können!«

Hasslick hob müde die Hand. Meine Frau, dachte er. Irmgard Wegener in Köln. Hellmuth, was hast du mir da hinterlassen...

»Bitte, lassen Sie mich allein!« sagte er schwach. »Erwarten Sie keine Wunder.«

Er hörte, wie der Stabsarzt sich erhob und wegging. Um ihn herum schwirrte das immerwährende, nie abreißende Tongemisch von Stöhnen, Wimmern, Husten, Reden und Zurufen. Ein Sanitäter kam an ihm vorbei und sagte zu einem anderen: »Schon wieder drei weg! Und das russische Aas gibt keine Medikamente heraus! Die kriegen hier noch alle den Wundbrand!«

Am Abend holten ihn die sowjetischen Sanitäter wieder ab. Zurück in Zimmer 8. Sie legten ihn wieder auf das Stahlrohrbett mit den weißen Bezügen und blinzelten ihm in einer Art wissender Kumpanei zu. Mach's gut, Germanskij. Maria Fedorownas gute Laune kommt auch uns zugute.

Sie kam eine halbe Stunde später, in Uniform, mit Hosen und mit weichen Juchtenstiefeln. »Wie geht es?« fragte sie. Ein verwundeter Russe, der in der Lazarettküche arbeitete, brachte ein Blechtablett mit Rühreiern und harter Bauernwurst. Dazu einen Kanten Brot. Das typische russische Brot, braungrau, innen noch glitschig, vor kurzem erst gebacken und daher noch warm, duftend und gefährlich für einen ausgehungerten und ausgetrockneten Magen.

»Iß!« sagte sie, setzte sich neben ihn auf die Bettkante und begann ihn zu füttern, als habe er keine Arme mehr. »Gleich kommt Tee.«

Er schluckte tapfer, was sie ihm einlöffelte. Der Tee war heiß, sehr bitter, und er trank ihn in kleinen, vorsichtigen Schlucken. Sie stützte seinen Kopf, beobachtete sein Schlucken und küßte ihn plötzlich auf die Augen.

»Merkst du, wie es guttut?« fragte sie.

»Ja –«

»Was du ißt und trinkst, ziehe ich den anderen ab.«

»Das ist gemein, Maria Fedorowna.«

»Halt den Mund!«

In der Nacht schlief sie bei ihm. Zusammengerollt wie eine Katze, in die Beuge seines Unterleibes gekuschelt, mit kühler, glatter Nacktheit, die er mit seiner Körperwärme auflud. Ein kleiner, glücklicher Mensch, der am Tage den Teufel spielte.

Sie blieben zwei Monate in Orscha.

Die sowjetischen Armeen waren weit nach Westen vorgedrungen, die Rollbahn, diese einzige ausgebaute Straße von Polens Grenze bis Moskau, fast schon ein Symbol, war wieder zu großen Teilen in russischer Hand. Das stärkte die Moral, das war ein Vorbote des endgültigen Sieges. Wohl klammerten sich die ausgebluteten deutschen Divisionen an jeden Meter Boden fest, hielten verzweifelt die schnell ausgebauten, weiter zurückliegenden Stellungen (Frontverkürzung nannte man das mit artistischem Zungenschlag im Führerhauptquartier), aber es war nur eine menschenfressende Verzögerung. Der Zusammenbruch in Rußland war das Fanal vor dem Ende.

Die Schule wurde nicht mehr Umschlagplatz zerfetzter Leiber – sie nahm jetzt die Verwundeten auf, die in den Hauptverbandsplätzen und vorgeschobenen Feldlazaretten bereits soweit versorgt waren, daß man sie hier gesundpflegen konnte. Orscha wurde wieder russische Heimat, der Krieg entfernte sich von der Stadt. Aus Smolensk kamen Lastwagen mit Betten und Wäsche, ein kleines Heer von Frauen begann mit dem Wiederaufbau, räumte Trümmer weg, klopfte Steine, begann zu mauern, legte Leitungen, pflasterte die

Straßen. Auch das war eine Demonstration: Hier kommt kein Deutscher mehr hin!

Die Ärztin Maria Fedorowna, zum Kapitän des Sanitätswesens ernannt, strukturierte das Lazarett um. Sie begann damit, die deutschen Verwundeten für den Transport in die Gefangenenlager freizugeben.

»Wir kein Sanatorium!« sagte sie dem deutschen Stabsarzt, der protestierte und darauf hinwies, daß von einhundertfünfundvierzig deutschen Verwundeten, die fast alle in der Turnhalle der Schule lagen und nur notdürftig versorgt wurden, vierundsechzig kaum transportfähig seien. »Sollen wir unsere Mörder mästen?!«

»Sie sind Ärztin, Maria Fedorowna!« entgegnete der Stabsarzt heiser.

»Ich bin Russin!« antwortete sie hart. »Nichts als Russin!«

An einem Sonntag wurden sie auf Lastwagen verladen, zum Bahnhof gefahren und in mit Stroh ausgelegte Viehwaggons geschoben. In der Mitte jedes Waggons stand ein kleiner, runder Eisenofen, dessen langes, gebogenes Rohr zu einem schmalen Fensterschlitz hinausführte.

»Merken Sie was, Wegener?« sagte der Stabsarzt.

Sie gingen den Zug entlang, Wegener an einem Stock, den er sich aus einer Dachlatte selbst geschnitzt hatte. Sein Oberschenkel war gut verheilt, nur eine lange Narbe war zurückgeblieben von der Operation. »Sie sind ein Narbenmensch«, hatte der Stabsarzt später gesagt. »Sie kennen das ja, junger Kollege: Es gibt Menschen, bei denen wächst eine Wunde nicht normal zu, sondern immer als Wulst. Aber wenn wir einmal wieder normale Verhältnisse in Deutschland haben, kann man das bereinigen. Eine kleine Schönheitsoperation!« Er hatte danach gelacht wie über einen Witz. Da lag man in Orscha auf einem durchbluteten Strohsack und sprach über kosmetische Operationen.

Jetzt blickten sie in die Viehwaggons und kontrollierten, ob die Verwundeten halbwegs gut untergebracht waren. Die deutschen Sanis und die drei Schwestern reisten mit. Im ganzen waren sie siebenhundert deutsche Soldaten. Man hatte aus anderen Feldlazaretten und Sammelstellen alles nach Orscha gebracht.

»Öfen!« sagte der Stabsarzt. »Das bedeutet, daß wir in den Winter fahren. Sie schaffen uns nach Sibirien. Kollege Wegener, wir werden eine Masse Arbeit bekommen. Ich schätze, wir werden einige Monate auf den Schienen sein.«

Ich bin nicht Wegener, ich bin der Schlosser Hasslick aus Osnabrück, wollte er jetzt sagen. Es war eine gute Gelegenheit, sie standen allein vor dem langen Viehwagenzug, niemand hörte sie, die russischen Posten brüllten herum, weil das Ausladen nach ihrer Ansicht zu schleppend vor sich ging, und Maria Fedorowna, die in einem offenen Jeep vor dem Zug saß und stumm und bewegungslos alles beobachtete, war weit weg.

Aber er brachte es nicht heraus. Er würgte an den Worten; was er an Erklärungen anzubieten hatte, kam ihm jetzt dumm vor, und außerdem war es zu spät. Die Totenlisten waren abgeschickt worden, nach Moskau, von wo sie an das Internationale Rote Kreuz weitergeleitet werden sollten. So wenigstens hatte es Maria Fedorowna gesagt. »Unterschätzen Sie nicht unsere Humanität!« hatte sie hinzugefügt und dabei Hasslick angestarrt, als wolle sie ihn anspringen. »Ihr habt es alle nicht verdient!«

Peter Hasslick war tot. Amtlich und unwiderruflich. Es lebte weiter der Fähnrich und Medizinstudent Hellmuth Wegener, geboren in Hannover. Hasslick war nie in Hannover gewesen, er wußte nur, daß es dort eine Reifenfabrik gab und in der Nähe auch eine berühmte Rennstrecke.

Hellmuth Wegener, dachte er und stützte sich auf seinen Lattenstock. Und ich habe in Köln eine Frau. Irmgard, genannt Irmi. Eine junge, blonde, hübsche Frau mit großen blauen Augen. Sie würde nie erfahren, daß sie bereits Witwe war, daß ihr Mann im Flur der Schule von Orscha auf der Erde krepiert ist, mit einem letzten Gedanken an sie und glücklich, daß er in Peter Hasslick, seinem Freund, für sie weiterlebte.

»Woran denken Sie?« fragte der Stabsarzt. Hasslick zuckte zusammen.

»An Deutschland.«

»Diese Gedanken verdrängen Sie mal in den nächsten Jahren.«

»An meine Frau.«

»Sie sind verheiratet?«

»Ja. Ganz kurz. Seit Juni. Ferntrauung.«

»Prost!«

»Ich sollte Weihnachten Urlaub bekommen.«

»Den haben Sie jetzt. Einen dauernden Schneeurlaub, Wegener. Wo wir hinkommen, taut auch im Sommer der Boden nur zwanzig

Zentimeter tief auf, darunter bleibt er gefroren.« Die letzten Wagen wurden entladen. Maria Fedorowna ließ den Jeep anspringen und fuhr langsam auf sie zu. »Da kommt die herrliche Hexe«, sagte der Stabsarzt. »Sie wird uns zum Abschied sagen, daß wir solche humane Behandlung gar nicht verdient haben. Mußten Sie unbedingt heiraten?«

»Ja. Ich liebe meine Frau.«

Wie das klingt: Ich liebe meine Frau. Und ich kenne sie überhaupt nicht. Nur ihre Fotos. Aber hatte Hellmuth Wegener mehr von ihr gekannt? Und sie von ihm? Und doch hatten sie sich geliebt. Es war schon erlaubt zu sagen: Ich liebe meine Frau.

»Alles einsteigen!« schrie ein deutscher Hauptmann, Verbindungsmann zu dem sowjetischen Zugkommandanten. »Die Türen werden gleich verriegelt.«

»Verriegelt?« Hasslick blickte die Waggons entlang.

»Von außen. Wir sind eine Ware. Siebenhundert Fleischklumpen.«

»Und wie sollen wir die Verwundeten behandeln?«

»Darauf kommt es nicht an. Wichtig ist, daß man uns nach Sibirien schafft.«

Drei Stunden später ratterte der Güterzug aus dem Bahnhof von Orscha. Die Waggons waren geschlossen, rollende Holzkisten mit zwei vergitterten Luftschlitzen dicht unter dem Dach. Die Verwundeten stöhnten, wimmerten, fluchten. Der Boden war hart, die Strohschüttung zu dünn, man spürte jeden Stoß durch den Körper schlagen.

In Hasslicks Wagen waren vierzig Schwerverletzte. Eine Wolke von Stöhnen und Schluchzen umgab ihn. Ein Obergefreiter mit einem amputierten Arm rückte zu ihm und bot ihm einen Apfel an. »Geklaut, in der Küche«, sagte er. »Und zum Abschied habe ich ihnen in die Mehltonne geschissen. Das merken sie erst morgen, wenn sie Brot backen. Oder auch nicht...« Er lachte und biß in den Apfel. Hasslick nahm ihn und riß ein großes Stück davon mit den Zähnen ab.

»Wie heißt du?« fragte der Obergefreite.

»Hellmuth Wegener«, sagte Hasslick.

Und von jetzt ab wollen auch wir ihn so nennen. Hellmuth Wegener, Medizinstudent aus Hannover, verheiratet mit Irmgard, geborene Lohmann, Apothekerstochter aus Köln-Lindenthal.

Sie kamen nach Nowo Nigaisk, einem auf keiner Karte verzeichneten Nest zwischen der steinigen Tunguska und dem riesigen Strom Lena. Ein Waldlager in der Taiga, dreißig lange Baracken, umgeben von einer hölzernen Palisadenwand und neuen Wachttürmen, im Inneren noch einmal gesichert mit einem Stacheldrahtverhau, der bis zu den Palisaden einen mit Sand belegten, sieben Meter breiten »Todesstreifen« absperrte.

Im Lager lachte man darüber. Wer wollte hier fliehen? Wohin fliehen? In die Taiga? Wie weit war Deutschland entfernt? 5000 oder 6000 Kilometer? Hier hatte man ein Dach, eine Holzpritsche, seine Wassersuppe mit Graupen oder Kapusta, sein glitschiges Brot, die Kameraden, die Sanitätsstube, das Lagerlazarett, die mörderische Arbeit als Holzfäller mit idiotisch hohen Normen. Aber man war nie allein.

Flüchten? In die Unendlichkeit hinein? In die Einsamkeit, die einen auffraß?

Wer in Nowo Nigaisk gelandet war, hatte nur noch die Wahl, zu sterben oder zu warten.

Hellmuth Wegener arbeitete im Krankenrevier und hatte mit sieben Sanitätern ein Zimmer neben dem Krankensaal. Von den siebenhundert, die in Orscha abgefahren waren, waren nach vier Monaten fünfhundertdrei in Nowo Nigaisk angekommen.

Der Stabsarzt war nicht mehr darunter. Er war an einer dämlichen Blutvergiftung gestorben, an einer Sepsis, die er sich bei der Behandlung einer eiternden Wunde zugezogen hatte.

Wie alle auf dem Transport Gestorbenen warf man auch ihn einfach bei einem Zwischenhalt auf freier Strecke aus dem Waggon in die Taiga.

Nach sieben Monaten wurden an die Gefangenen gelbweiße, linierte Karten verteilt. Von der Lagerschreibstube wurden sie ausgegeben, für jeden Plenny eine Karte.

»Was soll das?« fragte Wegener den deutschen Schreiber. Sie standen, die Barackenältesten, vor dem wachhabenden Offizier, einem Leutnant Pjotr Nikodemowitsch Lutkin, und nahmen die Stapel in Empfang.

»Nach Germanija schreibän!« sagte Lutkin und grinste. »Schreibän, wie gutt in Lagär. Sind wir nicht gutä Mänschän?«

»Der hat einen Knall!« sagte einer der Plennys. »Als ob die Karten jemals ankommen!«

»Ich glaube doch.« Der deutsche Schreiber teilte die Postkarten weiter aus. »Sie werden zensiert, also ist was Wahres dran. Der Krieg ist aus, und nun geht's an die Propaganda. Sagt den anderen, sie sollen bloß nichts Dämliches schreiben! Immer nur: Mir geht's gut und so.«

»Ich werde dick und fett«, sagte einer der Plennys, ein langer, hagerer Kerl mit grauem Vollbart. »Er steht mir Tag und Nacht, und dreimal wöchentlich kann ich eine Küchenhilfe vögeln! So etwa?«

»Macht keinen Piß, Leute!« sagte der deutsche Schreiber. »Es ist das erste Lebenszeichen von uns. Die in der Heimat werden die Karte anbeten! Ist doch wurscht, was draufsteht. Wir leben!«

An diesem Abend schrieb Wegener seine Karte an seine Frau Irmi nach Köln.

Und schon begann die erste Schwierigkeit: Wie hatte Hellmuth geschrieben? Wie war seine Handschrift? Bei den hinterlassenen Papieren fand er nichts, es waren nur amtliche Dokumente. Nur die Unterschrift hatte er, und die hatte er geübt, bis man sie nicht mehr von der echten unterscheiden konnte.

So schrieb er seine erste Karte in Druckbuchstaben. Sie werden denken, wegen der russischen Kontrolle, hoffte er. Und er schrieb:

»Meine liebste Irmi, mein Schatz!

In bin in Rußland, irgendwo, und es geht mir gut.

Wir alle sind voll Hoffnung, daß wir bald zurück in die Heimat dürfen. Kein Tag vergeht, an dem ich nicht an Dich denke. Ich liebe Dich. Wenn es geht, schicke ein Paket. Pullover, einen Schal, warme Schuhe, warme Unterwäsche. Hier ist es kalt. Irmi, ich habe solche Sehnsucht nach Dir. Einen Kuß. Hellmuth.«

Die Karte war voll. Mehr als innerhalb der vorgeschriebenen Linien durfte man nicht schreiben. An der Karte hing eine ebenfalls linierte Antwortkarte. Würde sie jemals zurückkommen?

»Frau Irmgard Wegener« schrieb Wegener und sprach die Worte leise mit. Ich muß mich daran gewöhnen, dachte er. Ich habe eine Frau. Eine schöne, junge Frau. »Köln-Lindenthal. Stadtwaldgürtel 171 a. Deutschland.«

»Den Satz ›Hier ist es kalt!‹ müssen wir streichen«, sagte der Schreiber in der Lagerschreibstube, als Wegener seine Karte abgab. »Das sieht der Iwan bereits als Ortsangabe an.« Er nahm einen Pinsel, tunkte ihn in eine Flasche mit schwarzer Tusche und machte die Stelle unleserlich. »Aber sonst ist die Karte gut. Und Pakete sollen tatsächlich bald durchkommen. Fragt sich nur, ob auch bis Nowo Nigaisk.«

Und dann das Warten. Das schreckliche Warten. Das unendliche Warten. Die Zweifel. Hat Irmi den Krieg überlebt?! Mein Gott, ist das eine Qual! Warum haben sie bloß diese Karten verteilt?! Wenn sie nun nicht schreibt? Wenn die anderen Kameraden ihre Antwortkarten bekommen und du nicht?

Er versah seinen Dienst im Krankenrevier, behandelte Furunkel und Asthma, Quetschungen und Fleischwunden, Tuberkulose und Dystrophie. Und wartete.

»Ich liebe dich wirklich«, sagte er an manchen Abenden. Er saß vor Irmis Foto, dem »Hochzeitsbild«, das er bis nach Sibirien gerettet hatte, und sah sie lange an. Seine Stubengenossen hatten Dienst, er war allein und konnte mit ihr sprechen. »Ich bin Hellmuth Wegener, dein Mann. Du bist schön, Irmi, du bist wunderschön!«

Nach vier Monaten – es war Frühling in der Taiga, der riesige Wald aus Zirbelkiefern, Fichten und Birken blühte und duftete – brachte eine Nachschubkolonne einen Postsack in das Lager Nowo Nigaisk. Als die Holzfällerkolonnen müde und am Ende ihrer Kräfte zurückmarschierten – mit der Schneeschmelze wurden auch wieder die Normen erhöht –, empfing sie schon am Lagereingang das Freudengeschrei des Innendienstes.

»Post, Kameraden! Post aus der Heimat! Die Antwortkarten sind da! Und sogar Briefe! Briefe!«

An diesem Abend war es still im Lager. Die Plennys hockten auf ihren Pritschen, löffelten aus der Blechschüssel ihre Wassersuppe und kauten die Scheibe des glitschigen Brotes. Dabei lasen sie ihre Karten, schweigend, mit nassen Augen, zum ungezählten Male. Wer keine Post bekommen hatte, dem las man vor aus der eigenen Karte, leise, wie ein Gebet: Mein lieber Ludwig, endlich, endlich weiß ich, daß du lebst…

Irmgard Wegener schrieb:

»Hellmuth, mein Liebling!

Es wird im Leben nie wieder einen solchen Tag geben wie heute, als Deine Karte eintraf. Du lebst – alles andere ist nun unwichtig. Du lebst! – Wir haben den Krieg gut überstanden, das Haus steht noch. Paps hat die Apotheke wiedereröffnet, ich arbeite mit. Wir warten alle auf Dich. Das Paket schicke ich morgen gleich ab. O mein Liebling, ich liebe Dich, ich liebe Dich, ich liebe Dich. Paß gut auf

Dich auf!

Deine Irmi.«

Mehr ließ die Karte nicht zu, aber es war genug, um die größte innere Kraft zu mobilisieren: den Willen, auch dieses Sibirien zu überleben.

Ich liebe dich, dachte er. Wir warten alle auf dich. Glücklicher Hellmuth Wegener – und das bin jetzt ich!

In den nächsten Wochen verrichtete er seine Krankenrevier-Arbeit nicht mehr so mechanisch wie bisher. Er meldete sich sogar zum Operationsdienst. Im eigentlichen Lazarett arbeiteten eine russische Ärztin, ein russischer Unterarzt und drei deutsche Stabsärzte.

»Wenn Sie wollen, Kollege«, sagte der dienstälteste Arzt, ein Gynäkologe aus Hamm in Westfalen, »ist uns das eine große Hilfe. Es liegt an der sowjetischen Kollegin. Sie bestimmt hier. Es kommt darauf an, wer Sie im Krankenrevier ersetzen kann.«

Es klappte. Anna Semjowna Tschutkasski, eine dicke, aber nicht unförmige Person, im Dienst sehr verschlossen, aber abends fast ein anderer Mensch mit einem lauten Lachen, teilte den ärztlichen Dienst neu ein. Es kam ja sowieso nur auf die chirurgischen Fälle an. Wer sich krank meldete, wurde innerhalb weniger Minuten selektiert und als Simulant in die Wälder geschickt. Nur wer wirklich auf allen vieren kroch, bekam ein Bett, und oft war es die letzte Station.

Als Hellmuth Wegener seinen ersten Dienst am OP-Tisch antrat, zitterten seine Hände. Kalter Schweiß stand auf seiner Stirn, und als er den nackten Mann auf dem Tisch liegen sah, mit einer brandigen Wunde und dick geschwollenem, blaurot verfärbtem Bein, mußte er sich an die Wand lehnen.

»Hier hilft nur eine Amputation!« sagte der Stabsarzt. »Ein säuischer Wundbrand. Hätten wir doch bloß etwas von diesem neuen amerikanischen Mittel. Wie heißt das bloß noch? Penicillin oder so ähnlich.« Er sah Wegener an. »Sie sehen wächsern aus, Hellmuth. Ihre erste Amputation?«

»Ich habe bisher nur in der Anatomie...«

»Man kann alles lernen. Auch als Plenny in Sibirien. Ein Bein abzunehmen ist gar keine Kunst. Passen Sie mal genau auf. Das geht schnell wie das Kaninchenficken.«

Wegener überstand den Vormittag. Er lernte Fachausdrücke, behielt sie zum Teil im Gedächtnis und notierte sie sich später mit den notwendigen Erklärungen.

Nach sechs Wochen diskutierte er bereits mit den anderen Ärzten über einen Hernia inguinalis interna.

Niemand merkte, daß er Schlosser war.

Nur das Skalpell nahm er nie selbst in die Hand. Er hielt die Klammern, tupfte, injizierte, verband. Wechselte die Verbände, saß bei den Sterbenden und hielt ihre erkaltenden Hände.

Drei Jahre lang.

Irmis Paket kam nie in Nowo Nigaisk an. Andere erhielten im Laufe der Jahre Pakete, in großen Abständen, aber anscheinend waren in Irmis Paket sehr gute Sachen gewesen, die ein sowjetischer Kontrolleur besser gebrauchen konnte als dieser Kriegsverbrecher in der fernen Taiga.

Aber ihre Briefe und Karten trafen ein, jeden Monat ein Zeichen der Liebe, der Treue, der Erwartung, des Glaubens an die Zukunft.

»Das Leben normalisiert sich«, schrieb Irmi einmal, 1947 war das. »Nur die Lebensmittel sind so knapp. Was man auf Marken bekommt, ist jämmerlich. Ein Glück, daß Paps Apotheker ist. So bekommen wir manches nebenbei, du verstehst. Aber auch das wird einmal besser werden. Die Hauptsache ist doch, daß Du bald nach Hause kommst.«

Ein neues Foto lag dabei. Irmi Wegener vor einem Blütenbusch im Kölner Stadtwald. Zum erstenmal sah Wegener seine Frau ganz, von oben bis unten. Bis jetzt hatte er nur ihr Gesicht gehabt.

Sie war schlank mit kleinen Brüsten, die sich durch das Sommerfähnchen deutlich durchdrückten. Sie hatte schlanke Beine mit dünnen Fesseln, rehhaft, zerbrechlich, und sie lächelte nicht nur mit dem Mund, sondern auch mit den Augen, mit dem ganzen, wunderschönen Körper. Auf ihrem blonden Haar strahlte die Sonne. Wegener hielt das Bild an sein Gesicht ... Er roch den Duft des Blütenbusches, ihre Haare, ihre Haut, ihre Weiblichkeit, ihre herrliche Jugend, ihre Sehnsucht nach ihm.

»Mein Gott, wie liebe ich dich«, sagte er mit trockener Kehle. »Ich will dir immer ein guter Mann sein, und Gott bestrafe mich höllisch, wenn es jemals anders werden sollte ...«

An einem Januarmorgen 1948, einem vor Frost klirrenden Tag, der alles Leben außerhalb der Baracken erstarren ließ und selbst die Russen von den Wachttürmen trieb, kamen die Barackenältesten von der Kommandantur, zu der man sie bestellt hatte, zurück und brachten Listen mit. Sie lasen Namen vor, und wer genannt war, trat zögernd und mit fragenden Augen in den Mittelpunkt der Baracke.

»Die Klamotten packen und morgen früh bereithalten!« sagten die Barackenältesten. »Kinder, fragt mich nicht. Sie geben keine Antwort, die Iwans. Sie haben uns die Listen gegeben, und wir sollen sie verlesen. Wahrscheinlich werdet ihr verlegt. Es ist ja doch alles Scheiße!«

»Ich habe läuten hören«, sagte der Stabsarzt zu Wegener, der auch auf der Liste stand, »daß man mit Entlassungen beginnt. Nur ein Gerücht, das möchte ich betonen.«

»Entlassen? Zurück nach Deutschland?« stammelte Wegener. »Wirklich zurück? Warum denn ich?«

»Nach welchen Kriterien sie vorgehen, wer weiß das? Bei den Russen ist jede Überraschung möglich, das wissen wir ja. Jedenfalls sind Sie genannt, Hellmuth. Und wenn's in die Heimat geht, gebe ich Ihnen einen Brief an meine Frau mit. Ich beneide Sie. Deutschland ...«

Er trat an das Fenster, hauchte die Eisblumen weg, wischte ein Loch, um durchzusehen, überblickte die in den Schnee geduckten Baracken, den Stacheldrahtzaun, den Todesstreifen, die Holzpalisaden und die Wachttürme und begann lautlos zu weinen.

Am 19. Februar 1948 traf Hellmuth Wegener im Durchgangslager Friedland ein. Er kam mit einem Transport von einhundertzwanzig Plennys in einem Sonderwagen, den man in Frankfurt/Oder von dem sowjetischen Zug abgekoppelt hatte. Sie waren quer durch Rußland gefahren, von Sibirien über den Ural nach Moskau. Dort wurden sie untersucht, bekamen zum erstenmal seit vier Jahren ein kräftiges Essen und schlugen sich – unvernünftig wie Kinder zu Weihnachten – die Bäuche so voll, daß dreiundzwanzig Entlassene in Moskau bleiben mußten, wegen akuter Magenerkrankungen.

Auch Wegener schiß drei Tage ununterbrochen, aber er konnte es geheimhalten. Danach war er so schlapp, daß er apathisch im Zug hockte und die letzte Strecke nur schlafend zurücklegte. Ab Frankfurt/Oder aber raffte er sich auf, aß vorsichtig das Brot und die Wurst, die man verteilte, trank heißen Tee und weinte wie die anderen, als der Zug gleich hinter der deutschen Grenze hielt und Rote-Kreuz-Schwestern mit heißer Erbsensuppe und Sträußchen aus Tannengrün und Tannenzapfen die Heimkehrer begrüßten.

Morgen stehe ich Irmi gegenüber, dachte er, als der Zug in der Nacht weiterfuhr. Ich habe ihr von Moskau aus schreiben dürfen, und sie haben gesagt, der Brief kommt todsicher rechtzeitig an. Ob sie nach Friedland kommt? Wo liegt das überhaupt? Ob ich sie sofort erkenne? Was sage ich ihr? Der erste Satz ist der wichtigste. Was mache ich, wenn sie mich ansieht und sagt: Sie sind nicht mein Mann Hellmuth Wegener?! Mein Gott, was mache ich dann?!

Der Sonderwagen wurde noch zweimal umgekoppelt, ehe er in Friedland eintraf. Auf dem Bahnsteig drängten sich die Menschen, Zeitungsreporter und Rundfunksprecher bildeten eine Gasse für die Heimkehrer aus Sibirien. Dahinter standen die Wartenden, wie sie seit Tagen oder Wochen hier warteten, Mütter und Väter, Frauen und Bräute. Sie hielten an Stangen befestigte Fotos hoch über ihre Köpfe.

Wer kennt Hermann Schubert? Wer hat Emil Hagemeister gesehen? Wer war mit Willi Damme zusammen? Kennt einer Heinrich Obertz? Namen, Namen, Gesichter von jungen Soldaten, stolz lächelnd vor dem Fotografen. Oder Bilder von früher, in Zivil – vergrößerte, unscharfe Paßfotos, das einzige, was von einem Menschen geblieben war.

Wer kennt Ludwig Meister... wer Holger Müller aus Stuttgart... wer Peter Weinberg... Wer... wer... wer...? Sagt doch etwas, Jungens! Habt ihr meinen Sohn getroffen, irgendwo getroffen? Er lebt doch noch... er muß leben... ich fühle es, daß er lebt...

Wer kennt Hans Funcke...

Hunderte von Augen starrten sie an, bettelnd, flehend, mit letzter Hoffnung, die sich immer wieder von Tag zu Tag erneuern konnte. Augen, in denen alle Liebe, aller Glaube lagen, die ein Mensch empfinden kann.

Sag mir doch einer, daß mein Sohn lebt, daß er ihn gesehen hat... bitte, bitte...

Hellmuth Wegener blickte auf die Gruppe der Menschen, die keine Fotos hochhielten und ihn nicht anriefen. Es waren die Glücklichen, die wußten, daß jetzt gleich das Wunder der Wiedergeburt geschehen würde, die Rückkehr aus dem Totenhaus Sibirien, die Erfüllung aller Gebete.

Und dann sah er sie, erkannte Irmi sofort an ihren blonden Haaren und dem unschuldigen Gesicht. Sie stand in der zweiten Reihe und hob sich auf die Zehenspitzen, um die Jammergestalten, die über den Bahnsteig schwankten, genauer zu sehen.

Er stieß einen Rundfunkreporter zur Seite, der ihn fragte: »Wie sind Ihre ersten Eindrücke in der Heimat?! Von wo in Sibirien kommen Sie her?!« Dann stand er vor ihr, groß und hager, mit einem struppigen Dreitagebart, in einer viel zu kleinen, umgearbeiteten Uniform, aus der seine Arme herauswuchsen, als seien es Polypengreifer. Er nahm seine dreckige Wehrmachtsmütze ab, stopfte sie, weil sie im Weg war, unter den Lederriemen, den er um den Leib geknotet hatte.

»Irmi...« sagte er. Es kostete Kraft, das zu sagen. »Irmi, da bin ich.«

»Du bist es?« Sie blickte ihn aus weiten Augen an, mit diesen blauen Augen, mit denen er vier Jahre lang gesprochen hatte, die alles von ihm wußten, denen er gebeichtet hatte. Jetzt waren sie vor ihm, ganz nahe und wundervoll blau, und die schmale Nase darunter bebte, und die Lippen zitterten, und dann waren ihre Hände plötzlich da, legten sich auf seine knochigen Schultern und zogen ihn heran.

»Hellmuth!«

»Irmi!«

Sie küßten sich, und dann weinte er, es war unmöglich, dieses Schluchzen aufzuhalten. Er preßte den Kopf gegen ihre Brüste und weinte wie ein Kind, und sie streichelte seinen Nacken, seine Haare, seinen zuckenden Rücken und sagte: »Jetzt bist du ja zu Hause. Jetzt ist alles gut. Jetzt ist alles vorbei. Jetzt wird das Leben schön...«

Er nickte, blieb zwischen ihren Brüsten mit seinem Gesicht und atmete den Duft ihres Körpers ein. Zu Hause. Das neue Leben. Der neue Hellmuth Wegener. Verheiratet seit Juni 1944 mit dieser wundervollen Frau.

Sie wird es nie erfahren, wie es war. Nie! Ist der Mensch nur ein Name? Wir werden das glücklichste Paar auf dieser Welt sein, Irmi.

Später, nach den notwendigen Formalitäten und einem Interview für den Rundfunk, in dem Wegener berichtete, es gebe noch viele Gefangenenlager in Sibieren und anderswo in Rußland, war er endlich ein freier Mann und ging am Arm von Irmi aus der Entlassungsbaracke. Überall standen Holzwände mit Fotos und Namen, dicht an dicht. Eine Armee Vermißter. Eine Armee verzweifelter Hoffnung.

»Du siehst so anders aus als auf dem Bild«, sagte Irmi plötzlich.

»Vier Jahre Gefangenschaft. Die verändern einen Menschen.« Er blieb stehen. »Ist es so schlimm?«

»Aber nein!« Sie lachte und stürzte mit einem Sprung in seine Arme. »Wir machen aus dir schon wieder einen Menschen...«

Sie gingen zu einem Parkplatz, Irmgard steuerte auf einen schwarzen Wagen zu. Wegener hielt sie am Ärmel fest.

»Du hast ein Auto?«

»Paps. Ein Opel P4.«

»Und Benzin?«

»Als Apotheker bekommt man manches. Sogar den roten Winkel für die Fahrerlaubnis.«

»Es wird also geschoben?«

»Natürlich!« Sie lachte. »Wie soll man sonst weiterleben?« Ihre blauen Augen funkelten. Er hätte sie nehmen können und vor Liebe zerreißen.

Sie fuhren ein paar Kilometer, kamen an einem Wald vorbei, und Irmgard bog von der Straße ab und fuhr einen Seitenweg in den Wald hinein. Dort bremste sie und hauchte in die Hände. Es war kalt, ein sonnenloser, grauer Schneetag.

Jetzt kommt es, dachte Wegener. Jetzt wird sie mir sagen: »Du bist nicht mein Mann!« Ich glaube, dann häng' ich mich am nächsten Ast auf...

Aber sie sagte: »Hast du Hunger, Liebling?«

Wegener grinste dumm. Er hatte sein Gesicht nicht mehr unter Kontrolle, sein Herz hämmerte wie verrückt.

»Und wie«, sagte er heiser.

Sie griff nach hinten, holte einen Pappkarton vom Sitz und klappte ihn auf. Eine große Blechdose steckte darin, und als sie den Deckel abhob, füllte sich das kleine Auto mit einem köstlichen Duft.

»Huhn!« sagte sie. »Ich habe es vorhin in der Lagerküche gebraten. Und Kartoffelsalat habe ich auch.«

»Irmi!«

Er umarmte sie, und wieder fiel sein Kopf gegen ihre Brust. Er fühlte, wie das Schluchzen wieder hochkroch.

»Ich liebe dich...« stammelte er.

»Ich weiß. Ich bin doch deine Frau.«

Sie legte den Arm um ihn und preßte ihn an sich. Er spürte, wie auch sie zitterte, und wagte es, durch den Stoff des Kleides ihre Brust zu küssen.

»Was auch kommt –« sagte er heiser, »Irmi, vergiß es nie, vergiß es nie: Ich liebe dich. Ich werde nie aufhören, dich zu lieben.«

»Du hast ja noch gar nicht angefangen.« Sie schob seinen Kopf von ihrer Brust und küßte ihn auf die Nase. »Iß dein Huhn, bevor es kalt wird.« Sie sah ihn wieder mit einem fast kindlichen Staunen an und sagte dann: »Ich wußte gar nicht, wie groß du bist. Du hast mir geschrieben: Einsvierundsiebzig...«

»Dann habe ich mich um zehn Zentimeter vertan.« Er biß in das Huhn wie ein Kannibale. Sie holte eine Blechschüssel aus dem Karton und schaufelte Kartoffelsalat hinein.

»Es ist gut so«, sagte sie. »Dann habe ich zehn Zentimeter mehr Liebe.«

3

Bei Einbruch der Dunkelheit erreichten sie Schmallenberg im Sauerland.

Der kleine P4 rutschte über die schneebedeckten Straßen, man mußte langsam fahren, die Reifen hatten kaum noch ein Profil und drehten öfter durch. Dann stieg Hellmuth aus, schob den Wagen an, drückte ihn aus den Schneeverwehungen oder über die Glatteisstrecken, oder man legte zwei Säcke unter die Hinterräder, Meter um Meter, bis man die kritischen Stellen überwunden hatte. Irmi hatte vier Jutesäcke, einen Sack mit Sand und einen kleinen Spaten in den Kofferraum gelegt, sogar eine Thermosflasche mit heißem Tee hatte sie mitgenommen.

»Du bist eine gute Fahrerin«, sagte Wegener. »Und hast an alles gedacht.«

»Im Krieg hat man vieles gelernt, von dem man früher keine Ahnung hatte«, antwortete sie.

»Das stimmt.« Er lehnte sich gegen die Kühlerhaube des Autos, schlürfte den dampfenden Tee und betrachtete seine Frau. Ihr Kindergesicht war gerötet von der Kälte und der Anstrengung dieser Fahrt.

Durch das geschlossene Grau des Himmels drückte sich die Dämmerung. – Eine halbe Stunde noch, und es würde dunkel sein.

»Wir erreichen Köln heute nicht mehr«, sagte er.

»Auf gar keinen Fall. Wir übernachten unterwegs. Ich glaube, wir sind nahe bei Schmallenberg.«

Schmallenberg? Nie gehört. Was weiß ein Schlosser aus Osnabrück von Schnallenberg?

»Ein schöner Ort hier im Sauerland.« Sie lächelte und schraubte die Thermosflasche zu.

»Aha.« Er nickte, als erinnere er sich. »Ob wir irgendwo unterkommen?«

»Ein Bett finden wir immer.«

Ein Bett, durchfuhr es ihn. Natürlich, ich werde heute nacht mit ihr in einem Bett schlafen. Sie ist ja meine Frau. Sie wird an meine Seite kriechen, mich umarmen, sich an mich schmiegen und sagen: Hellmuth, mein Liebling. Und ich bin Hellmuth Wegener...

Sie fuhren weiter, schlidderten durch Schmallenberg mit seinen schönen Fachwerkhäusern und hielten vor einem langgestreckten Haus, über dessen Eingang ›Hotel‹ stand.

»Warte im Wagen auf mich«, sagte Irmi und stieg aus. »Ich regele das schon.«

»Warum du? Das ist meine Aufgabe.«

»Was hast du zu bieten?« Sie lächelte begütigend. Plötzlich nahm ihr Gesicht einen mütterlich verstehenden Ausdruck an, und sie sah auf einmal älter aus, als sie war. »Einen Blechlöffel aus Sibirien! Damit kommt man heute nicht weiter.«

Sie warf die Autotür zu und ging ins Hotel. Es dauerte ziemlich lange, bis sie wieder herauskam. Ein alter Mann stand hinter ihr, sie lachte und winkte Wegener zu. »Steig aus, Hellmuth!«

Der alte Mann führte sie über einen Flur in eine Art Hinterzimmer, vorbei an der Tür, über der ›Restaurant‹ stand und hinter der man Männerstimmen hörte. In dem Zimmer standen drei Tische, es war nicht geheizt, aber auch nicht zu kalt. Die Tür zur Küche war angelehnt und ließ etwas Wärme herein.

»Wir haben ein Zimmer, Liebling«, sagte Irmgard. »Und gleich bekommen wir einen Braten und Kartoffeln und Bohnen. Ohne Marken. Ich habe zwei Schachteln Süßstoff, drei Schachteln Pyramidon und drei Liköressenzen dagegen eingetauscht. Damit machen sie aus selbstgebranntem Schnaps die schönsten Sachen.«

Sie nahm ihm das Segeltuchbündel ab, das er immer noch an einem Strick über der Schulter trug, seit Nowo Nigaisk, und stellte es in eine Ecke. Wegener setzte sich, aus der Küche zog Bratenduft, und auf einmal schwitzte er, knöpfte die Uniform auf und schloß die Augen.

Mein Gott, dachte er, es ist unsere Hochzeitsnacht. Die Nacht, von der Hellmuth immer geträumt hatte, von der er immer gesprochen hatte. Nun fand sie statt auf der Strecke zwischen Friedland und Köln, in einem fremden Hotelbett, in einem ungeheizten Zimmer, das sie mit Süßstoff, Pyramidon und Liköressenzen teuer bezahlt hatten.

Er aß, aber er hatte keinen Hunger. Das schöne, gut durchgebratene Fleisch, ein Stück vom Schwein, im Keller großgezogen und dann schwarzgeschlachtet, die mehligen Kartoffeln, die weichen, flachen, fadenlosen Stangenbohnen, sicherlich eigene Ernte aus dem Garten hinterm Haus, es schmeckte alles wie ein Kloß aus Lehm. Er würgte an jedem Bissen und schlang doch alles hinunter, weil er sah, wie glücklich und fröhlich Irmi war.

Die Frau des alten Mannes, eine dickliche, gemütliche Person, kam aus der Küche, setzte sich an den Tisch und begann zu weinen.

»Unser Junge ist draußen geblieben«, sagte sie und drückte die Schürze gegen ihre Augen. »1943. In Rußland. Er starb wie ein Held, schrieb sein Kompaniechef. Was hat er nun davon, daß er ein Held war?! Er sollte das Hotel übernehmen, war fertiger Kellner. Jetzt sind wir Alten allein. Wie's weitergeht, wer weiß das?« Sie trocknete die Tränen aus den faltigen Augenhöhlen und nickte mehrmals vor sich hin. »War's schlimm in Sibirien?«

»Ich habe es überlebt. Tausende andere nicht.«

»Dieser verdammte Krieg!«

»Es wird nie wieder einen geben. Nach diesem Krieg nicht mehr!«

»Glauben Sie das?« Die alte Frau tupfte mit der Schürze ihre Nase ab. »Die ans Regieren kommen, lernen doch nie! Nie mehr Krieg, das haben wir 1918 auch gesagt. Ich hab's ja miterlebt. Und was ist daraus geworden? Sie sind noch jung... Denken Sie mal in zwanzig oder dreißig Jahren daran. Wie wird dann die Welt aussehen?! Genauso dumm wie heute, sag ich Ihnen.«

Wegener nickte. Er zog das Essen lange hinaus, spielte mit dem Fleisch und den Bohnen auf dem Teller, schob alles hin und her. Er hatte Angst vor dem Zimmer, das auf ihn wartete. Angst vor dem Bett. Angst vor dem Alleinsein mit Irmi. Aber gleichzeitig empfand er eine herrliche Sehnsucht nach ihrer Liebe, nach ihrem jungen Körper, nach ihrer zärtlichen Wärme.

Irmgard sah ihm zu, sie war längst fertig mit dem Essen. Er bewunderte ihre Geduld und ihre schweigende Duldung. Die alte Frau erhob sich: »Na denn, gute Nacht, ihr zwei! Macht's einmal besser als wir!« Und ging mit schleppenden Schritten in die Küche.

Wegener legte Messer und Gabel hin. Er konnte nichts mehr herunterschlingen, sein Hals war wie erdrosselt. Er trank das hellgelbe Dünnbier, das immer noch besser schmeckte als das heiße Wasser in Sibirien, das die Russen Kipjatok nannten, wischte sich den Mund mit dem Handrücken ab und erschrak, denn ihm fiel ein, daß dies nicht zu der feinen Art eines Medizinstudenten paßte. Auch wenn er gerade aus Nowo Nigaisk kommt. Er lächelte Irmi schief an und legte die Hände auf seine Oberschenkel.

»Ich bin müde«, sagte sie plötzlich. »Gehen wir hinauf?«

»Ja, gehen wir.« Eine fremde Stimme, dachte er. Ich habe eine fremde Stimme. Sie klingt wie von Rost zerfressen.

Er erhob sich und ging hinter Irmi her, die den Zimmerschlüssel hatte. An der Tür der Gaststube drehte er sich um, lief zurück und holte sein Segeltuchbündel aus der Ecke. Sie wartete und lächelte ihn an.

»Dein Rasierzeug?«

»Ja. Ein alter Apparat mit zwei Klingen. Ich habe ihn in Frankfurt/Oder in der Rote-Kreuz-Station bekommen.« Er strich über seinen stoppeligen Bart. »Ich werde mich sofort rasieren, Irmi. Dann seh ich vielleicht wieder so aus wie auf deinem Foto...«

Sie betraten das Zimmer, Nr. 9, und sahen sich um. Es war, wie erwartet, nicht geheizt, es gab nur kaltes Wasser aus der Leitung, ein Bauernschrank stand an der Wand, am Fenster ein Tisch mit zwei Stühlen, an der Längswand das Doppelbett. Darüber ein Bild: Schwan auf einem Dorfteich. Wegener kam es vor wie ein Luxuszimmer. Sogar eine Bettumrandung aus Schafswolle, naturfarben, war vorhanden.

»Ich hole dir aus der Küche heißes Wasser«, sagte Irmgard. »Wegen des Rasierens. Mit kaltem Wasser bekommst du den Bart nicht ab.«

»Hast du soviel Erfahrung mit Männerrasuren?« fragte er scherzhaft.

Sie fand das gar nicht lustig, ihre Augen wurden dunkelblau. »Glaubst du das wirklich?«

»Irmi –« sagte er lahm.

»Ich weiß es von Paps. Wenn er sich mit kaltem Wasser rasiert, schabt er sich immer die Haut auf.«

Sie ging hinaus, die Tür fiel hinter ihr zu. Wegener setzte sich auf den Stuhl am Fenster und atmete ein paarmal tief durch. Ich bin ein Klotz von einem Kerl, dachte er. Ungebildet, dämlich. Der feinsinnige Hellmuth Wegener hätte sich jetzt anders benommen, ganz bestimmt, er hätte die richtigen Worte gefunden und seine Frau längst an sich gedrückt. Er wäre zärtlich gewesen, geistvoll, eben *der* Mann, den Irmgard Lohmann geheiratet hatte.

Das breite Bett zog seinen Blick an. In einer halben Stunde, vielleicht auch früher, würde er neben ihr liegen. Sie würde auf ihn warten, und er würde den ersten Schritt tun müssen, das erste Strecken der Hand, die erste Berührung ihres nackten Körpers, das erste Streicheln... Es war seine Aufgabe, ihr zu zeigen: Du gehörst mir. Ich liebe dich.

Er erhob sich, ging zum Waschbecken und drehte den Wasserhahn auf. Dann zog er seine Uniform aus, das graue Unterhemd und stand mit bloßem Oberkörper vor dem Spiegel über dem Bekken. Ein knochiger Mensch, ein Skelett mit Haut überspannt. Man Unterhemd konnte die Knochen genau bestimmen: das Schlüsselbein, das Brustbein, die Rippenbögen, Sternum, dachte er. Für das Brustbein sagen die Mediziner Sternum. Es gehörte zu den paar hundert Wörtern, die er sich notiert hatte und mit denen er später im Lazarett von Nowo Nigaisk am Ärztetisch hatte mitreden können, ohne aufzufallen.

Metacarpus – Mittelhand. Metatarsus – Mittelfuß. Pneumonie – Lungenentzündung. Trauma – Verletzung, Wunde. Exzision – Ausschneidung. Exitus – Tod.

Hinter ihm klappte die Tür. Irmi kam mit einem Topf heißen Wassers. Sie trat neben ihn, steckte den Gummipfropfen in den Abfluß und goß das Wasser ins Becken.

»Woran denkst du?« fragte sie.

»An eine Operation im Lager«, antwortete er kühn.

»Du hast operiert?« Sie war beeindruckt.

»Natürlich. Die gesamte Chirurgie. Amputationen, Bauchoperationen, einmal sogar einen Anus praeter...«

Es klang gut, glaubhaft, selbstverständlich. Er hatte es ja lange genug geübt, meistens auf dem Lokus des Lazaretts von Nowo Nigaisk. Dort, auf dem Brett über der Scheißgrube, war er allein, saß auf dem runden Ausschnitt des Brettes über der Scheißgrube und hörte sich selbst ab.

Was heißt Hirnhautentzündung? – Meningitis.

Und was Gehirnentzündung? – Encephalitis.

Es war schwer, aber langsam und sicher begriff er es und behielt die Begriffe.

»Nach vier Semestern durftest du das schon?« fragte Irmi jetzt.

»In Sibirien haben sogar Laien amputiert, wenn Not am Manne war. Es ging ums Überleben, nicht um einen Preis für die schönste Narbe.«

»Es muß furchtbar gewesen sein, mein Liebling...«

»Es ist vorbei.«

Er drehte sich um, küßte sie auf die Stirn, ging zu seinem Bündel und schnürte es auf. Dann rasierte er sich, dreimal, weil der Bart so hart war, daß die stumpfen Klingen es nicht mit zwei Anläufen schafften.

Als er sich umdrehte und über seine glatten Wangen strich, lag sie bereits im Bett.

Er hatte es nicht gehört, sie hatte sich ganz leise ausgezogen. Auf einem der Stühle lag ihre Kleidung, vor dem Bett standen die Schuhe. Sie hatte das Federbett bis zum Hals gezogen, aber er sah an der Seite, wo das Bett sich etwas hob, daß sie darunter nackt war.

»Jetzt siehst du endlich, wie ich wirklich aussehe«, sagte er ungelenk. »So etwas hast du geheiratet.«

»Du gefällst mir.« Ihr blondes Haar schimmerte im Licht der armseligen Nachttischlampe wie feinste Messingstreifen. »Das weißt du doch, Hellmuth.«

Er schluckte. Hellmuth. »Ja, ich weiß es«, sagte er heiser.

»Komm ins Bett. Ich friere.«

»Sie hätten auch heizen können!«

»Es gibt keine Kohlen. Und auch das Holz wird zugeteilt. Im Bett wird man von allein warm, sagen sie.«

»Das stimmt.« Er kam ans Bett, setzte sich auf seine Matratze, zog die Schuhe aus, halbhohe Schnürstiefel, die man ihnen als Geschenk zum Abtransport gegeben hatte. Und jetzt die Hose! Hinter dir wartet deine Frau! Sie wartet seit vier Jahren auf diese Nacht. Vier Jahre Warten auf Zärtlichkeit, zu der sie ja gesagt hatte vor einem Tisch mit einem Stahlhelm und einem Foto.

Er streifte die Hose herunter, warf sie in die Ecke und verfluchte seinen Körper, der anders reagierte als seine Gedanken. Als er sich in das Bett wälzte, mußte sie es gesehen haben, denn sie sagte mit einer kindlichen und doch so fraulichen Stimme:

»Komm! Vergiß jetzt alles... Ich bin jetzt bei dir. Immer.«

Sie schob sich zu ihm hinüber, die Berührung mit ihrer warmen, glatten Haut durchfuhr ihn wie ein Blitz, er fühlte ihre Hand, und er stöhnte auf, als sie fast über ihn kroch, ihre Brüste auf ihn drückte und alles, was er sagen wollte, in einem Kuß ertränkte.

»Ich liebe dich«, sagte er später. »Ich liebe dich. So kann man nur einmal im Leben lieben...«

Und sie antwortete: »Ich bin so glücklich, deine Frau zu sein.«

Der Apotheker Johann Lohmann stand hinter dem Ladentisch und verkaufte gegen Rezept einige Hustenmittel, als Irmgard und Hellmuth Wegener die Apotheke betraten. Sie hatten den klapprigen P 4 etwas seitwärts vom Schaufenster geparkt, wo ihn Lohmann nicht sehen konnte, wenn er auf die Straße blickte.

»Wir wollen ihn überraschen«, sagte sie und nahm seine Hand, als sei er ein Kind, das zum ersten Schultag gebracht wird.

»Überraschen? Wieso?«

Sie lächelte sanft. »Es war gar nicht sicher, daß du aus Rußland kamst. Niemand wußte etwas Genaues. Ich bin auf gut Glück nach Friedland gefahren, als deine Karte aus Moskau eintraf. Die Lagerleitung sagte: Es kommen täglich Transporte an, mal mehr, mal weniger Entlassene. Aber die Russen schicken uns keine Namenslisten zu. Wenn Sie wollen, können Sie warten. Aber es kann dauern.«

»Und du hast gewartet?«

»Ja.« Sie nickte und drückte sich an ihn. »Fünf Tage. Wir waren neununddreißig Frauen in einem Schlafsaal.« Sie zog ihn weiter über die Straße, als sträube er sich mitzugehen. »Paps hat behauptet, du kämest nicht nach Hause, du würdest sicher nur in ein anderes Lager verlegt.«

Er blieb nun doch stehen; sie ließ seine Hand nicht los, obwohl sie zwei Schritte weitergegangen war.

»Was denkt er über mich?« fragte er.

»Er kennt doch nur dein Bild, Liebling.«

»Was denkt er über mein Bild?«

Sie lachte hell. Sie war so schön, daß sein Herz schmerzte.

»*Ich* habe dich geheiratet, nicht er. Väter von einzigen Töchtern sind immer eifersüchtig und besonders kritisch. Er hat immer gehofft, daß ich einmal einen Apotheker ins Haus bringe, weil ich kein Interesse hatte, Pharmazie zu studieren. Paps hat nämlich einige Medikamente entwickelt, die er einmal industriell auswerten will. Pharmaziewerk Lohmann – das ist sein Lebenstraum. Was ihn versöhnt, ist, daß du Medizin studierst.

Wegener nickte wortlos. Jetzt kann ich es ihr noch sagen, dachte er. Jetzt sofort, auf der Straße. Kein geeigneter Ort für eine Beichte, aber wenn ich die Apotheke betreten und Johann Lohmann begrüßt habe, ist wieder ein schwerer Stein vor die Wahrheit gewälzt. Es wird immer weniger möglich, noch zu gestehen, daß es einen Schlosser Peter Hasslick aus Osnabrück gibt...

Er sah sie an, sie lachte ihm zu, zog an seinem ausgestreckten Arm, ihr von der Kälte gerötetes Gesicht schimmerte wie Perlmutt.

Sie war so glücklich, so vollkommen junge Frau, daß er tief aufatmete und zögernd weiterging. Es ist ein Teufelskreis, dachte er. Ich komme nicht mehr heraus. Ich muß selbst vergessen können! Peter Hasslick ist tot, begraben in Orscha. Es lebt nur der Hellmuth Wegener.

Johann Lohmann war hinten in der Rezeptur, als sie das Geschäft betraten. Ein Kunde wartete, er hatte irgendeine Salbe verschrieben bekommen, die Lohmann jetzt zusammenmischte.

»Wir bleiben hier stehen, als wären wir Kunden«, flüsterte Irmi. »Paps wird Augen machen!«

Sie stellten sich etwas abseits, Lohmann kam zurück, händigte das Salbentöpfchen dem Kunden aus und wollte wieder in den hinteren Raum, als er Irmgard und Wegener bemerkte.

Er blieb stehen, drehte sich voll zu ihnen um und steckte, auf eine nicht unbedingt erfreuliche Überraschung gefaßt, die Hände in die Taschen seines weißen Apothekerkittels.

»Das ist er, Paps!« sagte Irmgard glücklich. Sie lehnte sich an Wegener und schlang den Arm um seine knochige Taille. »Du siehst, er ist *doch* gekommen! Stell dir vor, ich habe ihn gleich erkannt.«

Warum lügt sie, dachte Wegener. Sie hatte ein anderes Bild vier Jahre mit sich herumgetragen. Es muß in Friedland für sie ein Schock gewesen sein, als er so ganz anders aussah.

»Guten Tag, Herr Wegener«, sagte Lohmann unsicher. Er kam näher, die Hände in den Kitteltaschen.

»Er heißt Hellmuth, Paps.«

»Natürlich, Hellmuth. Ich muß mich erst daran gewöhnen, einen Sohn im Haus zu haben.«

Sie sahen sich an, und Wegener dachte: Es ist der gleiche verblüffte, abschätzende, etwas hilflose, in die Situation hineingezwungene Blick wie bei Irmi in Friedland. Er weiß nichts mit mir anzufangen, er hat eine andere Vorstellung von seinem Schwiegersohn, er hat sich mehr versprochen nach dem Bild, das damals, vor vier Jahren, auf dem Tisch des Standesbeamten stand und zu dem Irmgard ja gesagt hatte.

»Herr Lohmann«, setzte Wegener an und verstummte sofort. Hinter sich spürte er Irmi, ihre Brüste drückten sich in seinen Rükken. Sie atmete schneller als sonst, stoßweise, über seinen Nacken glitten die kleinen Atemstöße.

»Sag Johann zu mir.« Lohmann streckte die rechte Hand aus. »Vater, das klingt irgendwie zu kindlich für uns.« Über sein Gesicht zog ein Lächeln. »Das Schlimmste hast du hinter dir. Komm her, mein Junge...«

Sie fielen sich in die Arme, küßten sich rechts und links auf die Wange, und Irmi begann glücklich zu weinen.

»In einer halben Stunde mache ich die Apotheke zu«, sagte Lohmann. »Aber das hat nicht viel zu sagen. Gerade heute habe ich Nachtdienst. Da kannst du gleich sehen, wie's einem akademischen Verkäufer geht. Sie schellen dich um drei Uhr nachts aus dem Bett, weil sie nicht furzen können.«

»Paps!« unterbrach Irmi ihn und wurde sogar rot.

»Er ist vom Barras und aus Rußland andere Ausdrücke gewöhnt, was, Hellmuth?« Lohmann lachte bieder. »Aber es ist ja wahr. Siebzig Prozent der Nachtkunden könnten bis zum Morgen warten. Aber nein... sie kommen wie die Motten zum Licht. Neulich klingelt einer um zwei Uhr morgens und sagt zu mir: ›Herr Apotheker, was soll ich machen? Ich habe den Drang zu scheißen, aber es kommt nichts! Ich sitze seit zwei Stunden auf dem Lokus. Es ist, als wenn ein Pfropfen drin wäre!‹ Mir ist der Kragen geplatzt, das kann ich euch sagen. ›Mein Herr!‹ habe ich zu dem Kerl gesagt. ›Da hilft nur eins: Stecken Sie sich den Finger in den Arsch!‹ Weg war er. Und kommt am nächsten Morgen freudestrahlend wieder: ›Es hat geholfen! Danke, Herr Apotheker!‹«

Später standen sie allein in Irmis kleiner Wohnung, die sie sich im Hause, auf der zweiten Etage, eingerichtet hatte: ein Wohnzimmer, ein Schlafzimmer, eine kleine Küche, Diele und Bad.

An den Fenstern Tüllgardinen mit eingewebtem Maiglöckchenmuster. Um einen runden Nußbaumtisch eine Sesselgruppe, mit Plüsch bezogen. An der Wand eine lange Anrichte mit geschnitzten Türen. Darüber ein Ölgemälde: Sonnenaufgang am Bodensee. Parkettböden, in der Mitte ein Teppich mit Persermuster. Eine fünfarmige Lampenkrone aus Messing und gelben Kunstseidenschirmchen mit weißen Troddeln. Neben der Sesselgruppe eine Stehlampe mit einem riesigen, bemalten Pergamentschirm. Ein Kohleofen mit einer Kachelummantelung strahlte blubbernde Wärme aus. Apotheker Lohmann verfügte sogar über Eierbriketts.

Wegener stand an der Tür des Zimmers und krallte die Finger über der Brust in seine umgearbeitete Uniform. »Ein Paradies«, sagte er leise. »Das ist ein Paradies...«

Am Abend gab es ein feudales Essen: Kaninchenbraten mit Rotkraut.

Lohmann saß in Hemdsärmeln am Tisch, obgleich Irmi ihm ein paarmal zuzwinkerte, aber er übersah es mit fast provokatorischer Nichtachtung.

»Ich habe eine verdammt vornehme Tochter«, sagte er schließlich, als sogar Hellmuth ihre Blicke auffielen. »Sie bekommt Schüttelfrost, weil ich wie ein Prolet am Tisch sitze, statt in einem dunklen Anzug mit weißem Hemd und Schlips. Aber wenn man den ganzen Tag hinterm Ladentisch steht und ein Beispiel von Sterilität sein muß, ist es eine Wonne, am Abend abzuschnallen. Verstehst du das, Hellmuth?«

»Aber ja, Johann.«

»Ich weiß nicht, wo Irmi diese Vornehmheit gelernt hat. Beim BdM bestimmt nicht. Da latschten sie in Schnürschuhen und idiotischen Uniformen herum, möglichst rustikal und urdeutsch!«

Sie aßen das Kaninchen restlos auf, Lohmann spendierte einen eigens angesetzten Wacholder zum Verdauen und wartete, bis seine Tochter wieder in der Küche war, um das Geschirr abzuspülen. Er zeigte auf die Sessel, sie zogen sich in die gemütliche Ecke unter die Stehlampe zurück und rauchten einen Zigarillo. Die Möglichkeiten eines Apothekers auf dem Schwarzmarkt waren zum gegenwärtigen Zeitpunkt geradezu unbeschränkt.

»Man sollte das nicht gleich am ersten Abend tun, mein Junge«, sagte Lohmann und paffte den Rauch gegen das Lampenlicht, er freute sich über die weiße, wabernde Wolke. »Aber ich bin ein Mann, der wenig vom langsamen Tritt hält. Der Krieg ist verloren, unser Volk liegt so auf der Schnauze, wie noch nie ein Volk gelegen hat, das Geld ist nichts mehr wert, ein Pfund Butter kostet 350 Mark, ein Pfund Fleisch 300, eine Amizigarette 6 Mark. Wer Kaffee bekommt, kann sich einen goldenen Gürtel umbinden! Bei den Bauern im Vorgebirge oder im Münsterland tauschen sie Klaviere gegen Kartoffeln, Teppiche gegen Speck, Barockschränke gegen Schinken. Wer von den Güterzügen, die ins Ausland zu den Siegern gehen, Kohlen klaut, hat den Segen von Kardinal Frings. Eine total verrückte Zeit, mein Junge, die sich ihrem Kulminationspunkt nähert. Man munkelt, daß in ein paar Monaten so etwas wie eine Geldreform kommen soll. Wie sie das anstellen wollen... mir ein Rätsel! Ob Deutschland noch zu retten ist?«

»Wir haben alle zwei Hände, Johann«, sagte Wegener. »Mit denen kann man etwas anfangen.«

»Sich am Hintern kratzen, wenn's so weitergeht! Das ist es, was ich dich fragen wollte. Ärzte braucht man immer. Die Universität Köln arbeitet wieder. Du wirst zu Ende studieren?«

»Nein!« antwortete Wegener ohne Zögern.

»Nicht?« Lohmann sah ihn durch den Rauch seines Zigarillos staunend an. »Warum denn nicht? Ach so, wegen des Geldes?!«

»Auch«, sagte Wegener. »Ich habe nichts mehr. Meine Eltern in Hannover – unser Haus – alles ist...«

Er schwieg. Schweigend rauchten sie weiter und blickten in die Dämmerung des Zimmers. Jetzt lüge ich nicht einmal, dachte er. Hellmuth hat mir erzählt, daß seine Eltern nicht mehr leben und das Haus zerbombt ist. Und Osnabrück? Das gleiche. Die Mutter vermißt. Vielleicht eine der namenlosen Toten, die man unkenntlich, grau bestaubt aus den Trümmern gezogen und in einem Massengrab verscharrt hat.

»Dein Studium bezahle ich!« sagte Lohmann plötzlich. »Das ist doch selbstverständlich!«

Wegener zuckte zusammen. Es gab keine Papiere mehr, nur die Wehrmachtsunterlagen und den Entlassungsschein von Friedland, ausgestellt nach Treu und Glauben: Hellmuth Wegener, Medizinstudent. Und die provisorische Kennkarte mit seinem Foto. Hellmuth Wegener. Es war so einfach, ein anderer Mensch zu werden. Aber ein anderer Mensch zu sein, das würde schwer sein!

Vier Semester Medizin? Was weiß man nach vier Semestern von der Medizin? Bestimmt mehr als die dreihundert Fachwörter, die er sich in Nowo Nigaisk aufgeschrieben und auf der Latrine auswendig gelernt hatte. Bestimmt auch mehr vom ärztlichen Handwerk, als er sich im Lagerlazarett hatte aneignen können. Er konnte verbinden, Injektionen geben, bei Operationen Klammern halten, abtupfen, Kompressen legen, abbinden. Genügte das für vier Semester? Da gab es noch die chemische Physiologie – von der hatte er überhaupt keine Ahnung. Und die Gynäkologie! Die Pädiatrie! Die Hämatologie. Die Neurologie. Er kannte die Namen alle, aber er konnte nur das, was er im Lazarett von Nowo Nigaisk am Krankenbett und am OP-Tisch gesehen und gelernt hatte. Und die Stabsärzte hatten ihn »Herr Kollege« genannt.

»Ich mache nicht weiter«, sagte Wegener und vermied es, Lohmann anzusehen.

»Aber warum denn? Natürlich machst du weiter! Du baust deinen Dr. med., ich richte euch eine Praxis ein, und dann kannst du dir eine goldene Nase verdienen! Mit 2000 Krankenscheinen, und die kriegst du mühelos zusammen, scheint bei dir immer die Sonne im Portemonnaie! Dazu die Privatpatienten. Junge, ich kann mir denken, daß du Bammel hast, nach so langer Zeit wieder anzufangen und zu lernen. Aber dazu gibt's gar keinen Grund! Man kommt schnell wieder in den Stoff hinein, du wirst es sehen. Der menschliche Geist ist flexibler, als man glaubt. Du erholst dich ein paar Monate, frißt dir etwas Fleisch auf die Rippen, und im Sommersemester 1948 sitzt du wieder im Hörsaal.«

»Ich glaube nicht, Johann.« Wegener schüttelte den Kopf. Durch die offene Tür, über den Flur hinweg, hörte er Irmi in der Küche mit dem Geschirr klappern. »Ich habe mich nie dazu gedrängt, Mediziner zu werden.«

»Ich denke, du bist mit Leib und Seele...«

»Ich habe Medizin damals nur belegt, weil ein Onkel das so wollte. Ein Onkel, den ich einmal beerben sollte.«

»Und jetzt ist alles in Klump geschmissen, und die Medizin wird an den Nagel gehängt, was?«

»So ähnlich.«

»Ich glaube, du machst da etwas falsch, Junge.« Lohmann legte seinen Zigarillo in den tönernen Aschenbecher. Man sah ihm an, daß ihn die Zukunft sehr beschäftigte. Die Zukunft seiner einzigen

Tochter, die bis zur nie geglaubten Rückkehr ihres Mannes sehr ungewiß gewesen war. »Wenn nicht Medizin, was dann? Willst du auf Pharmakologie umschwenken? Das wäre natürlich ideal! Du wirst einmal die Apotheke übernehmen...«

»Vater!« Plötzlich sagte Wegener zu Lohmann ›Vater‹, als habe er das Verlangen, Schutz suchen zu müssen. Lohmann sah ihn groß an, aber die Anrede behagte ihm sichtlich. »Ich muß dir etwas erklären...« fuhr Wegener fort – und stockte.

Er lehnte sich zurück, aus dem Licht der Stehlampe hinaus, flüchtete sich in den Halbschatten, wünschte sich, daß es jetzt ganz finster werden, die Glühbirne platzen würde oder eine Sicherung ausfiele. Wie fange ich an, dachte er. Mit der Hochzeit im Bataillonsbunker, wo ich Trauzeuge war? Mit Hellmuths Verwundung am Ufer des Dnjepr? Mit seinem Tod auf dem Schulflur in Orscha? Wie man auch anfängt, – es wird immer so etwas wie Selbstmord sein.

In diesem Augenblick der Wahrheit kam Irmgard aus der Küche zurück. Sie setzte sich neben Wegener auf die Sessellehne, schlang den Arm um seinen Nacken und küßte ihn auf die Stirn. Da war kein Gedanke mehr an Selbstentblößung, sein Vorsatz zerplatzte wie ein Ballon.

Er ließ den Kopf sinken, legte sein Gesicht auf ihre Handfläche und war froh, daß sie gerade in diesem Moment gekommen war. Ich liebe sie, dachte er. Ich wäre der einsamste Mensch auf der Welt, wenn ich jetzt von ihr gehen müßte.

»Was habt ihr für Probleme?« fragte sie fröhlich. »Ihr seht so ernst aus.«

»Hellmuth will nicht weiter Medizin studieren«, sagte Lohmann. »Und er wollte gerade etwas erklären.«

»Er ist gerade einen Tag zu Hause, und schon belastest du ihn mit solchen Problemen.«

»Man muß darüber sprechen«, sagte Wegener.

»Aber nicht heute. Wir haben noch Wein, Paps, nicht wahr?«

»Hol ihn, Spätzchen!«

Sie küßte ihn noch einmal und lief wieder hinaus. Lohmann strich sich mit beiden Händen über das graubraune Haar. »Merkwürdig«, sagte er. »Merkwürdig für einen Vater. Ich habe noch nie erlebt, daß Irmi zu einem anderen Mann zärtlich ist. Und jetzt sitze ich hier und sehe zu, wie sie dich küßt. Ein dämliches Gefühl, wenn man es zum erstenmal sieht. Man verliert ein Stück seines Lebens.«

»Wir bleiben doch bei dir, Vater«, sagte Wegener.

»Was wolltest du vorhin sagen, Hellmuth?«

»Es ist vielleicht besser, wenn ich ins Kaufmännische gehe. Ich weiß nicht, ob ich jemals ein guter Arzt würde. Ich habe es an der Front gemerkt und später in Nowo Nigaisk. Ich habe mit meinen Verwundeten und Kranken gelitten, als sei ich selber krank. Und wenn einer starb, saß ich an seinem Bett und hätte heulen können. Ob das die richtige Basis ist? Ein Arzt muß Mensch sein, natürlich, aber auch so hart, daß er sich nicht aus Mitleid zu seinen Patienten ins Bett legt. Mir fehlt diese Härte, das Über-der-Krankheit-Stehen, die Distanz zum Leiden. Ich leide immer mit.«

»Alles Übungssache, mein Junge. Wenn zu mir ein Kranker in die Apotheke kommt, dem der Krebs schon aus den Augen wächst, kann ich auch nicht rufen: Laß die Medikamente weg, Freund, sie helfen gar nichts – du hast nur noch ein paar Wochen, mach dir lieber ein schönes Leben! – Man stumpft ab, und das ist nur ein Ausdruck der Gewohnheit.« Lohmann beugte sich vor und legte beide Hände auf Wegeners Knie. »Versuch es wenigstens, Hellmuth!«

»Nein, Vater. Es wäre vergeudete Zeit. Und ich habe schon vier Jahre verloren. Man sollte sie auf andere Weise nachholen.«

»Und wie?«

»Ich trete in deine Apotheke ein und lerne den ganzen kaufmännischen Kram.«

»Das ist eine Totgeburt, Hellmuth! Eine Apotheke braucht einen Apotheker, aber keinen Buchhalter. Wenn du Pharmakologie studieren würdest...«

»Ich glaube, ich besitze ein gewisses Organisationstalent. Irmi erzählte mir von einigen pharmazeutischen Erfindungen, die du gemacht hast. Wenn wir eine Firma gründen, die das auswertet...«

»Eine Firma in dieser Zeit?« Lohmann schlug mit der Faust auf seine Sessellehne. »Sollen wir unsere Medikamente im Waschkessel kochen?!«

»Wenn das geht – warum nicht?!«

»Du bist verrückt, Junge – verzeih mir!«

»Die Zeiten werden sich ändern, Vater. Deutschland ist ein Trümmerhaufen, ein Land des Nichts. Hier wird es wieder Pioniere geben, die ganz von vorne anfangen und ganz neue Methoden entwickeln werden. Wir sollten an morgen glauben und uns darauf einrichten. Von mir aus brauen wir deine Medikamente in der Waschküche und verkaufen sie in Zeitungspapier – aber wir sind *da*! Und wir werden vor allem da sein, wenn aus Deutschland wieder ein vernünftiger Staat geworden ist.«

»Glaubst du daran?«

»Ja! Wenn wir in die Hände spucken, bleiben sie nicht trocken! Das allein zählt. Und das kann uns auch kein Sieger wegnehmen. Wir liegen auf der Schnauze, aber wir können noch atmen, Vater, wir sollten uns wirklich konkrete Gedanken darüber machen!«

Viel später, in der Nacht – Wegener war schon ins Bett gegangen, und Irmgard räumte die Weingläser und die bis zum Rand gefüllten Aschenbecher weg – sagte Johann Lohmann zu seiner Tochter:

»Dein Mann ist ein Phantast, aber ein Phantast mit verdammt überlegenswürdigen Ideen! Als ich ihn heute zum erstenmal in natura sah, wäre ich fast umgefallen. Das Foto, das wir von ihm kennen, ist ja ein Bild aus 1001 Nacht gegen die Wirklichkeit! Wenn der unter der Dusche steht, muß er ja hin und her springen, um naß zu werden!«

»Er kommt aus Sibirien, Paps!«

»Und jetzt will er, daß ich eine pharmazeutische Fabrik aufmache!«

»Das ist doch wunderbar!«

»Und womit?« Lohmann griff zur Weinflasche, sah, daß noch ein Rest drin war, setzte sie an den Mund und trank sie aus. Den strafenden Blick seiner Tochter ignorierte er. »Er will nicht mehr studieren – er will organisieren! Theoretisch kann man alles machen. Aber wie sieht das dann in der Praxis aus? Der Junge schwebt in den Wolken. Trotzdem – ich beginne mich an ihn zu gewöhnen.«

»Das ist schön, Paps.« Sie setzte sich ihm gegenüber in den Sessel, in dem Wegener vorhin gehockt hatte, und zog die Knie an. Sie trug viel zu weite, schlotternde Hosen. »Hellmuth weiß, was er will.«

»Bist du so sicher?«

»Wenn er nicht wüßte, was er will, hätte er dir den Vorschlag mit der Fabrik nicht gemacht.«

»Das ist eine typisch weibliche Logik«, sagte Lohmann. »Und damit wollt ihr ein neues Deutschland aufbauen...«

Vier Wochen später sagte Irmgard zu ihrem Mann: »Ich war heute beim Arzt, Liebling. Es stimmt. Wir bekommen ein Kind.«

Und Wegener antwortete: »Das ist schön, Irmi. Ich habe mir das immer gewünscht. Mindestens zwei Kinder. Ein Pärchen: Mädchen und Junge.«

»Ich werde mir Mühe geben«, sagte sie. Sie lagen im Bett, nackt wie immer, Leib an Leib, jeder von der Wärme des anderen zehrend. Es war nicht der Nachholbedarf von vier Jahren unerfüllter Ehe – es war nichts als die Zärtlichkeit, die jeder von ihnen nötig hatte wie ein Glas Wasser oder ein Stück Brot: ein Grundstoff zum Leben. »Das hier wird ein Junge.«

»Er wird Peter heißen«, meinte er.

»Warum Peter?«

»Ich hatte einen guten Freund, den besten«, sagte er. Er rollte sich auf den Rücken und starrte an die Decke. Sie schwieg, streichelte ihn nur und legte dann ihre Hand auf seine Männlichkeit. Er hatte das gern, wenn sie ihre Hand wie ein kleines Gewölbe darüber legte, besitzergreifend, schützend, einbettend in die Wärme ihrer Finger. »Er starb in Rußland, in Orscha, neben mir. Lungenschuß. Ich möchte unseren Sohn nach ihm nennen.«

»Natürlich wird er Peter heißen.«

Er legte seine Hand über ihre Hand in seinem Schoß und schloß die Augen. Mein Sohn Peter... Wirst du jemals erfahren, wer dein Vater ist?

»Woran denkst du?« fragte sie. Das fragte sie immer, wenn er still war. Sie wollte alles von ihm wissen, auch seine Gedanken. Sie war so in seinem Wesen daheim, daß sie unruhig wurde, wenn sie ihn nicht mehr verstand. Und dabei lebten sie erst seit fünf Wochen miteinander.

»An Peter«, antwortete er ehrlich. »Er hieß Peter Hasslick. Ein Schlosser aus Osnabrück. Feiner Kerl.«

»Das glaube ich dir.«

»Schade, daß du ihn nicht kennengelernt hast.«

Er schwieg abrupt, fast erschlagen von dieser Artistik, die er jetzt durchspielte. Auch das ist eine Art Selbstzerfleischung, empfand er. Auch das kann Buße sein. Man muß sich ein gepanzertes Gewissen anerziehen, um eines Tages nicht moralisch auszubluten. Es gibt nur einen Hellmuth Wegener – auf diesen Satz, auf dieses einzige Fundament muß ich mein Leben bauen.

Am nächsten Morgen ging er zwei Häuserblocks weiter zu dem Schreibwarenhändler Knoll und kaufte sich eine Schulkladde mit rotem Deckel. Er brauchte dafür kein Altpapier abzugeben: Knoll war Kunde bei Lohmann und bekam hintenherum Vitamintabletten.

Und so begann er sein erstes Tagebuch, rückschauend bis ins Jahr 1944, auf den Tag im Juni, an dem er im Bataillonsbunker an der Wand stand, Machorka rauchte und Trauzeuge seines Freundes werden sollte.

Wer dieses liest, begann er seine Eintragungen, wundere sich nicht. Es ist das Leben eines Menschen seiner Zeit, den die Zeit zu dem gemacht hat, was er dann zeit seines Lebens blieb: Ich bekenne! – Ist das richtig? Oder muß ich sagen: Ich steige aus meinem Gewissenspanzer? Oder ist das besser: Ich bitte um Verständnis? Was ihr auch immer denkt, die ihr diese Zeilen lesen werdet: Ich habe nie aufgehört, Irmi zu lieben...

Er stockte. Kann ich das sagen? ›Ich habe nie aufgehört, Irmi zu lieben‹? Nach nur sechs Wochen?! Ich schreibe ja, als blickte ich schon auf ein langes gemeinsames Leben zurück! Aber er strich den Satz nicht durch, sondern fügte hinzu: ›Alles, was ich getan habe, tat ich aus Liebe.‹ Das durfte er sagen; er war sicher, daß er auch noch nach vielen Jahren zu diesem Satz stehen würde.

Er versteckte die Kladde auf dem Speicher unter einem losen Dielenbrett und schob eine Kiste darüber.

Von da ab schrieb er jede Woche eine Stunde lang an seinem Tagebuch, meistens, wenn Irmi zum Einkauf gegangen war oder Medizin zu den alten Leuten brachte, die nicht mehr zur Apotheke kommen konnten und deren Ärzte die Rezepte telefonisch durchgaben. Am nächsten Tag brachte die Post die Formulare. Das hatte sich bei Lohmann so eingespielt, und den Ärzten war es recht.

Von einem Pharmaziegroßhändler, der einmal im Monat bei der Lohmannschen Apotheke auftauchte und fragte, was man etwa noch beziehen wolle, auch ohne amtlichen Bezugsschein, bekam Wegener den Tip, kein treudeutsches Rindvieh zu sein, das ehrlich und aufrecht stehend an Magenschrumpfung eingeht, sondern ein weitblickender Geschäftsmann, der sich ausrechnen kann, daß die Zeiten nicht immer so mies bleiben werden.

Bei dem alten Lohmann war da nichts zu machen. Seine Ehrlichkeit war überwältigend. »Nur ein Charakter überlebt!« sagte er einmal, als man ihm anbot, hundert Glasröhrchen mit Pyramidon einzutauschen gegen westfälischen Knochenschinken. »Und wenn ihr alle hin- und herschiebt... ich tu da nicht mit!«

»Da ist nichts zu machen!« sagte der Pharmaziegroßhändler zu Hellmuth Wegener. »Ihr Schwiegervater ist ein Fossil aus der königlich-preußischen Apotheke! Aber Sie, mein Lieber! Landser, russische Gefangenschaft, ein Kumpel... Mit Ihnen müßte man doch auf dem Schwarzmarkt einen Laden aufziehen können, daß wir uns die Wände mit Butter und Schinken tapezieren können! Und Ihre süße junge Frau? Und das Baby? Das will doch auch was auf den Knochen haben! Soll Ihre Frau ein Gerippe zur Welt bringen? Na also! Wir sollten da mal etwas aufreißen.«

Es klappte schon beim ersten Anlauf. Oscar Hobolka – so hieß der Pharmaziegroßhändler, er stammte aus einem Dorf in Oberschlesien, das Szcynamszyk hieß, was keiner aussprechen konnte, weshalb Hobolka auch, nach seiner Herkunft gefragt, immer fröhlich antwortete: »Ich stamme aus Bumski!« – Dieser Oscar also kam an die Bestände einer vergessenen Wehrmachtsapotheke heran, die man irgendwo in einem Bunker des Westwalles entdeckt hatte. Er kaufte den ganzen Ramsch für drei Schweine, die er von einer Bäuerin im Münsterland, einer Bäuerin im Hessischen und einer Bäuerin in der Pfalz bekommen hatte; jede von ihnen beschlief er bei seinen Rundfahrten von Apotheke zu Apotheke regelmäßig, gewissermaßen nach Fahrplan. Da auf seinem alten Lastwagen groß – unter einem Roten Kreuz – geschrieben stand: Arzneimitteltransport, wurde er von keinem kontrolliert, auch wenn er in Sperren geriet. Weder die Franzosen noch die Engländer, noch die Belgier oder Amerikaner hielten Oscar Hobolka an; auf sie wirkte das Rote Kreuz geradezu magisch. Die deutsche Polizei sah wenigstens noch die Papiere an, aber da diese immer von etlichen Dienststellen abgestempelt waren und Stempel so ziemlich das Wichtigste in den Augen der Behörden sind, kam keiner auf den Gedanken, hinten unter der Plane neben Kartons mit Prontosil und Packungen mit Hustensaft könne auch ein geschlachtetes Schwein liegen.

Die alte Wehrmachtsapotheke erwies sich als ein Schatz. Die Entdecker hatten keine Ahnung; es waren zwei Braunkohlearbeiter, denen die drei Schweine handgreiflicher waren als Tausende von Packungen mit lateinischen Namen. Und Hellmuth Wegener legte noch zwanzig Stücke Seife dazu.

»Bis jetzt habe ich die Hauptarbeit gehabt«, sagte Oscar Hobolka, als sie die Bestandsaufnahme der Wehrmachtsapotheke abgeschlossen hatten. Allein einhundertzwanzig Ampullen mit Morphin waren darunter, dreihundert Packungen eines Grippemittels, zehn Flaschen Äther, eine Reihe Fiebermittel, Cardiazol, Jodpräparate und – Oscar Hobolka jubelte auf – ein Karton voll Präservative, immer zu zweien verpackt.

»Das war eine Fabrik im Sinne Luthers!« rief Hobolka fröhlich. »›In der Woche zwier schadet weder dir noch ihr‹, hat der gesagt. Wegener, damit läßt sich ins große Geschäft kommen! Wenn nichts mehr läuft – da läuft's immer!«

Er kontrollierte eine Packung, pumpte zwei Präs voll Wasser, bis sie sich wie Ballons blähten, und sah Wegener zufrieden an. »Einwandfrei! Das ist noch gute Ware. Made in Germany! Zu solch extremen Dehnungen kommt es unter natürlichen Bedingungen nie! Da werden selbst Marokkaner blaß! Wegener, Ihre Aufgabe ist es, jetzt den Markt zu bearbeiten. Ich muß im Hintergrund bleiben. Sie wissen: Wenn 'ne Razzia kommt, können Sie als Apotheker und Mediziner immer noch sagen: ›Ich war auf'm Weg zu Patienten.‹ Mir nimmt das keiner ab. Ein Großhändler hat andere Kunden. Sie zum Beispiel!«

Es war leichter, als Wegener es sich vorgestellt hatte. In Köln gab es bestimmte Straßen und Plätze, wo man sich traf. Dort herrschte immer ein reger Passantenverkehr, obgleich jedes Haus zerstört und eigentlich kein Grund ersichtlich war, gerade hier spazieren zu gehen. Da war der Neumarkt mit seinen Seitenstraßen, die nur noch Trümmer waren, wie etwa die Thieboldsgasse oder die Fleischmengergasse, da war der Heumarkt mit dem ehemaligen Hurenviertel Buttermarkt, und da war die Gegend hinter dem Hauptbahnhof, wo man bei richtigem Herumflüstern alles bekommen konnte, sogar amerikanische Maschinenpistolen. Ausweispapiere, gefälschte Lebensmittel- und Raucherkarten oder Bezugsscheine für Textilien gehörten schon gar nicht mehr zu den Besonderheiten.

Als Wegener mit seinen Präservativen auftauchte, lachte man ihn aus. Aber als er die erste Ampulle Morphin vorzeigte, stellte er mit Verblüffung fest, daß er schnell zu einem Top-Händler wurde, der verlangen konnte, was im Rahmen des gerade noch Möglichen lag.

Er stand in den Eingängen ausgebrannter Häuser, die Hände in den Taschen, und kannte bald jeden der eiskalten Profis, die hier nicht nur des knurrenden Magens wegen herumtappten und wie im Selbstgespräch ihre Waren feilboten: »Uhren!« – »Saccharin!« –

»Seife!« – »Bezugsschein für eine Hose gegen Kaffee« –, sondern sie erhandelten sich oftmals in großen Ringtauschgeschäften ein Vermögen.

»Nimm eine Knarre mit!« sagte Hobolka, als Wegener nach acht Tagen so bekannt war, daß man auf ihn wartete. Er führte immer nur vier Ampullen Morphin und einige Packungen anderer Medikamente bei sich, außerdem ein paar selbstgeschriebene Rezepte, um sich bei einer Razzia elegant aus der Schlinge zu ziehen. »Man hat schon wegen eines Kohlkopfes Menschen erschlagen, und jetzt weiß jeder, was wir haben! Hellmuth, du bist wieder an der Front, und hinterm Hauptbahnhof ist es gefährlicher als im Partisanengebiet. Paß auf!«

Wegener paßte auf. Er umklammerte mit der rechten Hand seine Pistole, mit der linken die Ampullen. Dreimal hatte er es nötig, die Waffe aus der Manteltasche zu holen. Da kamen sie mit drei Mann und wollten ihn einkreisen.

»Schon gut, Kumpel!« sagte einer von ihnen. »Wir wollen handeln, aber nicht pusten. Wieviel Röllchen hast du noch auf Lager?«

»Das weiß ich nicht«, antwortete Wegener vorsichtig. »Wenn ich hier bin, habe ich was. Bin ich nicht hier?...«

»Logisch! Bargeld oder Angebot?«

Angebot hieß: Meldung, was man an Tauschobjekten zu bieten hatte. Es waren Klaviere darunter, Teppiche, Bücherschränke, Kohleherde, Bettfedern und einmal sogar die rothaarige Marlies, ein Bild von einem Mädchen, 23 Jahre alt, das mit ihrem Unterleib mehr eintauschte als mancher unentwegte Schwarzmarktkünstler.

Wegener teilte sich den Preis: Mal nahm er Butter, Speck, Wurst, Kaffee, Marmelade und Pökelfleisch, mal auch nur Bargeld.

»Was willst du mit Geld?« rief Oscar Hobolka, als Wegener einmal mit 17000 Mark nach Hause kam. »Ich prophezeie: Bald wirst du dir mit den Lappen nur noch den Arsch abwischen können! Geld! Mach die Keller voll, Hellmuth!«

»Ich habe einen ganz bestimmten Plan«, sagte Wegener versonnen. »Dazu brauche ich auch Geld. Oscar, ich habe hinterm Hauptbahnhof viel gelernt! Und man hört allerlei...«

»Und was hast du für einen verrückten Plan?« fragte Hobolka. »Alles, was nicht langfristig geplant ist, ist doch Scheiße!«

»Später erzähl ich dir davon.« Wegener teilte das Geld, aber Hobolka winkte ab. Er sammelte Sachwerte, vor allem Goldschmuck,

Brillanten und – von dieser genialen Idee schwärmte er geradezu – vor allem Grundstücke.

»Ein Pfund Butter frißt du und scheißt es wieder aus«, sagte er einmal. »Ein Pfund Kaffee säufst du weg und pißt es aus. Aber Grund und Boden, das bleibt! Das kann dir keiner nehmen, das verrottet nicht, verschimmelt nicht, wird nicht sauer oder ranzig. Und du Idiot sammelst Geld!«

Der alte Lohmann, aber auch Irmi merkten nicht viel von Wegeners Geschäften hinter dem Hauptbahnhof oder auf der Thieboldsgasse.

Da er wirklich Rezepte ausfuhr oder Auslieferungslager besuchte und schon nach ein oder zwei Stunden mit dem klapprigen Opel P4 wieder nach Lindenthal zurückkam, fiel es niemandem ein, er könne eine jener Gestalten auf dem Schwarzmarkt sein, die man jeden Tag mit immer größerer Sehnsucht erwartete.

»Eigentlich bin ich ein Schwein!« sagte er einmal zu Oscar Hobolka. »Weiß ich, wo das Morphin hingeht?! Ich sage nein – aber ich weiß es. Wieviel Leben zerstören wir damit, Oscar...«

»Wieviel Leben sind im Krieg zerstört worden? Man schätzt 55 Millionen!«

»Wir haben keinen Krieg mehr!«

»Irrtum! Was ist das denn, worin wir leben! Ist das vielleicht eine normale Zeit?! Quatsch jetzt bloß nicht von Humanität, von medizinischer Ethik! Komm mir nicht mit deinem ärztlichen Gewissen! Jeder will nur mit dem eigenen Hintern an die warme Wand. Ob dem Nachbarn das gelingt, kümmert doch keinen mehr!«

Wegener kam nicht mehr dazu, Hobolka von seinem Plan zu erzählen, der immer mehr Gestalt annahm. Auch mit Irmi hatte er noch nicht darüber gesprochen und mit Lohmann schon gar nicht. Der hielt seinen Schwiegersohn ohnehin für einen Phantasten, konnte nicht verstehen, warum er nicht weiterstudierte, beobachtete mit kritischer Distanz, daß Wegener mit Apothekenlieferanten vertrauliche Gespräche führte, über deren Inhalt er seinen Schwiegervater nicht unterrichtete. So versuchte er, seine Tochter auszuhorchen.

»Er hat bestimmte Ideen«, sagte Irmi ausweichend. »Ich spüre das.«

»Ich spüre das!« sagte der alte Lohmann grantig. »Erzählt er nichts? Macht er keine Andeutungen?«

»Nein.«

»Himmel noch mal, über was unterhaltet ihr euch denn im Bett?!«

»Wir sind glücklich, Vater«, sagte Irmi. Der alte Lohmann schnaufte durch die Nase – er empfand die Antwort so, wie sie gedacht war: als eine moralische Ohrfeige.

»Wir sind glücklich und warten auf das Kind.«

»Und das wird nicht langweilig?«

»War es dir bei Mutter langweilig?«

»Ich habe mit deiner Mutter immer alles besprochen!«

»Hellmuth bespricht auch alles mit mir. Du mußt Geduld haben, Vater. Er sagt es schon, wenn er glaubt, es sei richtig, darüber zu sprechen.«

»Du kannst ihn doch mal fragen, Irmi!«

»Nein! Ich weiß auch so: Was er tut, ist richtig.«

Der alte Lohmann kapitulierte. Gegen soviel Liebe gab es keine Argumente. Also warten wir ab, dachte er. Mein Schwiegersohn brütet etwas aus. Lieber Gott, laß es etwas Vernünftiges sein!

Wie gesagt: Oscar Hobolka erfuhr es nicht mehr. Schuld daran war ein deutscher Polizist in Sinzig am Rhein, der entgegen allen Gepflogenheiten und trotz Rotem Kreuz und der Aufschrift *Arzneimitteltransport* den Lastwagen untersuchte. Hobolka protestierte, bot nachher, als der Polizist zehn Pfund Kaffee, vier Kilo Landbutter und eine Tonne Salzfleisch entdeckt hatte, eine Beteiligung von 60:40 an, aber auch das rettete ihn nicht. Sein Wagen wurde beschlagnahmt, er selbst saß im Gefängnis von Koblenz ein. Dort bekam er eine Lungenentzündung, und obwohl er als Pharmaziegroßhändler über alle Möglichkeiten verfügte, Penicillin zu beschaffen, starb er nach vier Tagen an Herzversagen.

Er wurde in aller Stille begraben, er hatte keine Verwandten. Als Wegener, erst zehn Tage später, auf Oscar wartend und über sein Fernbleiben rätselnd, durch Nachbarn den Sachverhalt erfuhr, konnte er nur noch nach Koblenz fahren und Hobolkas Grab besuchen.

Er hütete sich, mit den Behörden Krach anzufangen, die einen Menschen einfach verscharrten, ohne sich nach möglichen Bekannten umzusehen. Hobolkas Keller, vollgestopft mit Schwarzmarktgut, hatte die Polizei ausgeräumt und suchte nun Zusammenhänge und Komplizen. Es war undenkbar, daß ein einzelner Mensch soviel heranschaffen konnte. Da war es für Hellmuth Wegener besser, still zu sein und Oscar im Himmel oder in der Hölle – selbst Kardinal Frings wußte wohl kaum, wie Gott einen Schwarzmarktganoven einstufen würde – zu versprechen, für sein Grab zu sorgen.

Der Frühling übergrünte die Trümmer, der Mai kam mit ungewöhnlicher Wärme, Irmi wurde fraulicher, ihre Brüste wuchsen, aber um den Leib herum sah man noch nichts. Ihre zärtliche Hingabe wurde noch intensiver. »Ich fühle, wie es in mir wächst«, sagte sie. »Es ist wunderbar, Liebling.«

Hellmuth Wegener tat auch jetzt nichts – sofern man unter ›Tätigkeit‹ etwas Produktives versteht. Er stand in der Apotheke herum, holte die Medikamente aus den Regalen, fuhr mit dem alten Opel P4 zum Pharmazie-Großhandel und besorgte neue Ware, durchstrich wie ein Kater weiterhin die Straßen, wo der Schwarzhandel blühte, und sah sich überall gründlich um. Das Wichtigste: Er knüpfte immer neue Bekanntschaften, lernte eine Menge Leute kennen, bündelte Kontakte zu allen Kreisen und kam eines Abends mit der Mitteilung nach Hause: »In Kürze wird unser Geld weniger wert sein als ein Blatt Klopapier. Man bereitet eine ›Währungsreform‹ vor. Die Alliierten haben das Geld schon drucken lassen. Die neue Währung soll DM heißen – Deutsche Mark! Wenn wir jetzt aufpassen, können wir gleich nach dem Tage X groß starten!«

»Was heißt aufpassen, was heißt starten?« fragte Johann Lohmann.

»Aufpassen heißt: die Lager voll haben, um sie dann für gutes Geld zu räumen. Starten heißt: Mit diesem Grundkapital bauen wir die Pharmazeutische Fabrik Lohmann & Wegener.«

»Der Junge spinnt tatsächlich!« sagte Lohmann zu seiner Tochter. »Um eines klar zu sagen: Ich diene als Apotheker der Gesundheit und kann keine lebenswichtigen Medikamente horten! Das wäre eine Sauerei!«

»Wer redet von Medikamenten? Ich denke an Aufbaumittel, Nervennahrung, Vitamine, Babykost, Traubenzucker, richtige Seifen – nicht die Tonseife oder die Schwimmseife –, an Fruchtsäfte, Pepsinweine, eben alles, worauf sich die Leute stürzen werden, wenn es heißt: Das gibt es alles wieder ohne Marken! Jetzt ist Nervennahrung wichtiger als je!«

»Der Kerl lernt blendend, wie man die Leute bescheißt, und das mit Eleganz!« sagte der alte Lohmann ergriffen. »Nun sag bloß noch, du hättest schon jemanden, der uns die Fabrikeinrichtung liefert.«

»Habe ich! Die Firma Ebershanns & Co. in Köln-Niehl. Sofort nach der Währungsreform sollst du zu ihnen kommen und angeben, was du brauchst. Wir machen einen in Raten abtragbaren Kreditvertrag...«

»Das ist ein Seiltanz ohne Netz und doppelten Boden!«

»Das ist es allerdings.«

»Und wenn wir auf die Schnauze fallen?«

»Wir müssen uns in der Luft drehen und immer auf die Füße fallen!«

»Ich habe dich verkannt, Hellmuth.« Johann Lohmann rauchte hastig seinen Zigarillo. Wie immer fand auch dieses Gespräch am Abend nach dem Essen statt, in der Sesselecke am runden Tisch. »Du bist kein Phantast. Du bist ein Spieler, der mit drei Händen mischt!«

Am 20. Juni 1948 wurden Millionäre zu Bettlern.

Das alte Geld verfiel, ein Umtausch war im Verhältnis 1 : 10 möglich, aber nur für begrenzte Summen. Jeder deutsche Bürger erhielt an diesem Tag 40,– DM in die Hand – es war ein Tag, an dem zum ersten- und wohl zum letztenmal der alte Menschheitstraum wahr wurde, wenn auch nur für ein paar Stunden: Alle waren gleich!

Dann trennten sich wieder die Wege. In den Geschäften geschahen wahre Wunder: Die Schaufenster füllten sich, als regne, wie im Schlaraffenland, alles Gewünschte und Erträumte aus dem Himmel. Es gab Schuhe und Anzüge, Schinken und Speck, Kognak und Wein, Parfüms und duftende Seifen. Es gab alles, auch das, was man längst vergessen hatte: Pelzmäntel und Brillantschmuck. In den Metzgereien wurde nicht mehr auf ein Gramm genau abgewogen, und die Milchgeschäfte verkauften die Butter nicht mehr auf dickem Packpapier, was am Ende der Woche einen Gewichtsgewinn von über einem Pfund für die eigene Tasche ausgemacht hatte.

Auch die Apotheke von Johann Lohmann, selbst in der schlechtesten Zeit immer ein Ort, wo niemand, der es nötig hatte, im Stich gelassen wurde, zeigte unverhohlen, was man alles in einem Keller aufheben kann.

»Alles auf den Tisch, Vater!« sagte Wegener, atemlos vom Kartonschleppen. »Das ist wie ein Rausch. Die Leute kaufen wie die Irren! Ob Kinderschnuller oder Damenbinden, das ist völlig egal. Sie kaufen!«

»Ich schäme mich.« Johann Lohmann stand hinter dem Aufbau seiner Rezeptur und beobachtete die Leute, die sich in seinem Laden drängten. Irmgard und Wegener bedienten, nur wenn wirklich jemand mit einem Rezept kam, mußte Lohmann hervorkommen, und er tat es, als entschuldige er sich nach allen Seiten. »Wir sind wie Geier, Hellmuth!«

»Es ist eine Befreiung, Vater. Man legt eine Mark hin und bekommt etwas dafür. Wie lange gab's das nicht mehr?! Am Montag fahren wir nach Niehl und kümmern uns um die Gründung der Fabrik!«

Die Wochen jagten vorüber.

Tagsüber standen sie im Laden, nachts fuhr Wegener los und holte neue Ware heran. Jetzt wurden die Adressen wertvoll, die er am Schwarzen Markt gesammelt hatte. Am Morgen fiel er erschöpft ins Bett, kroch an Irmis warmen Körper und schlief sofort ein. Er hörte nicht, wie der Wecker schrillte, wie sie aufstand, sich wusch, merkte nicht, wie sie ihm einen Kuß auf die Stirn gab und hinunter zu ihrem Vater ging, Kaffee zu kochen, die Jalousie der Apotheke hochzukurbeln und die Ladentür zu öffnen. Wenn er herunterkam, meistens so gegen 1/2 11 Uhr, stand Irmi mit geröteten Wangen hinter der Theke, die Kasse klingelte, und Johann Lohmann drückte unentwegt Hände, weil jeder ihm die Hand geben wollte, dem guten Menschen von Köln-Lindenthal.

Hinter dem Haus rumpelte eine Mischmaschine, setzten Maurer Stein auf Stein. Der Hof wurde überbaut. Die erste Produktionshalle der pharmazeutischen Fabrik entstand.

Im Oktober, dem achten Monat, war Irmi so dick geworden, daß sie hinter der Theke nicht mehr stehen konnte. Sie saß jetzt meistens oben im Sessel, aß viel Obst – »Sie hat bestimmt einen Zentner allein gegessen!« sagte Lohmann einmal, als Kirschenzeit war – und lauschte nach innen. Es war ein lebensfrohes Kind, es trat und boxte im Mutterleib und wuchs und wuchs.

»Das wird ein Riese!« sagte Lohmann mit vorweggenommenem Großvaterstolz. »Oder alles ist nur Fruchtwasser – dann wird's ein Säufer!«

Er lachte über seinen Witz, erzählte ihn am Stammtisch und begoß seinen Enkel im voraus kräftig.

4

Wie immer benutzten sie in dem breiten Doppelbett nur eine Seite: eng aneinandergeschmiegt, die Beine verschlungen, ihr Kopf lag in seiner Armbeuge, oder sein Gesicht hatte die weiche Unterlage ihrer nun fast um das Doppelte vergrößerten Brüste gefunden. Auch jetzt, mit ihrem mächtig gewölbten Leib, in dem das Kind deutlich sich bewegte und ab und zu ganz klar fühlbar einen Fuß durch die Bauchdecke stieß, schliefen sie so eng wie möglich, jedoch nicht mehr sich zugekehrt, sondern er lag leicht gebogen da, und in diese Biegung seines Körpers hatte sie sich mit dem Rücken hineingeschmiegt, so daß ihr Leib freilag. Er konnte dann den einen Arm unter ihren Nacken und den anderen über ihren Arm legen und ihre Brüste umfassen... es war für sie die schönste Art, gemeinsam zu schlafen, warm, mit dem Gefühl absoluter Geborgenheit, traumlos in vollkommenem Glück, eine verschmolzene Einheit.

»Noch einen Monat – dann ist das Kind da. Hast du Angst, Hellmuth?«

»Ich werd' verrückt, wenn ich daran denke... Die Schmerzen, die man dabei haben soll...«

»Millionen Frauen haben das durchgemacht.«

»Ich glaube, ich besaufe mich an diesem Tag. Zum erstenmal in meinem Leben besaufe ich mich richtig.«

»Zum erstenmal?«

»Zum erstenmal, weil ich es unbedingt will. Früher, als... als Student...« Es kam ihm schwer und merkwürdig über die Lippen. Er wußte, daß man als Student viel trank, vor allem aber hatten es ihm die erzählt, die Studenten gewesen waren, sie hatten geprahlt mit ihren Abenden im Verbindungshaus (so nannten sie es, glaubte er sich zu erinnern), und Saufen nannten sie »eine Kneipe«. Sie hatten sich auch heimlich getroffen und mit Säbeln ins Gesicht geschlagen, und auch dafür hatten sie bestimmte Namen. Er dachte angestrengt nach, bis es ihm wieder einfiel. »Pauken« nannten sie das, und wo sie sich trafen, war der Paukboden, und es gab einen Paukarzt, das ganze hieß Mensur und war unter den Nazis verboten. Die Narben im Gesicht bezeichneten sie als »Schmisse«, darauf waren sie besonders stolz, sie waren so etwas wie ein ewiger Ausweis, ein Erkennungszeichen der Akademiker, ein ins Gesicht geschlagener Markenartikel, der oftmals Türen, die für andere verschlossen waren, öffnete wie mit einem Zauberschlüssel.

»Woran denkst du?« fragte sie. »Was war als Student?«

»Tja, natürlich habe ich da auch gesoffen!« sagte er leichthin. »In der Kneipe, nach dem Pauken, wenn die Mensur vorbei war.« Er nahm an, daß es so richtig war, und da sie nicht weiterfragte und ihn auch nicht erstaunt ansah, mußten es die passenden Worte sein. »Aber das war etwas anderes, Liebling. Du verstehst.«

»Ich verstehe«, sagte sie und küßte ihn. »Aber komm nicht betrunken ins Krankenhaus, damit dein Kind keinen falschen Eindruck von dir kriegt...« Sie lachte, und dann hatte sie sich wieder ganz eng an ihn geschmiegt und an seinem Hals geflüstert: »Ich habe ja auch Angst, aber ich freue mich ganz verrückt darauf!«

In dieser Nacht, kurz nach ein Uhr, zuckte Irmgard plötzlich hoch. Sie konnte nur den Kopf heben, denn Hellmuths Hände umklammerten ihre Brüste. Er murmelte im Halbschlaf: »Tritt es wieder?! Von wem hat das Kind bloß das Temperament?«

»Da war ein Schuß, Hellmuth«, sagte sie leise und hielt den Atem an.

»Blödsinn! Ein Schuß?«

Er wollte schon sagen: »Vielleicht war's ein Furz!« – aber das schluckte er gerade noch hinunter. Verdammt, dachte er, wach geworden, du bist nicht mehr beim Kommiß, und auch nicht mehr der Schlosser Hasslick, sondern der Medizinstudent und Apothekererbe Hellmuth Wegener.

Er ließ Irmis Brüste los, und dann saßen sie beide im Bett und lauschten in die Dunkelheit. Irgendwo schepperte etwas, es klang wie Metall, aber nicht wie ein Schuß.

»Da!« sagte Irmi und umklammerte Hellmuths Hand.

»Liebling, da klappert was! Auf der Baustelle, im Wind, das kennst du doch! Komm, schlaf weiter!«

»Vorhin war's aber ein Schuß! Von irgendeinem Klappern wache ich nicht auf.«

»Der Krieg ist vorbei! Es wird nicht mehr geschossen!« sagte Hellmuth. Aber er stand doch auf, tappte auf nackten Füßen zum Fenster und schob die Gardine zurück. Das Schlafzimmer war nach dem Hof zu gelegen, man sah auf den Rohbau der Fabrikhalle. Früher war das der ruhigste Raum gewesen, jetzt zitterte er über Tag unter dem Baulärm. Wahrscheinlich würde es auch noch laut sein, wenn die Fabrik arbeitete und die neuen Präparate so gut einschlugen, daß man Nachtschichten einführen mußte. Dann würde man das Schlafzimmer eben verlegen. Vielleicht baute man sich sogar ein kleines Haus; es gab da ein schönes Wiesengrundstück ganz in der Nähe, man brauchte nur drei Minuten bis zur Apotheke, das wäre besonders günstig bei Nacht- und Notdienst, dann hatte es keiner mehr nötig, auf der harten Couch hinter der Rezeptur zu schlafen.

Der Rohbau lag im trüben Nachtlicht, das der Oktoberhimmel aussandte. Steinhaufen, Sandberge, abgedeckte Zementsäcke, eine Mischmaschine, ein Karrenaufzug, Einschalholz, Balken, Röhren, die Biegebank der Installateure, eine große Werkbank mit Schraubstöcken... eben eine Baustelle. Der Wind klapperte tatsächlich mit einigen losen Teilchen am Neubau, und Wegener wollte schon beruhigend sagen: »Der Wind, der Wind, das himmlische Kind...« – als er plötzlich zwischen den Zementsäcken und den Steinen einen Schatten sah: ganz kurz nur huschte er vorbei, etwas noch Dunkleres im Dunkel, und er kam aus der Fabrikhalle.

»O Scheiße!« dachte er. Er sprach es nicht aus, er ließ die Gardine zurückfallen und dachte an Irmi, die seinen Rücken anstarrte. Sie darf nicht erschrecken, sie darf sich nicht aufregen, bloß das nicht! Das Kind ist jetzt das Wichtigste in unserem Leben! Und wenn da unten einer ist, der von der Baustelle ein paar Röhren oder Steine klaut, dann ist das eine Sauerei, aber Irmi sollte es nicht wissen. Aber wieso hat sie einen Schuß gehört? Wer schießt im Neubau, wenn er klaut? Und vor allem: Auf wen schießt er?!

»Ist was los?« fragte Irmi. Sie saß noch immer im Bett, nackt, mit ihrem vollen, herrlichen Busen. Ihr blondes Haar klebte verschwitzt an ihrer Stirn, ihr rundes Kindergesicht zeigte die Angst eines kleinen Mädchens, das fürchtet, man werde seiner Puppe den Kopf abreißen.

»Gar nichts!« antwortete er. O ja, lügen hatte er gelernt, hatte er geübt, er war ja im Dauertraining. »Aber wenn es dich beruhigt, gehe ich runter und sehe nach.«

Er griff nach seiner Hose, die über einem Stuhl vor dem Bett hing. Dann zog er auch die Jacke an, über die nackte Brust. Der Kerl ist längst weg, dachte er. Habe ihn ja gesehen. Ich gehe nur, damit Irmi Ruhe hat und sieht, daß ich kein Feigling bin.

»Ich komme mit!« sagte sie plötzlich und schwang die Beine aus dem Bett.

»Du bleibst hier! Ich bin in fünf Minuten zurück.«

»Hellmuth, ich...«

»Leg dich hin, bitte! Deck dich zu. Denk an das Kind!«

Das war immer das stärkste Argument. Wer es auch zu wem sagte, es wurde akzeptiert. Nichts war wichtiger als das Kind.

»Ich kann mich verhört haben«, sagte sie. Es klang ein wenig kläglich. Es tat ihr leid, daß sie Hellmuth geweckt hatte. Ich hätte schweigen sollen, dachte sie, auch wenn es ein Schuß gewesen war. Jetzt kam die Angst doppelt auf sie zu. »Vielleicht war es gar kein Schuß! Ich habe geträumt...«

»Das glaube ich auch, Liebling.« Er zog seine Schuhe an, ohne die Schnürsenkel zu binden. »Und ich werde es dir sogar beweisen.«

»Ich träume immer noch vom Krieg!« Sie saß auf der Bettkante, nackt und unförmig, durch ihn, durch seine Liebe unförmig geworden. »Ich höre noch immer Schüsse, Granaten oder Bomben. Und das Zischen der Brandbomben und das Geheul der Sirenen und die Motoren der Bombenflugzeuge, das Prasseln der Flammen aus den brennenden Häusern, die Explosionen...«

»So schnell kann man das nicht vergessen, das stimmt!« sagte er. »Auch nicht nach drei Jahren. Vielleicht nicht einmal nach dreißig Jahren. Vielleicht nie! Unsere Generation wird das immer im Ohr haben! Aber unser Kind soll das nie, nie hören! Leg dich nur hin, Liebling, und deck dich zu. Da klappert irgendwo ein dämliches lockeres Brett. Ich komme gleich wieder...«

Sie legte sich gehorsam zurück ins Bett, zog das Plumeau über sich (bei den Lohmanns sagte man, seit Napoleon das Rheinland besetzt hatte, nicht Federbett, sondern Plumeau) und faltete die Hände über ihren Brüsten. »Geh nicht«, sagte sie plötzlich, »Komm zu mir, Hellmuth. Ich habe wirklich nur geträumt...«

»In fünf Minuten!«

Ich will sehen, was er geklaut hat, dachte Hellmuth Wegener. Und warum hat der Kerl geschossen? Ein Dieb ballert doch nicht durch die Gegend, das wäre ja total irrsinnig!

Er ging zum Bett, küßte Irmi auf den Mund – sie hatte eiskalte Lippen, was ihn bewog, das Federbett bis zu ihrem Kinn zu ziehen – und verließ das Schlafzimmer. Er machte kein Licht im Haus, tappte die Treppe hinunter, ging zuerst in die Apotheke und holte aus der Rezeptur, aus der Schublade, in der die Rezepte für die anmeldepflichtigen Narkotika verschlossen waren, eine gut geölte 08-Pistole heraus, die er auf dem Schwarzen Markt gegen tausend Tabletten Aspirin eingetauscht hatte... es war am 10. Mai 1948 gewesen, als eine Stange amerikanischer Zigaretten mehr wert war als ein Klavier. Damals hatte er die 08 zusammen mit drei Magazinen und dreihundert Schuß Munition nur deshalb eingetauscht, weil der Anbieter ein so verhungerter Typ war, der ihm erklärte, mit dem Aspirin, das er wiederum einem Süchtigen geben würde (damals konnte man auch mit Aspirin süchtig werden; man buk ja auch Reibekuchen in Schmierfett und kochte die Haut der Bücklinge als Suppe aus), könne er eine Woche überleben. Denn der Süchtige habe Speck und Margarine...

Hellmuth schob das volle Magazin in den Griff der 08, steckte sie entsichert zwischen den Hosenbund und seinen nackten Bauch und verließ das Haus. Es war eine nicht gerade kalte, aber auch nicht angenehme Oktobernacht, der Übergang zum Spätherbst mit viel Feuchtigkeit in der Luft.

Wegener überquerte den Hof, ging vorbei an den Materialstapeln und betrat die neue Halle, die Hand um den Griff der 08 gekrallt. Von hier war der huschende Schatten gekommen. Aber da war natürlich längst keiner mehr, und wenn wirklich ein Stück Kupferrohr von den Wasserleitungen fehlen sollte – scheiß was drauf, dachte er. Aber Irmi würde beruhigter schlafen, und wenn sie nächstens wieder vom Schießen träumte, würde sie sich nicht mehr so erschrekken.

Er stand am Halleneingang und wollte sich schon umdrehen, um wieder zum Haus zurückzugehen, als er einen merkwürdigen Ton aus der Dunkelheit hörte. Einen Fall, ein dumpfes Hinplumpsen, so, als wenn ein Sack umstürzt. Säcke aber stürzen nicht von allein um, vor allem nicht bei diesem leichten Wind, der durch den Neubau zog.

Wegener riß die Pistole aus dem Hosenbund und – es war merkwürdig, wie das in einem steckte und anscheinend nie verlorenging – es war ihm zumute wie damals bei Ranowjewo, als sie im Wald des Nachts von Partisanen überfallen wurden, nach allen Seiten auseinanderspritzten und dann jeder für sich, Mann gegen Mann, um das nackte Überleben kämpften. Damals hatte man tierische Instinkte entwickelt, man spürte und roch den Gegner, noch bevor man ihn sah.

Er ging hinter einem Stapel Heizkörper in Deckung, kniete sich hin und lauschte mit gedrosseltem Atem. Das Plumpsen wiederholte sich nicht, aber auch kein anderer Laut als das leichte Windgeräusch war in der Halle zu hören. Kein Schleifen, kein schleichender Schritt, nichts.

Warten wir, dachte Wegener. Da ist etwas, das kann mir jetzt keiner mehr ausreden, Irmi hatte doch recht... im Neubau steckt jemand! Aber der Schuß?! Was soll hier ein Schuß für einen Sinn haben? Sind zwei, die den gleichen Gedanken hatten, zusammengeraten und haben das Problem mit der Waffe gelöst?

Er wartete noch eine Weile hinter den Heizkörpern, dann kroch er auf dem Bauch – beim Militär hatte man das Robben genannt, und damit konnte man in der Kaserne oder im Gelände jeden Renitenten fertigmachen – durch den Baustaub weiter in die Richtung, aus der er das Plumpsen gehört hatte.

Seine Augen gewöhnten sich an die fade Dunkelheit in der Halle. Er konnte die Gegenstände klarer unterscheiden: einen Steinhaufen mitten im Saal, ein paar Holzkisten mit Installationsmaterial, gestapelte Abflußrohre aus Ton, sie sahen wie Kanonenrohre aus, ein großer, weißer Bottich mit angesetztem Kalk, ein paar Eisenträger, die man noch irgendwo einziehen mußte, aufeinandergelegte Matten aus Baustahlgeflecht, Drahtrollen. Und dort, zwischen dem Steinhaufen und einigen kleineren Heizkörpern, bewegte sich etwas, langsam, seltsam zuckend, ein verkrümmter Gegenstand, lautlos. Er lag auf der Erde, und Wegener hatte ihn nur bemerkt, weil er unter all den starren Gegenständen das einzige Bewegliche war.

Etwas Eiskaltes griff an sein Herz. Irmi, dachte er. Wie gut, daß sie im Bett ist! Da liegt ein Mensch, und den hat man erschossen. Er zuckt noch, aber auch das wird gleich vorbei sein. Er kannte das... im Krieg hatte man gelernt, wie Sterbende sich bewegen.

Wegener hob die Pistole und richtete sich in den Knien auf. Man kann nie wissen, wie der andere reagiert. Er hatte Russen erlebt, die noch die Hand hoben und abdrückten, während schon kein Leben mehr in ihren Augen war. Das Unmögliche konnte möglich werden, – damit hatte man an der Front leben müssen.

»Bleib liegen!« sagte Hellmuth Wegener halblaut in die Halle hinein. »Breite die Arme seitlich aus und bleib liegen! Junge, ich habe eine 08 in der Hand. Weißt du, was für Löcher die reißen kann?! Ich komme jetzt zu dir, und wenn du dich rührst, knallt es!«

Er wartete auf eine Antwort, aber die Gestalt auf der Erde schwieg. Sie zog nur ein Bein an, streckte es wieder und lag dann völlig unbeweglich.

Wegener sprang mit drei Sätzen zu ihr hin und beugte sich über den Körper. Das Gesicht war von Kalkstaub weiß wie das eines gepuderten Clowns, und aus diesem weißen Fleck starrten ihn weit aufgerissene Augen an. Der Mund bewegte sich, aber der Mensch hatte nicht mehr die Kraft, auch nur einen Laut von sich zu geben.

Wegener fiel auf die Knie, die Pistole schepperte über den Boden. Er schob beide Hände unter den Kopf des Sterbenden und starrte ihn an.

»Vater...«, stammelte er. »Mein Gott, Vater! Was ist denn los?! Vater! Vater!«

Das Wort brach aus ihm heraus mit allem Schmerz, den er in dieser Sekunde spürte, mit aller Hilflosigkeit, allem Entsetzen, aller Erkenntnis, die über ihn hereinbrachen.

Johann Lohmann sah Hellmuth Wegener starr an. Seine Lippen bewegten sich, aber es gab keinen Ton mehr in dieser Brust. Er erzählte, was geschehen war: wie er auf dem Heimweg vom Stammtisch, als er an der Baustelle vorbeigekommen war, den Lichtschein einer Taschenlampe gesehen, wie er eine Eisenstange aufgehoben hatte und mit den Worten »Heizkörper klauen? Nicht bei mir!« dem unsichtbaren Dieb entgegengetreten war – und wie der volle Lichtschein ihn geblendet und wie ihn zur gleichen Zeit ein Schlag auf die Brust getroffen und er das Bewußtsein verloren hatte...

Er erzählte alles, aber es war ohne einen Laut, sein Hirn dachte nur noch die Worte, während sein Körper schon aufgegeben hatte.

Wegener hielt noch immer Lohmanns Kopf in beiden Händen. Einen Arzt, dachte er. Einen Krankenwagen! Und oben liegt Irmi im Bett und wartet... Ich kann Vater doch nicht ins Haus tragen, wer weiß, wo er getroffen ist, ich muß ihn hier liegen lassen, ins Haus rennen und einen Arzt und das Krankenhaus alarmieren. Ich muß... ich muß...

Aber er tat nichts. Er blieb knien, hielt Lohmanns kalkgepuderten Kopf weiter umklammert und sah ihn an. Es hatte alles keinen Zweck mehr. Eine Minute vielleicht noch, nicht einmal diese... ein paar Sekunden nur noch, er kannte das ja.

»Vater«, sagte er leise. »Vater, ich verspreche dir, immer bei Irmi zu sein. Immer! Mein ganzes Leben wird Irmi sein! Ich will verfaulen, wenn das jemals anders wird...«

Johann Lohmann fiel in sich zusammen. Sein Körper sackte weg, es war, als hielte Wegener den Kopf allein, abgetrennt vom Rumpf, zwischen seinen Händen. Er wartete, obgleich er wußte, daß Lohmann tot war, legte sein Ohr an die kalten Lippen und ließ dann den Kopf ganz langsam auf den Betonboden zurücksinken.

Im gleichen Augenblick traf ihn voll der Lichtstrahl einer Taschenlampe. Mit einem wilden Schwung warf er sich zur Seite, rollte über den Boden, erreichte seine Pistole und hechtete hinter die aufgeschichteten Heizkörper. Zu spät, du Saukerl, dachte er, als er in Sicherheit lag. So schnell verlernt man das nicht. Jetzt bin ich am Drücker, und jetzt knall' ich dich ab, wie du Johann Lohmann abgeknallt hast!

»Ist er tot?« fragte eine kindliche Stimme hinter dem Lichtstrahl. »Wer hat ihn erschossen?«

Die Pistole fiel Wegener aus der Hand. Er sprang auf, mitten in den Lichtstrahl hinein und breitete seine Arme aus, als könne er damit den toten Lohmann vor ihrem Blick verdecken.

»Irmi!« schrie er hell. »Du solltest doch... Irmi!!«

Er stürzte auf sie zu, zog ihr die Lampe aus der Hand und knipste sie aus. In der plötzlichen Dunkelheit riß er sie an sich, umschlang sie mit beiden Armen. Er spürte, wie sie zitterte, und er spürte das Leben in ihrem gewölbten Leib.

»Du solltest im Bett bleiben!« schrie er sie an. Er mußte schreien, obgleich er wußte, daß weder Schreien noch völlige Stille jetzt irgendeine Wirkung haben konnten. »Warum bist du gekommen?!«

Er preßte ihr Gesicht gegen seine Brust, und ihr Körper in dem Nachthemd unter dem gesteppten Morgenmantel begann stärker zu zittern.

»Er ist tot, nicht wahr?« hörte er ihre Stimme gegen seine Brust. »Ich habe nicht geträumt.«

Sie sagte das so nüchtern, daß er zu frieren begann, als läge er nackt auf einem Eisblock. Sie sagte es so erstarrt, wie mit getöteter Seele – er selbst hätte jetzt immerfort schreien können, aus einer Angst heraus, die unbeschreiblich war.

»Komm!« sagte er mühsam. »Irmi, komm zurück ins Haus. Wir – wir müssen den Arzt rufen, die Polizei, wir...« Seine Stimme zerbrach. Er wollte sie wegführen, hinaus aus der Halle, aber sie bewegte sich nicht.

»Warum? Warum? Warum?« sagte sie plötzlich. Und jedes Warum wurde lauter. »Warum?!«

»Irmi, ich flehe dich an... komm jetzt! Denk an unser Kind!«

Sie nickte. Das Zauberwort wirkte auch jetzt. Unser Kind. Sie ließ sich hinausführen, hinüber ins Haus, sie setzte sich in der Apotheke, hinter der Rezeptur, auf den Drehstuhl und hörte versteinert zu, wie Hellmuth zuerst den Arzt und dann die Polizei anrief. Sie mußte es mit anhören, es war zwecklos, sie bewegen zu wollen, hinauf in die Wohnung zu gehen. ›Erschossen‹, hörte sie, weil der Polizist, der im Revier Nachtwache hatte, immer wieder fragte, als sei das Wort ›erschossen‹ so wohlklingend, daß man es nicht oft genug hören konnte.

»Sie haben den Apotheker Johann Lohmann erschossen!« schrie Wegener endlich. »Einbrecher! Erschossen! Vor ein paar Minuten! Sind Sie schwer von Begriff?«

Der Polizist am anderen Ende mußte sich anscheinend über diesen unverschämten Ton beschweren. Wegener legte auf und sagte: »Vielleicht ist es wirklich so: Uniformen trocknen das Hirn aus.«

Aber dann ging alles schneller, als man erwartet hatte. Dr. Hampel, der langjährige Hausarzt der Lohmanns, war sofort zur Stelle, er wohnte ja nur drei Häuserblocks weiter, zwei Polizeiautos kamen heran, ein alter Adlerwagen und ein klappriger DKW, dem sieben Beamte in Zivil – die Mordkommission – entstiegen, dazu ein Uniformierter, der sofort rief: »Wer war da vorhin am Telefon?! Sofort melden!« Irmi saß noch immer auf dem Drehstuhl, im Nachthemd, darüber den gesteppten Morgenrock, an den Füßen Pantoffeln mit Baumwolltroddeln. Hellmuth hatte ihr noch einen Mantel umgehängt, weil sie sich geweigert hatte, alles oben in der Wohnung abzuwarten. Das einzige, was Wegener erreichte, war, daß der Arzt und die Beamten der Mordkommission allein in den Neubau gehen konnten, ohne daß Irmi darauf bestand, sie zu begleiten. Dann hielt noch ein dritter Wagen mit einem weißhaarigen Mann, der sich als Polizeiarzt vorstellte und ebenfalls hinüberging in die neue Halle.

Nach zehn Minuten kamen ein paar Männer zurück, mit ihnen die beiden Ärzte und der Uniformträger. »Kann ich telefonieren?« fragte einer, der sich als Kommissar Runckel vorstellte.

Hellmuth Wegener zeigte auf das Telefon. »Selbstverständlich. Bitte!«

Runckel hob den Hörer ab. Der Uniformierte starrte Wegener

böse an. »Sie sind das also, der mich vorhin so unverschämt angepflaumt hat! Ich erkenne Ihre Stimme wieder!« sagte er laut.

»Mann, halten Sie Ihre Schnauze!« schrie Wegener.

Runckel winkte energisch ab, er hatte irgendeine vorgesetzte Stelle an der Strippe, vielleicht die Staatsanwaltschaft, falls es da einen Nachtdienst gab.

»Ja, es ist einwandfrei Mord!« sagte Runckel mit der Unbefangenheit eines Mannes, bei dem Leichen zum Alltag gehören. »Schuß in die Brust, genau ins Herz. Muß ein blendender Schütze gewesen sein! Trotzdem hat, nach Aussagen des Schwiegersohnes, der Getötete noch einige Minuten überlebt. Eine Roßnatur anscheinend.«

»Muß das sein?« sagte Wegener heiser dazwischen. »In Gegenwart meiner Frau...«

»Ich hatte darum gebeten, daß die gnädige Frau hinaufgeht«, sagte Runckel ungehalten. »Ich bitte um Verzeihung, aber die amtlichen Ermittlungen müssen nun einmal gemacht werden, auch wenn Ihre Frau dabei sitzt.«

»Aber Ihre dämlichen Bemerkungen können Sie sich sparen!« schrie Wegener.

»Da sehen Sie es, Herr Kommissar«, sagte der Uniformierte zufrieden. »Ich hatte Ihnen ja gemeldet, daß...«

Runckel winkte wieder ab. »Ja!« sagte er ins Telefon. »Schicken Sie den Wagen herüber. Bis dahin haben wir alles fotografiert und auch die Spurensicherung hinter uns. Einbruch mit Mord. Das wird jetzt typisch. Zum Kotzen! Ende.«

Er warf den Hörer auf die Gabel, sah Irmgard kurz an, legte ihr tröstend eine Hand auf die Schulter und rannte wieder hinaus. Der Polizeiarzt und der Uniformierte folgten ihm, als sei die Gerechtigkeit ein Drilling.

Dr. Hampel, der den Apotheker Lohmann natürlich sehr gut gekannt hatte, beugte sich über Irmgard. Ihr Blick war starr und leer, ihr junges Gesicht, das gar nicht zu ihrem schweren schwangeren Leib passen wollte, war bleich wie unbemaltes Porzellan.

»Wir gehen jetzt ins Bett, Frau Wegener«, sagte der Arzt väterlich. »Ich gebe Ihnen eine Beruhigungsinjektion.«

»Nein! Ich bin ganz ruhig«, sagte sie leise.

»Sie müssen sich hinlegen!«

»Nein.«

»Denk an das Kind!« sagte Wegener wieder.

Aber diesmal reagierte sie nicht darauf. Sie blieb auf dem Drehstuhl hinter der Rezeptur sitzen und beobachtete durch die große Fensterscheibe die nachtdunkle Straße. Ich weiß, worauf sie wartet, dachte Wegener. Wir müssen das verhindern, und wenn wir ihr hier auf dem Drehstuhl eine Spritze geben und sie hinauftragen ins Bett.

Vor dem Haus standen die Männer der Mordkommission herum. Der Fotograf kam mit seinem Kamerakoffer zurück, der Polizeiarzt fuhr wieder ab, und es war klug, daß er sich nicht von den Wegeners verabschiedete.

»Irmi –« sagte Wegener leise und streichelte ihr blondes Haar. »Bitte, komm nach oben.«

Sie schüttelte den Kopf, lehnte sich zurück und zog den Mantel enger um sich. Der Arzt sah Wegener an und zuckte stumm mit den Schultern. Man kann ein Machtwort sprechen, natürlich. Ein Arzt – das ist merkwürdig und muß mit der Mystifizierung dieses Berufes zusammenhängen – kann laut werden, und meistens parieren dann die Patienten, kapitulieren vor seinem Ansehen und seiner Macht. Aber hier hatte es keinen Sinn. Wie kann man eine junge, schwangere Frau anschreien, deren Vater erschossen wurde und der nun dreißig Meter von ihr entfernt auf kalkbestäubtem Betonboden liegt?

Es war auch schon zu spät, Irmgard mittels eines Tricks nach oben zu bringen. Vor dem Haus hielt ein geschlossener schwarzer Kastenwagen. Zwei Männer trugen einen länglichen, im Nachtlicht schwach blinkenden Gegenstand um das Haus herum. Er sah aus wie eine Wanne mit Deckel. Hellmuth Wegener zog die Schultern hoch.

Irmi erhob sich. Sie raffte den Mantel vor Brust und Leib zusammen und ging langsam zur Ladentür.

»Tun Sie was, Doktor!« flüsterte Wegener entsetzt.

»Mehr als festhalten können wir sie nicht...«

»Wenn ich sie festhalte, jetzt festhalte... ich glaube, sie schlägt um sich...«

»Sie kennen Ihre Frau besser als ich.« Der Arzt wischte sich über die Augen. »Mehr als bei ihr sein können wir jetzt nicht.«

Sie hatte die Tür erreicht, öffnete sie aber nicht. Sie stellte sich an die Scheibe und blickte hinaus auf die Straße, auf den schwarzen Kastenwagen, auf die Herren von der Mordkommission. Kommissar Runckel kam zurück. Ihm folgten die beiden Männer mit dem schwach blinkenden länglichen Gegenstand und als letzter der Uniformierte.

Wegener und der Hausarzt traten rechts und links neben Irmgard und faßten sie unter. Stumm starrte sie durch die Scheibe der Ladentür auf den Zinksarg, den die Männer in den Kastenwagen schoben. Es polterte etwas, man hörte es ganz deutlich. Vielleicht stieß der Sarg irgendwo im Wagen an, aber Tote bekommen ja keine blauen Flecken. Nicht davon.

Die Tür klappte zu. Es gab keinen Johann Lohmann mehr.

Und plötzlich, ohne daß Hellmuth Wegener oder der Arzt von irgendeinem Anzeichen hätten gewarnt werden können, schrie sie. Schrie so fürchterlich, so hell, so unmenschlich, daß Wegener ihren Kopf an sich riß und nicht wußte, ob er ihr den Mund zuhalten sollte. Und während der schwarze Kastenwagen abfuhr, mit drei Fehlzündungen, die sich anhörten wie Schüsse, schrie und schrie sie, und der Arzt rannte zu seiner Tasche, riß sie auf und suchte nach einer Spritze und einer Ampulle.

»In einer Blechwanne haben sie ihn weggetragen!« schrie sie. »Meinen Vater in einer Blechwanne! Vater! Vater!« Und dann, heller noch, kindlicher: »Papa! Papa! Warum gehst du weg? Warum gehst du...«

Hellmuth Wegener drückte sie fest an sich. Und sie schrie und schrie, den offenen Mund an seiner Brust, und als Dr. Hampel ihr den Ärmel aufstreifte und ihr die Injektion gab, biß sie Hellmuth in die Brust, und er hielt den Schmerz aus – und dann mußte auch er weinen...

Ebenso plötzlich, wie ihr wilder Ausbruch gekommen war, sank sie zusammen. Wegener fing sie auf und trug sie mit dem Arzt zur Couch und legte sie hin.

»Sie muß sofort in die Klinik!« sagte der Arzt. »Dieser Schock. Das habe ich nicht geahnt. Sie auch nicht, Herr Kollege...«

Wegener starrte ihn mit feuchten Augen an. Kollege? Ja, natürlich, er war der Mediziner Wegener, noch nicht fertig mit dem Studium, aber immerhin für die Ärzte schon eine Art Kollege... In solchen Augenblicken kann man das schon vergessen, da ist man plötzlich wieder der Schlosser Hasslick.

Der Arzt telefonierte bereits. Das Krankenhaus war ganz in der Nähe, nur um die Ecke herum, aber sie wagten nicht, Irmgard mit einem Privatwagen hinzubringen. Sie lag auf der Couch und atmete schwer, ihr gewölbter Leib quoll auf und nieder, sie war kalt von den Füßen bis zur Stirn, als Wegener sie abtastete, und ihr schönes, so reines Gesicht mit dem Goldhaar schien zusammenzuschrumpfen, je heftiger sich ihr schwangerer Leib bewegte.

»Wann kommt der Krankenwagen?!« brüllte Wegener. »Wann kommt dieser Scheißkrankenwagen endlich?!«

Kommissar Runckel blickte in die Apotheke, wollte sich verabschieden, erkannte die Situation sofort, drückte die Tür wieder zu und schnauzte den Uniformierten an, der in die Apotheke wollte, um noch einmal wegen der Beamtenbeleidigung mit Wegener zu sprechen. Dann fuhren die Autos der Mordkommission ab und machten dem Krankenwagen Platz, der quietschend vor der Haustür bremste.

Die Krankenträger wußten schon Bescheid, der nachbarliche Nachrichtendienst funktionierte besser als ein Fernschreiber: Der allseits beliebte Apotheker Lohmann erschossen, seine Tochter, die Frau Wegener, hat einen Schock. Und das im achten Monat! Wenn das bloß gutgeht...

Sie legten Irmi auf die Trage, schnallten sie nicht erst fest, weil sich das für die kurze Strecke nicht lohnte, außerdem fuhren Hellmuth und der Hausarzt mit, sie hockten sich auf die Klappsitze neben der Trage.

»Hätten Sie das erwartet, Kollege?« sagte der Arzt wieder. »So unheimlich tapfer – und plötzlich das!«

Im Krankenhaus war der Notarztdienst in bester Form – nicht unbedingt eine Selbstverständlichkeit.

Zwei Ärzte nahmen Irmgard in Empfang, sie wurde auf ein Rollbett gehoben und im Eiltempo davongefahren. Eine große schalldichte Tür schloß sich hinter ihr. Wegener kam es vor, als werde er heute zum zweiten Mal Zeuge, wie ein Mensch für immer verschwindet. Einmal in einem polizeilichen Zinksarg – dann auf einem Rollbett des Städtischen Krankenhauses... Für immer?

Eine Schwester kam zu ihm, versuchte ein tröstendes Lächeln und sagte mit sanfter Stimme: »Kommen Sie bitte mit? Wir müssen die Personalien aufnehmen.«

»Ist das so wichtig?« fragte er und starrte auf die Tür, hinter der jetzt über Irmis Schicksal entschieden wurde.

»Aber ja!« Die Schwester lächelte immer noch. »Wegen der Krankenkasse. Und wegen der Kartei, dem Krankenblatt. Und wenn was passiert.«

»Wegen der Kartei. Natürlich, natürlich! Und wenn... wenn was passiert. Natürlich...« Er wischte sich über das Gesicht und merkte erst jetzt, wie stark seine Hand zitterte und daß er patschnaß war vom Schweiß. Der Hausarzt unterhielt sich vor der Milchglasscheibentür angeregt mit einem älteren Arzt, der forschen Schrittes aus einem Seitengang gekommen war und anscheinend eine Stufe höher in der Hierarchie stand als die Ärzte, die Irmi weggebracht hatten.

»Meine Frau ist Privatpatient«, sagte Wegener heiser zu der Schwester.

»Der Herr Professor ist schon da.« Die Schwester wies diskret auf den neu hinzugekommenen Arzt. »Sie brauchen gar keine Angst zu haben, Herr...«

»Wegener. Hellmuth Wegener«, stotterte er.

»Herr Wegener. So etwas kommt bei uns laufend vor. Frühgeburten. Machen Sie sich gar keine Sorgen! Können wir jetzt die Personalien...«

Wegener nickte, ging mit der Schwester in einen Büroraum und machte die verlangten Angaben. Name und Vorname des Patienten, wann und wo geboren, verheiratet (auch das muß man fragen; nicht jede, die ein Kind bekommt, ist verheiratet), wo wohnhaft, wer ist der Kostenträger, es ist üblich, daß ein Vorschuß von D-Mark...

Wegener antwortete und nickte, nickte und anwortete und wartete zitternd, daß jemand hereinkäme und zu ihm sagte: »Ihrer Frau geht es gut! Ihre Frau ist wohlauf! Ich, ein Arzt, schwöre Ihnen, daß es Ihrer Frau gutgeht...« Mein Gott, warum kommt denn keiner? Warum lassen sie mich hier herumsitzen und kümmern sich nicht um mich?! Es ist doch *meine* Frau! Selbstverständlich ist das alles für die Ärzte eine Routinesache, und Tag für Tag und vielleicht auch in den Nächten sitzen hier die Männer herum und warten und fragen dämlich und benehmen sich wie die Verrückten, nur weil ein paar Meter weiter ihre Frauen in den Wehen liegen und auf ein Stück Verbandsmull beißen, um nicht zu laut zu schreien. Und schuld ist man daran auch noch, denn hätte man vor neun Monaten nicht... Aber wer denkt denn in solchen glücklichen Minuten an so etwas, wer überlegt sich denn, daß die kleinen Schreie der Lust zum großen Schrei des Gebärschmerzes werden können? Wer denkt denn daran als Mann?!

»Es ist bei ihr aber erst der achte Monat!« sagte Wegener zu der

Schwester, die ihre Karteikarte fertig ausgefüllt hatte.

»Wir hatten schon Geburten im sechsten Monat hier und haben sie durchgekriegt. Der Herr Professor schafft das schon.« Sie lächelte Wegener wieder bewußt vertraut und kumpelhaft an, klemmte sich das Krankenblatt unter den Arm und stand auf.

»Sie gehen?«

»Ich muß die Sachen zur Station bringen.«

»Sie lassen mich hier allein?«

Ihr Lächeln wurde maskenhaft. »Ich kann doch nicht bei Ihnen sitzen bleiben, Herr Wegener. Ich habe Dienst...«

»Darf... darf ich auf den Gang hinaus?« fragte er und sprang vom Stuhl auf.

»Natürlich.«

»Danke, Schwester.«

Er ging mit ihr auf den Flur, sie eilte schnell zu einem Aufzug und verschwand hinter der zurollenden Tür. Der Professor war auch weg, aber der Hausarzt war noch da, stand am Fenster und blickte zwischen zwei Geranientöpfen hinunter auf die Straße, wo ein neuer Krankenwagen heranrollte. Nachtdienst in einer großen Klinik. Das Zucken des Blaulichtes reflektierte im Fenster und gab dem Gesicht des Arztes etwas Gespenstisches.

»Doktor«, sagte Wegener tonlos, als er neben ihm stand. »Was meint der Professor?«

»Ah! Sie sind fertig mit dem Schriftkram?« Dr. Hampel machte trotz der späten Nacht einen ziemlich frischen Eindruck. »Der Professor kann natürlich gar nichts sagen, weil er eben erst in den Kreißsaal gegangen ist. Aber ich habe ein gutes Gefühl, trotz des achten Monats.«

»Sie haben immer ein gutes Gefühl, Dr. Hampel.«

»Optimismus ist die halbe Medizin, lieber Wegener!«

»Eine Geburt im achten Monat ist immer kritisch, nicht wahr?«

»Man hat sie nicht gern! Aber was hat ein Mediziner schon gern? Haha!« Dr. Hampel versprühte faustdicken Zweckhumor, aber das floß an Wegener ab wie Wasser von einer Wachstuchhaut. »Ihre Frau hat eine Roßnatur, das wissen wir doch!«

»Ihr Vater liegt in einem Zinksarg bei der Polizei«, sagte Wegener leise. »Vergessen wir das nicht!«

Die Lage war durchaus nicht rosig, das erkannte Professor Dr. Goldstein sofort, noch bevor er die Patientin gesehen hatte. Eine

Frühgeburt unter diesem massiven Schock, das roch geradezu nach Komplikationen! Er hatte kurz darüber mit Dr. Hampel gesprochen, auch, daß er den Apotheker Lohmann persönlich gekannt hatte, die Tochter Irmgard auch, flüchtig, einmal gesehen, nettes, frisches Ding mit ihren goldblonden Haaren, der man ihre 26 Jahre nicht ansah. Eine Art Kindweib, wenn man so sagen darf. Aber das sind die Frauen mit den verborgenen ungeheuren Energien. Eigentlich ein Rätsel der Natur. Und so ein braver Mann muß auf so furchtbare Weise umkommen! Von einem kleinen Dieb erschossen, wegen eines Heizkörpers.

Dr. Hampel hatte das ein gutes Gespräch genannt. Es hätte auch kühler verlaufen können, nur getragen von der ärztlichen Pflicht.

1934 hatte man Dr. Ludwig Goldstein aus Deutschland verjagt, oder besser: Es war ihm gelungen, gerade noch rechtzeitig über die belgische Grenze und dann per Schiff in die USA zu kommen, ehe man den gelben Judenstern an seinen Anzug heften konnte, um ihn bald darauf in ein KZ zur Endlösung einzuliefern. In Richmond war er dann Professor geworden. Er war einer der ersten Juden gewesen, die nach Deutschland zurückgekehrt waren, getrieben vom Heimweh, das ihn nie verlassen hatte. Man gab ihm die Gynäkologische Klinik in Lindenthal, er wurde Chef und Ordentlicher Professor an der Universität, und so erfuhr er ganz zwangsläufig einiges über den Apotheker Lohmann und dessen Familie, vor allem über einen Hannes Lohmann. Die Familie Lohmann sollte sich im sogenannten »Dritten Reich« große Verdienste in der Partei erworben haben. Der Apotheker nicht – aber die übrige Familie.

Dr. Hampel jedenfalls war froh, daß die Unterhaltung mit Professor Goldstein so freundlich verlaufen war, und das rechtfertigte auch sein heiteres Wesen in dieser kritischen Stunde.

»Was – was kann passieren?« fragte Wegener leise.

»Nichts kann passieren!« grollte Dr. Hampel. »Mann, reißen Sie sich doch zusammen! Sind selbst fast ein Arzt, waren Fähnrich im Krieg, schwer verwundet, haben die ganze Scheiße an der Front durchgestanden mit Nahkampfspange und EK I – und jetzt, bei der eigenen Frau, benehmen Sie sich wie… wie… mir fällt kein Vergleich ein, Herr Wegener! Goldstein holt das Kind, wenn's nicht von selber kommt, und damit basta! Es gibt keinen Besseren als Goldstein!«

»Das glaube ich.« Wegener lehnte sich an die weißlackierte Wand des Flures. Unten auf der Straße fuhr schon wieder ein Krankenwagen mit Blaulicht vor. Heute schien eine Nacht zu sein, in der die Frauen besonders gebärfreudig waren. »Aber warum kommt denn keiner?«

»Wer soll denn kommen?«

»Ein Arzt, der mir sagt, wie es Irmi geht.«

»Wenn für jeden werdenden Vater ein tröstender Arzt bereit stehen müßte... Wegener, Sie werden kindisch. Verzeihung, aber als Ihr Hausarzt darf ich das sagen! Ich geh' jetzt heim.«

»Sie lassen mich auch allein?«

»Ich habe den Mord an meinem alten Freund Lohmann festgestellt und habe seine Tochter als Gebärende eingeliefert. Das reicht für eine Nacht. Ich muß morgen früh die Praxis wieder aufmachen und fit sein! Sie können, aus doppeltem Grund, Ihre Apotheke ein paar Tage geschlossen halten.«

Dr. Hampel klopfte Wegener auf die Schulter, sah ihn nachdenklich an und ging zum Lift. Er wird noch Probleme bekommen, dachte er. Mit der Apotheke zuerst. Was ist er denn schon? Ein abgebrochener Medizinstudent, zuletzt Apothekengehilfe bei seinem Schwiegervater. Entweder studiert er jetzt Pharmazie und nimmt solange einen approbierten Apotheker hinein, oder er übergibt den ganzen Laden einem Apotheker, macht Medizin weiter und wird so zum Doppelverdiener. Geradezu eine Idealkonstruktion: Arzt mit eigener Apotheke! Der Kerl kann in ein paar Jahren auf goldenen Lokusschüsseln scheißen.

Dann war Wegener wirklich allein, stand im Flur des Krankenhauses, niemand kümmerte sich um ihn (und das, obgleich er Privatpatient war!), ein paarmal sah er Schwestern oder Ärzte aus Zimmern kommen, in Zimmer gehen, sah fahrbare Betten mit wimmernden Frauen, deren Gesichter sich in den Wehen verzerrten, und sah auch einige Männer, werdende Väter wie er, die sich im Flur herumdrückten und später von Schwestern weggeführt wurden. Alle hinter eine Tür, anscheinend in eine Art Warteraum, wo sie jetzt zusammensaßen, rauchten, vielleicht sogar aus mitgebrachten Flaschen soffen und miteinander wetteten, ob's ein Junge oder ein Mädchen würde.

Ihn ließ man allein im Flur. Ein schlechtes Zeichen? Hatte man schon im voraus Mitleid mit ihm? Schrieb man ihn als Vater schon ab, weil hinter dieser verdammten Milchglastür Mutter und Kind bereits nicht mehr vorhanden waren?!

Er begann, im Flur hin und her zu gehen. Gedanken, in solchen Situationen geboren, überschlagen sich.

Sie lebt nicht mehr, dachte er. Irmi ist tot, und sie wagen es einfach nicht, mir das zu sagen. Sie lassen mich schmoren! Und dann wird irgendein junger Arzt kommen und von einer großen Tragik sprechen, und ich werde diesem jungen Arzt, auch wenn er gar nichts dafür kann, das Gesicht zusammenschlagen, ich werde jedem dieser weißen Kittel meine Faust in die Fresse hauen, sie sollen sehen, was eine gute alte Schlosserfaust ist, die Faust, die einen Schmiedehammer umklammern kann und mit der einmal der Peter Hasslick glühendes Eisen platt schlug. Das werden sie alle merken, wenn ich ihnen in die Fresse haue, in diese glatten, auf Beileid geschulten Gesichter. Ich werde sie alle...

Er blieb stehen. Die Milchglastür schwang auf. Der ältere Arzt, also wohl Professor Goldstein, kam heraus, stutzte, als er Wegener bemerkte, und ging auf ihn zu.

»Sie sind noch immer da?« fragte er. »Sie sind Herr Wegener, nehme ich an? Goldstein.«

»Warum sollte ich weg sein, Herr Professor?«

Wegener ballte weder die Faust, noch schlug er zu... er war ganz klein und starrte Goldstein in die Augen, als könne man sich in diesen Pupillen verkriechen. »Meine Frau, Herr Professor...«

»Gratuliere!« Goldstein streckte die Hand aus. »Ein Junge ist es!«

»Ein – Junge...« Wegener stammelte. Er spürte, wie seine Knochen zu Gummi wurden. Gleich falle ich in mich zusammen, dachte er. »Ein Junge...«

»Gesund und munter. Gewicht und Größe sagt Ihnen die Schwester. Wir mußten ihn mit Kaiserschnitt holen. Ihre Frau hat ein ungemein enges Becken, der Kopf des Kindes saß festgeklemmt.«

Wegener ergriff Goldsteins Hand und drückte sie. »Kann ich zu meiner Frau...?«

»Natürlich! Sie liegt noch in Narkose, kommt aber gleich auf ihr Zimmer. Die Zimmernummer – ach, wenden Sie sich doch an meine Oberschwester, Herr Wegener. Und seien Sie beim Gespräch vorsichtig. Das Geschehen heute nacht, der Schock, der Kaiserschnitt unter diesen Umständen... na, Ihnen brauche ich ja nichts zu erzählen, Herr Kollege. Nochmals: Gratulation zu Ihrem Jungen!«

Ein neuer Händedruck, dann ging Professor Goldstein weiter.

Man sah seinem Rücken die Müdigkeit an, die seine Stimme nicht verraten hatte.

Kollege! Kollege! Wie ich dieses Wort hasse! Unter Kollegen ist immer alles leichter, nicht wahr? Unter Kollegen versteht man alles! Unter Arztkollegen ist selbst das Sterben ein biologischer Abschluß, weiter nichts. Kollege... Mein Gott, wann kann ich jemals die Wahrheit sagen?!

Professor Goldstein, je länger ich lebe, um so weniger kann ich mit dieser Lüge leben! Sie würgt mich ab!

Er starrte dem Arzt nach, ging dann zum Aufzug und ließ sich zur Privatstation bringen. Dort empfing ihn eine ältere Schwester, die sich Esmalda nannte, führte ihn in ein Einzelzimmer ohne Bett und sagte: »Ihre Frau kommt gleich hinaus. Es kann sich nur um Minuten handeln, Herr Wegener. Ein Junge? Gratuliere! Und ein Kaiserschnitt? Kaiserschnittkinder sehen immer besonders schön aus, nie so runzelig wie die anderen...«

»Ich weiß«, sagte Wegener müde und lächelte dumm. »Ich bin... Ich habe ja Medizin studiert.«

Wieder etwas gelernt, dachte er, wenn's stimmt. Das muß ich gleich nachprüfen. Kaiserschnittkinder sehen nicht runzelig aus. Das kann man in Gesprächen verwerten, das macht sich immer gut und hinterläßt Eindruck.

Er stützte den Kopf in beide Hände und starrte auf den Linoleumfußboden. Wie erbärmlich bist du doch, dachte er. Wie winzig. Und mußt deine Rolle weiterspielen, weil's keinen Ausweg mehr gibt. Vor allem aber, weil du Irmi liebst. Und jetzt hast du auch noch einen Sohn. Wie vollkommen könnte die Welt sein...

Es dauerte eine halbe Stunde, bis man Irmi ins Zimmer rollte. Sie war wach und lächelte Hellmuth an. Ihr Kindergesicht war fahl und noch schmäler als sonst.

Da begann er zu weinen. Lautlos, die Tränen rannen ihm einfach weg aus den Augen, er wollte es nicht, er stemmte sich dagegen, aber wer kann Tränen aufhalten, wenn der ganze Mensch sich wie in Auflösung befindet?!

Irmi schlief sofort wieder ein, nachdem er ihre Hand genommen hatte. Er saß neben ihrem Bett, sah sie unverwandt an, erlebte das Heraufdämmern eines trüben Tages, das Erwachen des großen Krankenhauses mit vielen hundert Geräuschen... Irmi aber schlief, nur ab und zu ging ein Zittern durch ihren Körper. Dann ergriff er sofort ihre Hand und hielt sie fest.

Ich liebe dich, dachte er. Und immer und immer wieder: Ich liebe dich! Ich liebe dich! Ich liebe dich und das Wunder, ein Kind zu haben. Einen Jungen. Wir werden ihn Peter nennen. Peter, nach meinem besten Freund, dem Schlosser Peter Hasslick. Gestorben im Flur des Lazarettes von Orscha.

Er war in diesem Augenblick kein anderer als Hellmuth Wegener.

Der neue Tag. Am Himmel trieben Wolken. Grau alles, dumpf, gesättigt mit Oktoberfeuchtigkeit.

Heute wird viel zu tun sein, dachte er und hielt Irmis Hand weiter fest.

Bei der Polizei noch einmal eine schriftliche Aussage. Von der Staatsanwaltschaft die Freigabe der Leiche des ermordeten Lohmann beantragen, sowie die Obduktion beendet ist. Dann die Rennerei wegen der Bestattung.

Blumen für Irmi und das Kind.

Glück und Trost in allen Worten, die man sagt. Hier wird ein Grab geschaufelt, dort eine Wiege geschmückt. Und alles zur gleichen Zeit. Es ist, als ob man eine Welt neu erschaffen müßte...

Als die Schwester mit dem Fieberthermometer kam, wachte Irmi auf.

5

Es gibt Blicke, die vergißt man nie. Blicke, die sich in die Seele einbrennen und die mit ihrem Brandzeichen einen Menschen völlig verändern können. Es entsteht eine neue Welt, und Wunder öffnen sich, von denen man vorher nie etwas geahnt hat.

Irmis erster Blick, ihr erster klarer, erkennender Blick, der Hellmuth Wegener traf, brannte alle Schlacken in ihm weg, alle Reste seiner Vergangenheit. Er hielt ihre schlaffe, weiße Hand fest, diese Kinderhand, die in den Stunden der Liebe so unendlich zärtlich streicheln konnte, mit dieser unwiderstehlichen Sanftheit, die einen Mann zur Ekstase treiben kann. Jetzt war diese Hand kraftlos und kühl, lag zwischen seinen Fingern wie ein schutzsuchendes Tier, und als er Irmi anlächelte, stumm, ergriffen, mit einem Würgen in der Kehle, krümmten sich ihre Finger ganz leicht und bohrten sich ihre Fingernägel kaum spürbar in seine Haut.

»Du... du bist da...« sagte sie leise. Ihr Lächeln war engelhaft. Er wagte kaum zu atmen vor soviel Zartheit, die ihm, ihm ganz allein gehörte.

»Natürlich bin ich da«, sagte er rauh. Die Stimme entglitt seiner Kontrolle.

»Die ganze Zeit...?«

»Die ganze Zeit.«

»Wie schön!«

Er beugte sich über ihr Gesicht, küßte sie ganz vorsichtig auf Stirn und Augen und merkte, daß sie schwitzte. Erschrocken fuhr er zurück. Ein heißer Kopf, aber kalte Hände... War das normal?!

»Wie – wie fühlst du dich, mein Liebling?« Das ist eine saudumme Frage, dachte er. Man soll einen Kranken nie fragen, wie's ihm geht, im Gegenteil, man soll ihn von seiner Krankheit ablenken. »Nicht einmal Blumen habe ich –« sagte er und grinste jungenhaft. »Die ganze Nacht habe ich hier gesessen, und Blumen vom Flur draußen wollte ich nicht klauen.«

»Als ob es auf Blumen ankommt, Liebling«, sagte sie mit schwacher Stimme und schloß wieder die Augen. »Du bist da! Das ist so schön...« Sie atmete kräftiger durch, was ihn sehr beruhigte, und als sie sich bewegte, beugte er sich wieder über sie und hielt ihren rechten Arm fest.

»Du darfst dich nicht bewegen, Irmchen. Du hast das Fieberthermometer in der Achsel.«

»Was ist es, Hellmuth?« fragte sie und hielt die Augen geschlossen. »Unser Kind?«

»Man hat es dir nicht gesagt? Das ist ja unerhört...«

»Doch, doch... gleich, als ich aufwachte. Irgend jemand sagte es mir ins Ohr, aber ich habe es nicht begriffen. War gleich wieder weg...«

»Ein Junge, Irmchen. Ein Junge ist es! Ein schöner, kräftiger, gesunder Junge. Ein Prachtjunge! Sagt der Professor! Kaiserschnittkinder sind immer besonders schöne Kinder, nicht so schrumpelig wie andere!«

Sie lächelte wieder und öffnete ihre großen blauen Augen, in deren Glanz er ihre unendliche Liebe erkannte. »Das freut den Mediziner, nicht wahr?« sagte sie. »Hast du ihn schon untersucht?«

»Ich habe ihn noch gar nicht zu Gesicht bekommen. Aber die

Schwester sagte, daß sie Peter nachher bringen wird...«

»Peter...« Sie drückte wieder die Nägel in seine Hand. »Er soll also wirklich Peter heißen?«

»Peter Johann... ja.« Er wechselte von seinem Stuhl auf die Bettkante über und nahm Irmi das Thermometer aus der Achselhöhle. Er hielt es hoch und las die schmale blinkende Quecksilbersäule ab. 38,1. Etwas Fieber. Sicherlich eine Reaktion des Körpers auf den Eingriff. Immerhin hatte man ihr den ganzen Bauch aufgeschnitten, und Fieber – das hatte er im Kriegsgefangenenlazarett gelernt – war immer eine Abwehrreaktion des Organismus. Genauso wie eine Eiterung. Ob das stimmte, wußte er nicht. Auch das muß man also nachlesen, dachte er. Die einfachsten Dinge sind es oft, über die man stolpert.

»Es sieht gut aus!« sagte er, nur um etwas zu sagen. »Das natürliche kleine Fieber. Morgen sieht alles anders aus.«

»Die berühmte Krisenzeit, nicht wahr?« fragte sie.

»Natürlich.«

»Peter Wegener.« Sie sprach es langsam und betont aus. »Peter Johann Wegener. Es klingt eigentlich ganz gut. Typisch deutsch und voll Tradition.« Ihr Griff wurde fester. Die schlaffe Hand füllte sich schnell wieder mit pulsendem Leben. »Du hast ihn sehr gern gemocht, deinen Freund Peter, nicht wahr?«

»Sehr«, antwortete er einsilbig.

»Du hast mir wenig von ihm erzählt.«

»Was gibt es schon zu erzählen, mein Liebling? Das war eine grausame Zeit, und er ist grausam gestorben. Auf einem dreckigen Dielenboden in der Schule von Orscha. Weil niemand Zeit für ihn hatte.«

»Auch du hast ihm nicht helfen können?«

»Ich auch nicht! Mit den bloßen Händen?!« Helfen? dachte er. Ich habe daneben gesessen und hätte die Wand anheulen können. Der Schlosser Peter Hasslick, hilflos wie ein Armloser. Nur Worte hatte ich, und das verdammte Versprechen, der zu werden, der ich jetzt bin.

Verdammt? Ist dieses Leben verdammt?! Habe ich nicht Irmi, habe ich jetzt nicht ein Kind? Mein Kind, dieses Mal wirklich etwas Eigenes, nichts, was ich übernommen habe?! Ist dieses Leben jetzt nicht wirklich voll und ganz *mein* Leben?! Ich, Hellmuth Wegener! Das eine ist nur ein Name. Das andere aber ist das volle Leben, das ich mir selbst erbaut habe. Ich bin ich. Das genügt. Kommt es darauf an, welches Firmenschild darüber hängt?

Irgendwie schien Irmi zu spüren, daß er an belastende Dinge dachte. Sie zog seine Hand an ihre Lippen und küßte sie. Es durchfuhr ihn heiß, er zuckte zusammen und riß sich von Peter Hasslick los.

»Peter ist ein schöner Name«, sagte sie. Seine Hand blieb vor ihrem Mund liegen; er spürte ihre Lippen, rauh, trocken, an einigen Stellen aufgesprungen. »Ich habe Durst, Liebling«, sagte sie.

»Du darfst jetzt noch nichts trinken, soviel ich weiß.« Er streichelte mit den Fingerkuppen ihre borkigen Lippen. »Bei einem offenen Bauch...«

»Ich weiß, Herr Doktor.« Sie lächelte wieder, aber das ›Herr Doktor‹ gab ihm wieder einen Stich. Wie kann man nur sein Gewissen töten, dachte er. Wie kann man diese verfluchte Anständigkeit besiegen? Es muß doch ein Mittel geben, vergessen zu können, wer man wirklich ist! Vielleicht ist der Name Peter für den Jungen ein großer Fehler, sicherlich ist er der allergrößte, das hab' ich nicht genau überlegt. Ein ganzes Leben lang wird man jetzt daran erinnert, jede Sekunde, wenn man den Jungen sieht, wenn man ihn ruft, wenn man an ihn schreibt, immer, immer wieder... Der Peter Hasslick ist nicht mehr wegzujagen, ist eingepflanzt in alles, was Irmi und ich tun. Es wird keinen Tag, keinen Gedanken mehr ohne ihn geben. Aber jetzt ist es geschehen. Jetzt ist es unmöglich geworden, den Jungen anders zu nennen. Wie sollte ich denn *das* erklären?!

»Ich habe trotzdem Durst«, sagte Irmi leise. »Furchtbaren Durst. Die Lippen, der Mund, alles brennt. Ich muß schrecklich aussehen, nicht wahr, Liebling? Aufgequollen, häßlich...« Sie leckte mit der trockenen heißen Zunge über die Lippen. »Alles ist wie Sandpapier. Nur ein paar Tropfen, Hellmuth. Bitte!«

Er befreite sich aus ihrem Griff, stand auf und sah sich um. Auf dem Nachttisch stand eine runde Glasdose mit Mulltupfern. Er holte mit Daumen und Zeigefinger einen Tupfer heraus, ging damit zum Waschbecken in der Ecke des Zimmers, machte den Tupfer naß, preßte ihn aus und kam zu Irmi zurück.

»Ich lege ihn nur drauf!« sagte er. »Wehe, wenn du ihn aussaugst!«

Er legte den nassen Mulltupfer auf ihren Mund, hielt ihn fest und achtete darauf, daß sie ihn nicht mit den Lippen auspreßte.

Sie war gehorsam, lächelte ihn mit den Augen dankbar an, und so ging er in den nächsten Minuten ein paarmal zwischen Bett und Waschbecken hin und her, näßte den Tupfer durch, rieb damit ihre aufgesprungenen Lippen ab, ihre Schläfen, die Augenhöhlen, die Halsbeugen und die kleine Kuhle unter ihrer Kehle, und das war so schön für sie, daß sie plötzlich wieder seine Hand nahm und sie küßte.

»Du bist so lieb, Hellmuth«, sagte sie leise. »So lieb ...« Sie preßte seine Hand gegen ihren Mund und sprach in seine Handfläche hinein. »Was wird nun aus Vater?«

Vor dieser Frage hatte er Angst gehabt. Aber sie mußte ja kommen. Neben der Geburt stand ja bei ihnen der Tod. Er zog die Unterlippe durch die Zähne und blickte über Irmis Kopf hinweg gegen die grünlichweiße Ölwand des Zimmers.

»Ich ... ich muß noch zur Staatsanwaltschaft«, sagte er stockend. »Zur Kriminalpolizei, wer weiß, wohin noch?! Diese Behördenrennerei ist das schlimmste. Aber daran solltest du jetzt nicht denken, Irmchen.«

Die Tür klappte auf. Gott sei Dank, dachte Wegener. Die Schwester kommt endlich. Das lenkt sie ab. Und dann wird das Kind gebracht, und vielleicht kommt auch noch Professor Goldstein, sicherlich kommt er noch, wir sind ja Privatpatienten, und wenn sie erst das Kind bei sich hat, wird sie an nichts anderes mehr denken. Nur wenn ich sie wieder allein lassen muß, um mit der Behördenlauferei anzufangen, wird sie Zeit zum Grübeln haben. Aber das kann man nicht überbrücken. Ich kann Professor Goldstein ja nicht bitten, ihr für diese Stunden eine Injektion zu geben, damit sie schläft. Er würde mich – den Kollegen! – dumm angucken!

»38,1, Schwester«, sagte Wegener und hielt ihr das Thermometer hin. Sie nahm es, blickte kurz darauf, schüttelte die Quecksilbersäule wieder herunter und steckte es in eine Chromhülse, die mit Desinfektionslösung gefüllt war.

»Ganz normal«, sagte sie. »Nach einer Operation.«

»Wir haben auch keinerlei Besorgnisse, Schwester«, antwortete Wegener. »Und das Durstgefühl überbrücke ich, indem ich meiner Frau feuchte Mulltupfer auf die Lippen lege.«

»Das ist gut, Herr Doktor.« Die Schwester lächelte ihn gütig an. Sie fühlte Irmi den Puls, trug alles in das Krankenblatt ein und schob die Bettdecke zurück. Irmis Nachthemd war hochgeschlagen, der

Unterkörper, die Beine, die Schenkel, der Leib – mit Binden umwickelt – lagen frei. Zwischen die Schenkel hatte man einige dicke Lagen Zellstoff gelegt... die obere Schicht war durchblutet. Hellmuth Wegener bekam einen heftigen Schreck, aber er versteckte ihn hinter einer wissenden Miene. Da die Schwester wortlos den Zellstoff entfernte, schien alles normal zu sein. Sie schob ein Gummituch unter Irmis Gesäß, holte eine Schüssel, füllte sie mit warmem Wasser, goß etwas Sagrotanlösung hinein und begann, Irmi zu waschen. Dabei schielte sie zu Wegener hinauf.

»Im allgemeinen«, sagte die Schwester, »bitten wir die Ehemänner, solange aus dem Zimmer zu gehen. Aber Sie als Arzt...«

»Das wäre auch dumm.« Wegener lächelte schwach. »Man sollte annehmen, daß jeder Ehemann seine Frau auch in einer solchen Lage kennt...«

»Trotzdem gibt es bestimmte Grenzen, Herr Doktor.«

Wegener schwieg. Halt, sagte er sich. Keine Gefahr heraufbeschwören! Keine Diskussion anfangen, die auf Glatteis führen kann! Es genügt, wenn ich das ›Herr Doktor‹ schlucke und mich benehme, wie sich ein Doktor in meiner Lage benehmen müßte. Schließlich sind alle Väter irgendwie gleich, ob sie Schlosser oder Mediziner sind.

»Natürlich gibt es Grenzen«, sagte Wegener, weil die Schwester offensichtlich eine Antwort erwartete. Sie trocknete Irmi ab, schob eine neue Lage Zellstoff zwischen die Oberschenkel und deckte die Patientin wieder zu. »Es gibt ja auch genug unvernünftige Ehemänner.«

»Und solche, die sich zuviel zutrauen! Was glauben Sie, Herr Doktor, wieviel ich schon habe umfallen sehen. – Solche Brocken!« Die Schwester machte eine umfassende Geste mit beiden Händen. Danach mußten wahre Riesen auf dem Kunststoffboden gelegen haben. »Am zähesten sind die Kleinen, Schmächtigen. Komisch, was?«

»Beim Militär war das auch so. Es hat mit dem Stoffwechsel zu tun.«

Das war klug geredet, dachte Wegener, aber sicherlich purer Blödsinn. Doch welche Schwester wagt es, einem Arzt zu widersprechen? Diese Schwester tat es auch nicht, öffnete das Fenster für ein paar Minuten, nachdem sie Irmi gut zugedeckt hatte, ordnete dann das Zimmer und schien zufrieden.

Aha, die Visite kommt, dachte Wegener. Professor Goldstein.

Alles aufgebaut wie zur Parade. Und das Kind wird gebracht werden. Endlich, endlich das Kind. Mein – unser Peter... Peter Johann Wegener! Das Kind mit dem falschen Namen vom falschen Vater. Es wird das nie erfahren. Alle Papiere stimmen ja, und wenn was fehlen sollte: Der Krieg hat so viele Unterlagen zerstört. Warum sollte er bei den Papieren des Hellmuth Wegener haltgemacht haben? Das letzte Jahr hatte ja gezeigt, wie einfach es war, ein neuer Mensch zu werden – nach außen hin: Ein paar eidesstattliche Erklärungen, das genügte. Noch waren die Beamten Kriegskameraden und kannten den ganzen Dreck. Später würde das anders werden. Für die jungen Beamten würde der Krieg nichts als ein Wort sein – und eine Generationsschuld ihrer Väter. Für sie würden nur gestempelte, besiegelte Beweise gelten. Aber jetzt, 1948 im Oktober, steckte allen der ganze Scheißdreck der vergangenen Jahre noch in den Knochen. Wo waren Sie? Bei Welikiji Luki? Bei Smolensk? Im Donez-Bogen? An der Rollbahn? In den Pripjet-Sümpfen? Mann, war das eine Zeit, was?! Daß wir das durchgehalten haben! Und wo im Lager? I/2319... Mann, das war ja unser Nebenlager bei Astbest! Da waren Sie auch? Wie heißen Sie? Hellmuth Wegener, Medizinstudent im vierten Semester? Wollen Sie weiterstudieren? Papiere weg? Mist was? Erklärung an Eides Statt genügt, Kamerad. Aber warum studieren? Sich erst mal am Leben halten und Fressen holen auf dem Schwarzmarkt – das ist wichtiger, Mann. Studieren kann man noch immer. Die Wissenschaft läuft nicht weg, aber der Hunger bleibt.

So war das. Man konnte sein, wer man wollte – wenn man innerlich die Kraft hatte, das durchzuhalten. Wenn man den inneren Schweinehund schlachtete, wenn man das Gewissen vergiftete, wenn man die verdammte Moral zuschiß!

»Gleich bringt die Hebamme das Kind«, sagte die nette Schwester an der Tür. »Sie wird auch feststellen, ob es schon bei Ihnen angelegt werden kann. Ich glaube, Sie haben wenig Milch, Frau Wegener.«

Als die Schwester aus dem Zimmer war, lächelten sie sich an. »An Unterernährung wird unser Sohn nicht leiden«, sagte Wegener fröhlich. »Ich werde heranschaffen, was möglich ist. Und wenn ich die ganze Apotheke als Spezialgeschäft für Babyernährung ausbaue!«

Sie lachten. Irmi verzog etwas das blasse Gesicht. Die Erschütterung der Bauchdecke durch das Lachen tat weh, aber sie verbiß es tapfer. Dann flog die Tür auf, krachte gegen die Wand, und herein kam eine dicke, rotgesichtige, vor Kraft sprühende Frau mit grauen Haaren, die sie zu einem dicken Knoten gedreht hatte. Sie trug über dem blauen Leinenkleid einen weißen Kittel und schaukelte auf den Armen ein Bündel, das aussah wie eine Wurst aus Tüchern.

»Jetzt kommt der kleine Tyrann!« trompetete sie, schloß mit einem Fußtritt die Tür, bevor Wegener ihr zu Hilfe eilen konnte, und stampfte auf das Bett zu. »Sie sind der Vater, nehme ich an, nicht wahr? Ich bin Frau Else Viernisch, die Hebamme. Kommen Sie näher und sehen Sie sich Ihr Produkt an! Aber nicht zu nah! Riechen Sie nach Alkohol?«

»Ich habe keinen Tropfen getrunken. Ich habe hier die ganze Nacht gewartet und...«

»Auch keinen Kaffee getrunken?«

»Nein. Noch nicht.«

»Kommt gleich.« Frau Viernisch drückte die Tuchrolle an sich. »Ihre Frau darf noch nichts trinken, nur riechen darf sie! Aber Sie bekommen Ihren Kaffee. Haben Sie richtigen Bohnenkaffee?«

»Zu Hause, natürlich. Hier leider nicht.«

»Bringen Sie morgen eine Dose Gemahlenen mit. Hier gibt's immer noch Muckefuck, auch auf der Privatstation! Wie soll einer mit Muckefuck auf die Beine kommen, sage ich! Und so ein Täßchen Kaffee...«

»Ich bringe Ihnen morgen zwei Pfund mit, Frau Viernisch.« Wegener starrte auf das Bündel. Es zuckte darin. Unser Kind! Unser Peter. Wie sieht er aus? Hat er Irmis blaue Augen? Ihren schön geschwungenen Mund? Ihre blonden Haare? Oder sieht er mir ähnlich? Das möchte ich ihm nicht wünschen. Mein Gott, laß ihn aussehen wie Irmi!

»Und jetzt das Kerlchen!« Hebamme Viernisch klappte ein Tuch weg. Das Köpfchen kam zum Vorschein... ein runder Kopf mit blonden Haaren, wie Federflaum so weich und durchsichtig. Darunter die Augen, etwas zusammengekniffen wegen der plötzlichen Helligkeit. Die Nase, gekräuselt, etwas platt. Der Mund, zusammengepreßt, ein Schlitz nur. Hellmuth Wegener atmete tief durch. Sein Herz pochte, Blei war in seinen Beinen, als er näherkam und sich zu dem Kind hinunterbeugte. Unter dem runden Kinn lagen die Händchen, zu Fäusten geballt. Winzige rosa Fingernägel. Eine Haut wie zartgetöntes Porzellan.

Seine Mundwinkel zuckten, er konnte es nicht verhindern.

»48,3 cm lang –« sagte Frau Viernisch laut. »Und 3752 Gramm schwer! Na, ist das nicht eine Meisterleistung? Nicht von Ihnen, Herr Doktor! Von Ihrer kleinen Frau! Was Sie dazugetan haben, ist keine Kunst!«

Sie wickelte das Kind aus, legte es neben Irmi auf das Bett und steckte die Hände in die Kitteltaschen.

Welcher Augenblick ist vergleichbar mit dieser Sekunde, in der eine Mutter zum erstenmal ihr Kind sieht? Es gibt nichts Heiligeres auf der Welt, nichts Gottgesegneteres. Der erste Blick zwischen Mutter und Kind – das ist die Entscheidung für ein ganzes Leben.

»Mein Kleiner«, sagte Irmi zärtlich. Sie legte ganz vorsichtig den Arm um das Kind und zog es noch näher an sich. Kopf an Kopf lagen sie jetzt, die Fäustchen lösten sich auf, die Händchen streckten sich, der verkniffene Mund öffnete sich, und die Augen wurden ganz groß, als verstünde das winzige Menschlein diese Stimme. Mit unendlicher Zärtlichkeit spitzte Irmi die Lippen und küßte ihr Kind auf die Wange. Dann sah sie Wegener an. Es war ein Blick, der wie aus dem Himmel kam.

»Ist er nicht süß?« flüsterte sie. »Guck dir das an! Er versteht mich schon, er lächelt…«

»Er hat Hunger!« sagte Frau Viernisch, für Wegeners Begriffe viel zu laut in dieser feierlichen Minute. »Er riecht die Milch! Wollen mal sehen, ob genug da ist.«

Sie schob die Bettdecke herunter, öffnete Irmis Hemd, holte ihre linke Brust hervor, tastete sie mit sachkundigem Griff ab, nickte und sah dann zu Wegener hinüber.

»Ich glaube, da kommt noch was. Schon morgen! Ein Kaiserschnitt hemmt manchmal. Aber bei dieser Brust müßte das wirklich reichen.« Sie griff zu dem Mullbehälter, tauchte einen Tupfer in lauwarmes Wasser, wusch schnell die Brustwarze und hob dann das Kind auf Irmis andere Seite. Sie drückte den kleinen Kopf gegen die Brust und legte ihre Hand unter Irmis Busen. »Nun such schon, fauler Strick, such!« sagte sie fröhlich. »Nachher kannste nicht genug haben.« Sie schob das kleine, herumtastende Mündchen an die Brustwarze, legte das Kind in Irmis Armbeuge zurecht und wartete. Als die winzigen Lippen sich plötzlich festsaugten, zuckte Irmi zusammen und sah Hellmuth mit glänzenden Augen an.

»Er trinkt…« flüsterte sie. »Hellmuth, er trinkt!«

»Na ja, das hätten wir.« Frau Viernisch setzte sich breitbeinig auf einen Stuhl und starrte auf die Tür. Sie wartete auf den Kaffee. »Das ist auch für mich immer ein schöner Moment, wenn die Kleinen merken, wofür eine Mutterbrust da ist! Für Sie als Mediziner, Herr Doktor, ist das ja alltäglich.«

»Ich bin jetzt kein Mediziner, ich bin der Vater«, sagte Wegener heiser vor Ergriffenheit. Er beugte sich über Irmi und den kleinen Peter und blickte auf das winzige Gesicht, das ein einziges Saugen war. Irmi hatte eine Hand unter ihre Brust geschoben und stützte sie. »Tut es auch nicht weh?« fragte er.

»Es ist wunderbar«, sagte sie und schloß die Augen. Sie sprach wie aus einer fernen Welt. »Es ist so wunderbar, Hellmuth... Ich spüre es im ganzen Körper. Unser Kind...«

Fünf Minuten später trat Professor Goldstein ein. Frau Viernisch blieb sitzen, nicht aus Unhöflichkeit, sondern weil sie müde war. Sie hatte in der Nacht vier Kinder geholt, was man eigentlich mit echtem Bohnenkaffee belohnen sollte. Außerdem gab es genug gute Ärzte, aber gute Hebammen waren selten. Goldstein nahm es ihr auch nicht übel, er nickte ihr zu und betrachtete Mutter und Kind in ihrer glückhaften Verschmelzung. Erst dann nahm er Wegener zur Kenntnis.

»Sie sind noch immer da, Herr Kollege? Sie haben ein Durchstehvermögen! Ich habe immerhin drei Stunden geschlafen! Wie ich sehe, alles in Ordnung!« Er betrachtete das Krankenblatt: Fieberkurve, Puls, postoperativ gegebene Medikamente. Jetzt kam auch die nette Schwester ins Zimmer und erklärte mit zwei Sätzen den Wechsel der Zellstofflagen zwischen den Schenkeln.

»Schmerzen?« fragte Goldstein. Irmi schüttelte den Kopf. »Na, bestens! Mit sechsundzwanzig Jahren das erste Kind, das geht meist gut. Der liebe Gott hätte Ihnen nur ein dehnbareres Becken mitgeben sollen.«

»Das kommt vom Sport, Herr Professor.« Irmi drückte ihre Brust. Der Kleine schmatzte laut. »Ich habe viel Leichtathletik getrieben. Damals, beim BdM... Ich war sogar Sportwartin.«

Wegener schielte zu Goldstein hinüber. Wie faßte er das jetzt auf, dachte er. Er ist Jude. Man hat seine ganze Verwandtschaft umgebracht, nur er konnte flüchten. Was sagt er jetzt darauf?

»Ich weiß.« Prof. Goldstein lächelte väterlich. »Ihr Hausarzt, Dr. Hampel, hat mir das alles erzählt, er ahnte schon so etwas! Der

Sport! Sport hält gesund! Aber das gilt nur bedingt, wie so manche Lebensweisheit. Bei den Frauen verhärten sich die Muskeln, was zu Geburtskomplikationen führt, und bei den Männern... na, Herr Kollege, Sie wissen das ja!« Er wandte sich an Hellmuth Wegener. »Was ich an Sportherzen gesehen habe, drüben in den USA, an Bandscheibenschäden, alles bei umjubelten Hochleistungssportlern – eine Katastrophe! Medizinisch sind die Helden der Arena nur noch Krüppel! Nichts gegen ein vernünftiges körperliches Training – aber der Mensch neigt ja dazu, immer zu übertreiben. Erfolge paralysieren.«

Wegener nickte. Hier war der Hieb! Ganz kurz, ganz trocken... und wahr. Professor Goldstein schlug vorsichtig die Decke zurück, um den trinkenden Kleinen nicht zu stören, betrachtete den Verband und tastete mit seinen sensiblen Fingern Irmis Unterleib ab. Dann deckte er sie wieder zu.

»Keine Spannungen, alles sehr gut weich. Hervorragend. Schwester, zur Prophylaxe geben wir noch 200000 IE Penicillin i.v. mit einem Glukosetropf.« Und zu Wegener: »Einverstanden, Herr Kollege?«

»Selbstverständlich, Herr Professor.« Schweiß trat auf Wegeners Stirn. Jetzt bloß keine Unterhaltung über die Nachbehandlung von Kaiserschnittoperationen! Was er wußte, waren zwei mögliche Komplikationen: eine Infektion und eine Thrombose. Darüber ließ sich mit Allgemeinphrasen reden, ohne ins Detail zu gehen.

Aber Goldstein schien wenig Zeit zu haben. Er streichelte Irmi über das glückliche Gesicht, tippte dem schmatzenden Peter auf das Köpfchen und nickte Wegener kollegial zu. »Sie sollten jetzt eine Mütze voll Schlaf nehmen«, sagte er an der Tür. »Ihre Frau wird auch etwas schlafen. Am Nachmittag ist die Welt wieder richtig rund. Guten Morgen, Herr Kollege!«

»Guten Morgen, Herr Professor!«

Wegener war hier wirklich überflüssig, er sah es ein. Um so mehr gab es für ihn außerhalb des Krankenhauses zu tun. Mit Hilfe von Frau Viernisch wechselte Peter von der linken zur rechten Brust, Irmi wurde schläfrig, ihre Lider klappten jetzt öfter zu.

»Ich komme am Nachmittag wieder«, sagte er.

Irmi nickte. Sie war jetzt sehr müde. Was der Kleine aus ihr wegtrank, war die letzte Reserve ihrer Kraft. Frau Viernisch winkte. Hauen Sie ab, hieß das.

Als Wegener leise das Zimmer verließ, schlief Irmi schon. Frau Viernisch hockte auf der Bettkante, hielt das Kind fest und unterstützte mit der anderen Hand Irmis weiße, schöne, mütterliche Brust.

Bei der Kriminalpolizei erwartete ihn Kommissar Runckel. Er saß hinter einem alten Schreibtisch, auf dem sich die Akten stapelten, rauchte einen Zigarillo und trank aus einer Thermosflasche Kaffee. Bohnenkaffee, wie der Duft verriet. Daneben lag auf einem Pergamentpapier die Hälfte eines zusammengeklappten Brotes.

»Schinken!« sagte Runckel gemütlich. »Seitdem wir für ein Pfund Schinken dreihundert Kilometer auf Hamstertour fahren mußten, kann ich mich – jetzt, wo er frei zu haben ist – dumm und dusselig essen! Das gibt sich, bestimmt. Aber im Augenblick macht mich der Duft von geräuchertem Schinken geradezu erotisch!«

Er zeigte mit dem Zigarillo auf einen Stuhl, und Wegener setzte sich. Er starrte auf ein Bild, das hinter Runckel an der weißgetünchten Wand hing. Ein dicker Holzrahmen, darin Bismarck in großer Pose und mit silberglänzender Brünne. Runckel nickte weise.

»Dagegen haben die Besatzungsbehörden nichts. Bismarck ist erlaubt. Warum, weiß ich nicht. Aber drehen Sie das Bild mal rum. Dahinter klebt noch der Adolf! Ich habe das den Engländern vorgeführt, sie haben sich vor Lachen fast in die Hosen gepinkelt. Bin gespannt, wer demnächst im Bilderrahmen erscheinen darf. Ich tippe auf unseren Adenauer. Oder Schumacher. Einer ist immer da, der Amtsräume schmückt und Obrigkeit symbolisiert. Zigarre?«

»Danke, nein!« Wegener klemmte die Hände zwischen die Knie.

»Tasse Kaffee?«

»Auch nicht.«

»Wie geht's Ihrer Frau?«

»Wir haben heute nacht einen Sohn bekommen...«

»Gratuliere! Einen Jungen! Und Sie sind noch nüchtern?! Kommen Sie, ich habe einen im Keller...« Runckel bückte sich, öffnete eine Schreibtischschublade und holte eine Flasche Korn hervor. »Gläser gibt's nicht. Trinken wir aus der Flasche!« Er hielt sie Wegener hin. Dieser nahm einen kleinen Schluck, das Zeug brannte ekelhaft, aber er verzog keine Miene. Dann trank Runckel kräftig und schloß die Flasche wieder weg.

»Ihr Schwiegervater«, sagte er endlich. »Tja, der Fall ist klar, aber nicht abgeschlossen. Tötung durch einen Schuß aus einer Pistole, 7,65 mm. Wertlose Spuren, weil in Ihrem Neubau zuviel andere herumgelatscht sind. Motiv ist klar: Der Kerl – oder die Kerle – wollten bei Ihnen klauen. Neubauten sind geradezu wie Honig für einen Bären. Was da alles herumliegt! Früher wurde das alles getauscht – heute, wo's fast alles wieder gibt, klaut man es eben. Das ist einfacher. Und man knallt den nieder, der das nicht dulden will. Man hat ja töten gelernt. Ist darauf gedrillt worden! Vereinfachtes Denken: Mensch ist Mensch. Ob Russe, Ami oder Franzose – du kannst töten! Vor gar nicht langer Zeit hat man dir dafür sogar Orden verliehen! So ist das, Herr Wegener.« Runckel klopfte auf den Aktenberg. »Alles unaufgeklärte Fälle! Apotheker Lohmann liegt als dritter von oben... in der Nacht hat's nämlich noch zwei Tote gegeben, später, gegen Morgen, in Köln-Ehrenfeld. In einem Buntmetallager. Eine Sauzeit, Herr Wegener.«

»Kann ich meinen Schwiegervater wiederhaben?« fragte Wegener.

Runckel fabrizierte einen faden Witz. »Wieso?« fragte er. »Habe ich ihn geklaut?!«

Er lachte sehr laut und goß sich neuen Kaffee in den Becher der Thermosflasche.

»Die Staatsanwaltschaft...« sagte Wegener heiser.

»Aber natürlich! Die Obduktion ist beendet, der Bericht des gerichtsmedizinischen Institutes liegt vor. Übrigens, Ihr Schwiegervater hatte eine leichte Fettleber, jaja, die Apotheker, auch in ganz miesen Zeiten leben sie gut, denn Medikamente braucht ja jeder. Gegen eine Freigabe der Leiche liegen keine Bedenken vor. Sie können Herrn Lohmann abholen lassen. Die Staatsanwaltschaft hat ihn freigegeben. Das Abholen muß aber ein Beerdigungsinstitut machen. Sie können ihn nicht auf den Rücksitz nehmen.«

»Sie sind sehr witzig!« Wegener stand auf. »Wann?«

»Wann immer Sie wollen. Regeln Sie in Ruhe alle Formalitäten. Ihr Schwiegervater liegt ja auf Eis. Nur eins noch, Herr Wegener...« Runckel wurde sichtlich ernst. »Wenn Sie nicht der nächste sein wollen, der bei uns auf dem Seziertisch liegt, dann überhören Sie künftig, wenn nachts auf Ihrem Neubau etwas raschelt oder klappert oder scheppert. Oder ist ein Heizkörper ein Menschenleben wert?«

»Ist das die neue Gesetzesmoral?«

»Es ist das Halleluja auf unsere Ohnmacht, Herr Wegener. Vielleicht wird's einmal besser, vielleicht auch noch schlechter, wer weiß es?! Im Moment ist es so, daß man in den Arsch getreten wird und dazu ›O du fröhliche!‹ singen darf.«

»Daran werde ich mich nie gewöhnen.«

»Ich auch nicht. Darum werden wir's auch schwer haben. Wenn irgend etwas ist, Herr Wegener, kommen Sie zu mir. Ich bin immer für Sie da.«

Es war eine große Lauferei an diesem Tag.

In den Zeitungen stand – unter ›Lokales‹ – der Mord an dem Apotheker Johann Lohmann mit allen Einzelheiten. Zwei brachten sogar ein Bild von ihm, nicht von der Leiche, sondern ein Foto von dem Foto, das in der Apotheke hing und Herrn Lohmann im Alter von zweiundvierzig zeigte, als man ihn zum Vorsitzenden der Apothekerkammer ernannt hatte.

Immerhin genügten diese Meldungen, um eine Flut von Briefen in die Apotheke kommen zu lassen, nicht mit einem normalen Briefträger (diese Post würde erst am nächsten Tag eintreffen), sondern alle per Boten. Unter den Absendern waren: vier Bestattungsunternehmen, drei Blumengeschäfte, ein Steinmetz, drei stellungslose Orgelspieler, vier Hobbybildhauer, zwei anerkannte Meister der bildenden Kunst, die ein allegorisches Relief aus Mosaik vorschlugen, drei Holzschnitzer für Kreuze und Jesusfiguren mit besonders leidender Miene, eine Dekorationsfirma, spezialisiert auf die Ausschmückung von Trauerhaus und Friedhofskapelle, ein Gesangsverein, der für neue gute DM 200,– drei feierliche Totenlieder vortragen wollte, eins sogar von Gustav Mahler.

Der Tote soll nicht vergessen lassen, daß es noch genug Lebende gibt, die leben wollen.

Hellmuth Wegener seufzte, als er die Angebote mit Akribie studiert hatte, und blätterte in Lohmanns altem Familienbuch, das der Apotheker gewissenhaft geführt hatte. Hier fand Wegener, wer einmal Irmgards Mutter begraben hatte – ein kleines Unternehmen in Lindenthal, nicht weit von ihnen entfernt, günstig in der Nähe der Lindenburg gelegen, dem großen Klinikum von Köln. Das Institut nannte sich nach seinem Besitzer Fortmann, also ›Institut Fortmann, Bestattungen aller Art‹, war eine Goldgrube (bei dieser Lage!), aber Herr Fortmann, nun selbst schon sechsundsiebzig Jahre, war bescheiden geblieben, sicherlich deshalb, weil er tagtäglich sah, daß der Mensch letzten Endes nichts mitnehmen kann als ein Hemd.

Herr Fortmann drückte sein tiefstes Mitleid aus, und das war ehrlich, denn er kannte die Lohmanns seit Jahrzehnten, erinnerte sich sogar an den Sarg von Frau Lohmann, versprach, einen ebenbürtigen für den Gatten zu besorgen und auch die Rennerei zu den Behörden zu übernehmen. Friedhof? Natürlich Melaten, der Prominentenfriedhof von Köln. Eine Erbgruft – man würde Frau Lohmann gleich mit umbetten. Außerdem – da ja die Zeitungen über den Mord schrieben – sei mit einer großen ›Sehbeteiligung‹ zu rechnen. Das könne niemand abstellen, nicht einmal der liebe Gott mit Blitz, Donner und Wolkenbruch. Da war doch vor zwei Jahren der Kindesmord in Braunsfeld. War das ein Begräbnis, und das bei einem Schneesturm, daß man fast wegflog! Aber die Leute hielten aus bis zum letzten. Vor dem Schneetreiben suchten sie hinter Grabsteinen Schutz.

Und nun der beliebte Apotheker Lohmann! »Da kommen zweitausend, das sag ich Ihnen!« prophezeite Herr Fortmann. »Das sollten wir berücksichtigen bei den Blümchen, die jeder auf den Sarg streuen will.«

Wegener war alles recht. Er unterschrieb einige Formblätter, Fortmann telefonierte mit der Staatsanwaltschaft, fragte, wann er die Leiche abholen könne, und stritt sich dann mit der Friedhofsverwaltung von Melaten über einen Termin und einen repräsentativen Platz.

Wegener fuhr nach Hause, setzte sich in die leere Apotheke – draußen an der Tür hing das Schild »Wegen Trauerfall vorübergehend geschlossen. Nächste Apotheke: Mohren-Apotheke«, trank einen Kognak und starrte auf die Regale mit den Flaschen und Medikamentenpackungen.

Was nun, dachte er. Wie geht es weiter? Hinter mir wächst der Bau einer pharmazeutischen Fabrik in die Höhe, um mich herum ist die altberühmte Apotheke Lohmann. Das alles gehört jetzt mir, das heißt, es gehört Irmi, aber auf meinen Schultern muß ich das tragen. Und ich habe keine Ahnung davon, nicht die geringste Ahnung, bis auf das wenige, was ich dem alten Lohmann abgeguckt habe. Ein paar Grundrezepturen wie Rivanollösungen, Borwasser, ein paar Salbenmischungen ... Ich kann Rezepte lesen und die Medikamente verkaufen, weil ich weiß, wo sie lagern, und wenn einer einen Rat will, etwa wegen Verstopfung, gebe ich ihm Scheißpillen, die jeder kennt. Kommt man damit ein ganzes Leben aus? Genügt das? Was würde Hellmuth Wegener tun?

Dämliche Frage. Er hätte längst vieles getan, was nicht getan worden ist. Er hätte bestimmt weiter Medizin studiert und wäre jetzt Angehöriger eines feudalen Corps.

Das kann ich auch, dachte er plötzlich. Ich habe ja alle Papiere. Ich *bin* ja Medizinstudent, nur durch den Krieg zurückgeworfen. Ich könnte mich einschreiben lassen, fünftes Semester, mitten drin in der Chose. Und dann steh ich am Anatomietisch oder im Labor und weiß nicht einmal, was ich mit einem Bunsenbrenner anfangen soll. Hier draußen, im sogenannten freien Leben, kann man mit Schlagworten alles machen. Aber dort, in den Universitätsinstituten, erkennt man sofort, welcher Vogel da im falschen Nest sitzt. Also weitermachen wie bisher! Je älter man wird, um so nachsichtiger wird die Umwelt. Und dann der Kriegsschock. Partielle Vergeßlichkeit ist damit hinreichend motiviert. Wir alle sind doch Opfer, auch wenn wir überlebt haben. Wenn man das immer und überall erzählt, wird's zu einem Heiligenschein, der einen sogar noch erhöht, unangreifbar macht. Ein Märtyrer unserer Zeit. Rührt ihn nicht an, er hat genug hinter sich!...

Am Nachmittag war Wegener wieder im Krankenhaus.

Irmi ging es gut, sie saß im Bett, von Kissen unterstützt, und hatte zwei Schluck Tee trinken dürfen. Aber sie hing an einem Tropf, der ihr alles Durstgefühl nahm. Die Wundschmerzen waren gekommen, aber man hielt sie mit vorsichtigen analgetischen Dosen in erträglichen Grenzen.

»Hast du Vater noch einmal gesehen?« fragte sie, als sie sich geküßt und einander versichert hatten, der kleine Peter sei das schönste Kind auf der Welt.

»Nein. Fortmann hat alles übernommen.«

»Wann ist die Beerdigung?«

»Nächste Woche Dienstag. Auf dem Melaten. Mutter wird umgebettet und kommt dazu.«

»Das ist schön. Ich danke dir, Hellmuth.«

Sie legte den Arm um seinen Hals, zog ihn zu sich herunter und küßte seine Augen. Damit, so schien es, war das Thema Johann Lohmann beendet. Das neue Leben, das in einer halben Stunde wieder zu ihr kommen und Kraft aus ihren Brüsten trinken würde, war stärker. Alle Angst, Irmi könne wieder in das Grauen des Mordes zurückkehren, war unbegründet. Ihre Mütterlichkeit, das Wissen um ihre Aufgabe, jetzt nur noch Mutter und Frau zu sein, waren viel zu stark. Es gab für sie nur das Kind und den Mann.

»Ich habe genug Milch«, sagte sie glücklich. »Stell dir das vor! Frau Viernisch sagt, es reicht sogar für zwei. Plötzlich war sie da, in beiden Brüsten. Fühl mal...«

Er beugte sich vor, schob seine Hand in den Schlitz des Nachthemdes und umfaßte zärtlich ihre Brust. Erst die linke, dann die rechte. Harte, pralle, runde Brüste mit aufgerichteten Brustwarzen.

»Schön«, sagte er heiser. »Sehr schön, Irmi. Er wird ein starker Junge werden!«

»So stark wie du, Liebling.« Sie legte ihre Hände fest auf seine Hand, als er sie von ihrer rechten Brust wegziehen wollte. »So klug, so überlegen wie du.«

Er schämte sich wieder maßlos, nickte aber und küßte ihre Lippen. Das Fieber war vorüber, sicherlich durch das Penicillin heruntergedrückt, die Lippen waren weich geworden – was zwei Schluck Tee bewirken können! –, sie war überhaupt weicher und anschmiegsamer geworden. Er spürte es, als er über ihren Leib streichelte, über ihre Schenkel und dann über ihre Schultern. Unter ihrer Haut blühte sie.

Am Abend sah Professor Goldstein noch einmal ins Zimmer, schon im Mantel, also inoffiziell. Er fühlte Irmi den Puls, aber man sah, daß er das nur tat, um sein Hiersein zu rechtfertigen. Dann blickte er auf den Blumenstrauß, den Wegener mitgebracht hatte. Rosen und Chrysanthemen, ein Strauß, den man mit beiden Armen umfassen mußte, um ihn wegzutragen. Irmi hatte sich tadelnd darüber geäußert: »Das viele Geld!« hatte sie gesagt. »Und wie schnell verwelkt das alles! Wir müssen jetzt für drei denken, Liebling.«

»Die Blumen müssen über Nacht leider raus!« sagte Goldstein.

»Ich weiß, Herr Professor.« Wegener ging zum Tisch. »Ich trage sie auf den Flur. Für die Schwester ist er zu schwer.«

Er schleppte den Strauß mit der großen Vase aus dem Zimmer. Goldstein folgte ihm sofort und schloß die Tür.

»Das wollte ich ja nur«, sagte er, als Wegener die Vase abgestellt hatte. »Ich wollte Sie allein sprechen.« Goldstein räusperte sich. »Sie haben die letzten Nachrichten im Rundfunk nicht gehört?«

»Nein, Herr Professor.«

»Es scheint so, als habe man den Mörder Ihres Schwiegervaters ergriffen. Durch puren Zufall. Auf frischer Tat beim Klauen auf einem Neubau, in Ehrenfeld. Er hat noch nichts gestanden, aber Kommissar Runckel ist sicher, daß er den Mörder hat. Auch die Waffe stimmt. Eine Pistole 7,65 mm. Es ist ein junger Bursche, sechzehn Jahre alt! Stellen Sie sich das vor: sechzehn Jahre und schon Mörder! Er gibt an, als dreizehnjähriger Pimpf in einer Flakbatterie Granaten geschleppt zu haben, mit vierzehn war er im Werwolf, mit fünfzehn brach er bei den Alliierten in Verpflegungslager ein. Zeitumstände können Menschen vertieren...«

»Wir haben alle einen Knacks weg, Herr Professor.«

»Aber wir dürfen ihn uns nicht leisten, Sie nicht und ich nicht, als Mediziner. Wollen Sie weitermachen?«

»Vielleicht, Herr Professor.«

»Spezialität?«

»Sicherlich Chirurgie.«

»Dann viel Glück.« Professor Goldstein gab Wegener die Hand und ging dann schnell den Flur entlang zum Ausgang der Privatstation.

Chirurgie, dachte Wegener. Da habe ich allerlei gesehen im Kriegsgefangenenlazarett. Da kann ich etwas vom Stapel lassen, wenn es sein muß. Vor allem Unfall-Chirurgie. Amputationen. Oder Spaltung von Furunkeln, das war damals an der Tagesordnung. Oder Erfrierungen. Oder Selbstverstümmelungen! O du Scheiße, man wird nie mehr davon loskommen. Das bleibt an einem wie eine vom Brand verschrumpelte Haut.

Er sah Professor Goldstein nach, bis hinter ihm die Pendelglastür zuschwang. Dann nahm er eine rote Rose aus dem gewaltigen Strauß und trug sie zurück in Irmis Zimmer. Eine einzelne Rose gefährdete bestimmt nicht die Nachtluft. Er steckte sie in Irmis blondes Haar, küßte ihre Hände und wartete auf Frau Else Viernisch und seinen Sohn Peter Johann.

Begräbnisse sind etwas Schreckliches. Für viele allerdings bedeuten sie nicht viel mehr als gesellschaftliche Abwechslung im ermüdenden Einerlei des Alltags. Man sieht Bekannte und lernt Fremde kennen, erfährt viel Neues und darf sich selber sehen lassen, kann über den teuren Verblichenen sprechen und Erlebtes mit Gehörtem mischen und hat hinterher noch tagelang Gesprächsstoff.

Die Grablegung des Apothekers Johann Lohmann auf dem Friedhof Melaten zu Köln war, durch die Tagespresse hochgetrauert, ein Ereignis besonderer Art. Das Institut Fortmann hatte alles getan, um Lohmann würdig zu bestatten. Der Apotheker Lohmann, das stellte sich jetzt heraus, war ein Menschenfreund, ein Wohltäter der Gemeinde gewesen, und so durfte ein jeder bei der Beerdigung gewisse Rechte auf ihn geltend machen. Die Abordnung der Apothekerkammer, der Kegelclub, das Deutsche Rote Kreuz, die Kriegsgräberfürsorge, die Delegierten einer liberalen Partei, der Lohmann nie beigetreten war, die sich jedoch Hoffnungen auf ihn gemacht hatte, drei Sprecher pharmazeutischer Fabriken, vier alte Kameraden (etwas verschämt im Hintergrund, gleichsam unter dem Rockrevers das NS-Parteiabzeichen), ein gerade gegründeter Kriegerbund (noch ohne Lizenz der Besatzungsbehörde), zwei Ärzte von der Ärztekammer und endlich auch Onkel Hannes Lohmann, der jüngere Bruder, und sein Freund, der Fuhrunternehmer Heribert Bluttke. Beide kamen aus Hamburg, wohin sie sich abgesetzt hatten, nachdem ihnen 1945 in Köln zu Ohren gekommen war, daß man sie als Parteigenossen und somit als Mitschuldige an dem ganzen Schlamassel suchte. Die Gefahr war jetzt vorbei, sie waren entnazifiziert als harmlose Mitläufer, aber da sie in Hamburg ihre neue Existenz aufgebaut hatten, waren sie im Norden geblieben, wenn auch mit kölscher Wehmut im Herzen.

»Wir kennen dich gut, Hellmuth«, sagte Hannes Lohmann und schüttelte Wegener die Hand. »Da staunste, was?! Wir waren deine Trauzeugen... ich und der Heribert Bluttke. Du standest als Foto vor uns auf dem Tisch, der Stahlhelm daneben, und ich habe mich damals gefragt, was ist das bloß für ein Rindvieh, das heiratet, ohne seine Braut auch nur einmal gesehen zu haben?! Dann kam der Fliegeralarm, und aus war die Feier. Jetzt endlich lernen wir uns kennen – und wie ein Rindvieh siehst du eigentlich nicht aus!«

»Danke«, sagte Wegener still. »Es war schon eine verrückte Zeit. Es ist schön, daß ihr gekommen seid.«

»Um Johann zu begraben. Ehrensache. Wird ermordet! Unfaßlich.«

Heribert Bluttke, noch dicker als damals, jetzt fast zweieinhalb Zentner, schnaufte und putzte sich die Nase. Die geladenen Gäste drängten in die Friedhofskapelle, die Sehgäste – bestimmt an die zweitausend – bevölkerten die Wege zwischen den Gräbern und warteten. Gott meinte es gut; er ließ eine helle, aber doch kühle Spätherbstsonne scheinen, der Boden war trocken, man bekam keine nassen Füße, stand nicht im Schlamm und zertrat nicht die Blumen der Gräber, die jetzt im Wege standen. In der Kirche intonierte der Orgelspieler – die Stunde 50,– DM, damals wurde Kunst noch gebührend gewürdigt – den Anfang des Trauermarsches aus Wagners »Götterdämmerung«, was in diesem Kreis niemand mehr als Politikum auffaßte.

»Du mußt uns hinterher alles erzählen, mein lieber Hellmuth«, sagte Hannes Lohmann. »Wo ist Irmi? Schon in der Kirche?«

»Im Krankenhaus.«

»Mein Gott! Hat sie Johanns Tod so umgeworfen?«

»Sie hat ein Kind bekommen. Unseren Jungen. Peter.«

»Das is 'n Ding!« sagte Bluttke laut. »Den Johann bringen sie um, und die Irmi kriegt zur gleichen Stunde ein Kind! Geradezu pervers ...«

»Gehen wir!« Wegener wandte sich ab und rannte fast zur Friedhofskapelle. Er hörte hinter sich Bluttke keuchen, Übelkeit kam in ihm hoch. Gleich drehe ich mich um und schlage ihm in die Fresse, dachte er. Und was von Hannes Lohmann zu halten ist, das wird man noch erfahren. Sie haben sich bis zum heutigen Tag nicht gerührt, die beiden, und Johann Lohmann hat auch nie über sie gesprochen. Übrigens auch Irmi nicht, obgleich sie ihre Trauzeugen waren. Was soll ich mit ihnen anfangen? Sie scheinen die einzige Verwandtschaft zu sein. Man sollte ihnen nachher den Schnaps mit dem Trichter einschütten und sie dann nach Hamburg zurückschikken.

Hinten in der Kirche stand auch Kommissar Runckel. Er nickte Wegener zu. Weiter vorn sah Wegener Professor Goldstein, sein weißes Haar leuchtete in der Sonne, die durch die Kirchenfenster schien. Herr Fortmann kam Wegener entgegen, nahm ihn wie ein Kind an die Hand und führte ihn in die erste Sitzreihe, direkt vor den mit Blumen überhäuften und somit fast unsichtbaren Sarg. Der Orgelspieler war mitten im Trauermarsch, er intonierte ihn sehr feierlich und mit viel Gefühl.

Wegener setzte sich. Der fette Bluttke war keuchend zurückgeblieben, Wegener hörte nur, wie sich Hannes Lohmann hinter ihn setzte. Dafür nickte ihm jemand zu, der rechts von ihm saß, ein Herr mit rundem Bauch und einem kecken Bärtchen auf der Oberlippe.

Über seine linke Wange lief eine lange Narbe, ein Durchzieher, wie man das bei den schlagenden Corps nennt.

Wegener erwiderte kurz das Nicken und bereitete sich auf eine unangenehme Begegnung vor. Wer ist das, dachte er. Ein Arzt? Was macht er hier neben mir auf der Ehrenbank? Auf jeden Fall ist er Vollakademiker, er hat einen Schmiß auf der Backe, von dem Leute seines Schlages träumen. Er wird mich ansprechen, und dann kommt es darauf an, wovon er redet. Flexibel sein – nur das hilft hier. Aufmerksam zuhören und erst etwas sagen, wenn man genau weiß, daß man das Richtige sagt.

Wagners Trauermarsch war zu Ende. Von der Seite nahte der Pfarrer dem Rednerpult. Der Mann mit dem Schmiß nahm die Pause wahr und beugte sich zu Wegener. »Schwangler«, sagte er. »Eduard Schwangler, nicht Schwängerer...«

Wegener atmete auf. Aha, das ist er, dachte er. Dr. Schwangler. Rechtsanwalt, Johann Lohmanns Anwalt. Gesehen hatte er ihn noch nie, aber oft war von ihm die Rede gewesen. »Er ist der beste Rechtsanwalt, den ich kenne«, hatte Lohmann einmal gesagt. »Aber es gibt auch keine zweite Erzsau wie ihn! Wenn er fünf Wörter spricht, sind vier Schweinereien dabei.«

Es schien zu stimmen. Die Vorstellung klang schon danach.

Wegener lehnte sich gegen die Banklehne und hörte dem Pfarrer zu, der nach Eingangsgebet und Bibelspruch das Leben des Apothekers Lohmann noch einmal aus seiner Sicht abrollen ließ. Danach war Lohmann ein gläubiger Mensch gewesen, der bei jeder Kirchensammlung immer einen anständigen Betrag gestiftet hatte, womit nun leider nicht mehr zu rechnen war. »Eine wertvolle Quelle des Lebens ist versiegt«, sagte der Pfarrer ergriffen. »Johann Lohmann war immer für die anderen da – als Apotheker, als Mensch, als Christ. Ein Samariter im alten Sinne, auf den man sich verlassen konnte.«

Dabei sah der Pfarrer mit deutlichem Blick Hellmuth Wegener an. Wie steht's mit dir, hieß die stumme Frage. Wegener erwiderte den Blick kühl und abwehrend, kreuzte die Arme vor der Brust und sah auf den unter den Blumen verschwindenden Sarg. Sicher verwaltete Dr. Schwangler das Testament des alten Lohmann, deshalb der Ehrenplatz in der ersten Reihe. Es konnte kein kompliziertes Testament sein. Irmi erbte alles, weil sie der Lebensinhalt ihres Vaters gewesen war. Sonst gab es niemanden, der Ansprüche erheben konnte.

Der Pfarrer kam zum Ende, betete wieder, der Orgelspieler ließ das Largo von Händel aufrauschen, irgendwo hinter Wegener schluchzte eine Frau; es klang ja so schön feierlich.

Wenn ich einmal begraben werde, dachte Wegener, soll das ganz anders werden. Still und ohne Aufwand. Ein unauffälliger Weggang, eine Reise ins Nichts. Trauer hat nichts mit Fahnen und großen Worten zu tun. Leid kauert sich ganz unten im Herzen, und dort bleibt es auch.

Dann, nach einer weiteren Stunde, war alles vorbei. Die Neugierigen verließen in Scharen den Friedhof Melaten, als kämen sie aus einem Fußballstadion. Ein paar Pressefotografen schossen Fotos, um Bilder von der ungeheuren Teilnahme des Volkes am Opfer des feigen Mordes zu haben. Man fragte Wegener, ob er für die Todesstrafe sei und ob der sechzehnjährige Junge in seinen Augen ein kaltblütiger Mörder oder auch nur ein Opfer des verrohenden Krieges sei.

»Mein Schwiegervater ist tot!« antwortete Wegener steif. »Alles andere ist Sache der Behörden und des Gesetzes. Den Gedanken an Rache kenne ich nicht. Von mir aus schreiben Sie, was Sie wollen... Es stimmt ja doch nur die Hälfte!«

Das machte ihn sofort unbeliebt bei den Presseleuten, aber das war ihm gleichgültig. Nur Dr. Schwangler meinte später, als sie noch ein paar Minuten am halb zugeschaufelten Grab standen:

»Sie sollten diplomatischer sein, Herr Wegener. Ein neues Deutschland entwickelt sich, das zwar eines Tages genauso dumm und unbelehrbar sein wird wie alle vorangegangenen Deutschlands, aber wir müssen in ihm leben. Ich glaube, wir sollten über alles einmal gründlich sprechen. Die meisten Menschen nehmen das Leben hin, wie es ist, und merken gar nicht, daß es eine dauernde Prostitution ist!«

So lernten sie sich kennen, Hellmuth Wegener und Dr. Eduard Schwangler, am offenen Grab. Hannes Lohmann stand neben ihnen und sagte beifällig: »Genau so ist es, Hellmuth!« Und der dicke Bluttke, schwitzend vor Ergriffenheit und deshalb noch kurzatmiger als sonst, schnaufte auf der anderen Seite und verkündete nach einer stillen Gedenkminute, daß er jetzt Durst auf ein Riesenglas Bier habe.

»Das wird zischen, wie wenn man einem heißen Mädchen auf den Nabel spuckt!« sagte er fett. Dann wandten sich alle ab, überließen das Grab den wartenden Totengräbern und fuhren zu einem Restaurant in der Aachener Straße, in dem Wegener einen kleinen Saal gemietet hatte, um Johann Lohmanns »Fell zu versaufen«. Es war ein auserwählter, kleiner Kreis, die Spitzen der einzelnen Verbände und Kammern, die nächsten Nachbarn, ein paar Unbekannte, die sich aber alte Freunde nannten – eine nach einigen Stunden sehr fröhliche Gesellschaft, die sich an knalligen Witzen delektierte, die vor allem Dr. Schwangler zum Besten gab. Er war darin unerschöpflich und servierte seine kleinen Schweinereien mit der Sprachkunst eines Burgschauspielers.

»Grüßen Sie mir Ihre liebe Frau –« sagte Schwangler, als man sich gegen Abend verabschiedete. »Ich nehme an, Sie fahren jetzt ins Krankenhaus.«

»So ist es.«

»Darf man sie besuchen?«

»Natürlich.«

»Sollen wir mit der Testamentseröffnung warten, bis sie wieder zu Hause ist?«

»Ich halte es für besser.«

»Ist ja auch nur eine Formsache. Ich kenne den Text. Sie ist Alleinerbin. Werden Sie jetzt auf Pharmazie umschwenken, Herr Wegener?«

»Ich glaube nicht. Ich werde einen Apotheker einstellen und mich um den Aufbau der Fabrik kümmern.« Wegener verhielt sich sehr kühl. »Ehrlich gesagt... ich habe keine Lust mehr, nochmals auf einer Schulbank zu sitzen. Nochmals zu büffeln und Examina zu machen. Der Krieg hat mich in eine andere Bahn geworfen, und die fahre ich jetzt hinunter. Ich habe das Gefühl, daß ich dabei viel Neuland erkunden und gar nicht schlecht vorankommen werde.«

Am Abend saß er wieder an Irmis Bett, roch nach Kognak und säuerlich nach Bier und aß ihr Abendessen, weil sie noch keinen Appetit hatte. Kalbsklopse mit Kapernsoße und Kartoffelbrei. Hinterher einen labberigen Schokoladenpudding mit einem Tupfer Sahne darauf. Dazu gab es Pfefferminztee. Krankenhausköche haben eine eigene Geschmacksrichtung.

»Es war ein würdiges Begräbnis«, sagte Wegener, als Irmi ihn stumm fragend ansah. »Vater muß sehr beliebt gewesen sein. Am erschütterndsten war der Pfarrer, der das Hinscheiden eines fleißigen Spenders beklagte.«

Er blieb im Krankenhaus, bis die Nachtschwester ihren Dienst antrat. Frau Viernisch erschien auch noch, holte ihre zwei Pfund Bohnenkaffee ab und berichtete erfreut, daß Irmi Milch genug habe, ja, man könne sogar ein paar Gramm für andere Neugeborene abzapfen.

»Du siehst müde aus, Liebling«, sagte Irmi und streichelte Wegeners Haar. »Geh jetzt nach Haus und schlafe dich ordentlich aus. Du hast ganz tiefe Ränder unter den Augen.«

Er nickte, küßte sie, schlich mit der Hebamme zur Säuglingsstation und betrachtete noch einmal seinen Sohn. Satt und zufrieden schlief er, ein winziger, aber vollkommener Mensch.

»Es bleibt immer ein Wunder«, sagte er leise zu Frau Viernisch, »daß man so etwas in sich trägt.«

»Ganze lächerliche sechsundvierzig Chromosomen«, sagte sie und deckte den losgestrampelten Peter zu.

Wegener sah sie stumm an, brach das geflüsterte Gespräch ab und nahm sich vor, über Chromosomen nachzulesen, um mitreden zu können.

Ich werde mich als Gasthörer auf der Uni herumdrücken. Jede freie Minute. Das ist wichtig! Man muß Wissen sammeln, und wenn es auch nur Bruchstücke sind.

Er verließ auf Zehenspitzen die für Besucher gesperrte Säuglingsstation (er, als Arzt, war eine Ausnahme, wie Frau Viernisch betonte) und fuhr nach Hause. Es durfte keine Pannen mehr geben...

Nach zehn Tagen wurde Irmi entlassen.

Ihre Rückkehr in die Wohnung war ein Triumphzug. Alle Zimmer erstickten fast unter Blumen, ein Berg von Glückwunschpost wartete auf sie, Wegener rief so etwas wie einen »Tag der offenen Tür« aus, an dem alle Nachbarn und Freunde Irmi und den kleinen Peter bestaunen konnten, es gab Cocktails zu trinken, belegte Brötchen verschwanden schnell von den Platten, Lobreden vergoldeten Irmi und das Kind. Dann war auch das durchgestanden, und der Alltag kam ins Haus. Dr. Schwangler brachte ihn mit, in Form einer Frage:

»Wie ist das nun? Die Apotheke muß weitergehen. Sie haben keine Fachausbildung, mein Lieber, sind ein abgebrochener Mediziner und waren bei Ihrem Schwiegervater ein besserer Verkäufer. Laut Apothekengesetz muß aber ein examinierter Apotheker den

Laden führen, denn Medikamente unterscheiden sich von Heringen gewaltig, obgleich man auch durch einen faulen Hering auf der Schnauze liegen kann. Ich habe schon mit der Apothekerkammer gesprochen. Man will Ihnen vorschlagen, einen Provisor einzustellen. So ein junger Mann ist approbiert und billig, Sie bleiben der Chef, und wenn Ihre Pläne mit dem richtigen Schwung unters Volk kommen, können Sie bald auf goldenen Lokussen scheißen...« Dr. Schwangler räusperte sich und grinste jungenhaft, was er immer tat, wenn er eine Ferkelei von sich gab. »Stimmt es, daß Sie in Ihrer neuen pharmazeutischen Fabrik Aufbaumittel herstellen wollen?«

»Ja. Vitaminpillen, Nervennahrung, Zellstoffwechselfermente, allgemeine Regenerationsmittel...«

»Mit anderen Worten: Ständerfabrikate!« lachte Dr. Schwangler.

»Das ist Ihre Version, Doktor! Ich will den durch Krieg und Nachkriegszeit geschädigten Menschen helfen, ihren Organismus zu stärken.«

»Und ihren Orgasmus auch!« Dr. Schwangler klatschte begeistert in die Hände. »Mein lieber Wegener, Sie haben es erkannt. Sie sind auf dem Weg, Millionär zu werden! Der Verkauf von Potenz ist das glänzendste Geschäft, vor allem weil der Glaube der Käufer mitspielt. Wir sollten das durchsprechen. Ich schlage Ihnen vor, daß ich als Kompagnon bei Ihnen mitmache. Na?! In drei Jahren schluckt ganz Europa Lohmanns Pimperpillen! Ich will ganz ehrlich zu Ihnen sein: Ich hatte Sie verkannt. Ich hielt Sie für einen trockenen Stock. Aber Sie sind ein Genie in der Stille! Der seriöse Beglücker stillgelegter Betten! Mann – das ist ein Geschäft!«

Schon am 1. November trat ein Provisor in die Lohmannsche Apotheke ein. Er hieß René Seifenhaar und hatte sich daran gewöhnt. Man kann sich Vaternamen nicht aussuchen. Provisor Seifenhaar war ein schöner Mann, ein Typus, den man sonst nur in Illustrierten oder im Film sieht, groß, schlank, mit gelocktem schwarzen Haar wie ein Südländer, mit elegantem Auftreten, einer sanften Stimme und braunen Rehaugen. Mädchen, jüngere und ältere Ehefrauen machten sich nun gleichsam in Scharen auf zur Apotheke; für alle hatte René Seifenhaar einen milden Blick, mehr aber auch nicht.

»Der Kerl ist schwul bis ins Knochenmark!« sagte Dr. Schwangler. »Ein wahrer Glücksfall. Wir werden ihn für unser Präparat als Titelfigur fotografieren lassen. Da glaubt jeder, daß man nach fünf-

zig Dragées den Mittelteil der Hose mit Blech beschlagen muß.«
Kurz vor Weihnachten gelang es Hellmuth Wegener mit Hilfe der Fachbücher, die er Wort für Wort studierte, aber auch mit der Unterstützung René Seifenhaars, im kleinen Apothekenlabor die ersten Dragées der Nullserie herzustellen, die man der Arzneimittelkommission vorlegen wollte. Dr. Schwangler wollte das Kräftigungsmittel ›Priaposan‹ nennen, nach dem griechischen Gott Priapos, dessen Dauererektion alle Göttinnen in Ekstase versetzte. Man einigte sich aber dann doch auf den harmlosen Namen ›Vitalan‹ und entwarf die erste Packung, auf der René Seifenhaar als schöner, kraftstrotzender Jüngling in knapper Badehose posierte.
»Das haut hin!« sagte Dr. Schwangler zufrieden. »Er hat an den richtigen Stellen die richtigen Rundungen.«

Am 17. Januar 1949 traf überraschend eine Einladung ein. In Zürich tagte ein Apothekerkongreß, und als einzigen Deutschen bat man Hellmuth Wegener zu einem Referat. Thema: Die Feldapotheke im Kriegseinsatz. Ein jetzt schon historischer Rückblick.
Wegener las die Einladung ein paarmal. Ein Vortrag vor einem europäischen Gremium! Wer hatte ihm diese Scheiße eingebrockt?!
Er suchte Dr. Hampel auf, klagte über Nervenschmerzen im linken Bein – was keiner kontrollieren und bestreiten konnte – und kam mit der Gewißheit nach Hause, zur Schonung der Nerven acht Tage im Bett liegen zu müssen.
»Das fehlt uns noch!« sagte Dr. Schwangler mißmutig. »Gerade in Zürich hätten Sie für unser ›Vitalan‹ die Trommel rühren können! Gut, schicken wir den schönen René hin.«
So erfuhr Wegener wenigstens, wer ihm das eingebrockt hatte, und legte sich zufrieden ins Bett. Irmi umsorgte ihn rührend, umwickelte sein Bein mit einer elastischen Binde, damit sich die Nerven ausruhen konnten, und wenn Sohn Peter sich sattgetrunken hatte, lag er neben Wegener unter der Steppdecke und schlief zufrieden und warm und schnarchte ganz hell durch sein winziges Stupsnäschen.
Ein Leben voll greifbarer Wunder.
René Seifenhaar erledigte seine Arbeit in Zürich vorzüglich. Mit seinem charmanten Wesen und seiner besonderen Veranlagung schuf er eine Reihe internationaler Kontakte und machte die noch in Gründung befindliche Fabrik für ›Vitalan‹ in Fachkreisen be-

kannt.

»Den geben wir nicht wieder her«, lachte Dr. Schwangler, als er Wegener am Bett die ersten Berichte aus Zürich vorlas. »Was du nicht mit deiner Intelligenz schaffst und ich nicht mit Zehnfingerspiel, das macht der Kleine mit seiner erotischen Rückseite! Das ist die ideale Dreierkombination für einen Dauererfolg.«

»Sie bleiben ein Ferkel!« sagte Wegener und grinste. »Aber man muß Ihnen recht geben. Wenn das verdammte Bein nicht wäre! 1941 hab ich's mir erfroren, und da müssen die Nerven einen Knacks bekommen haben...«

Es ist gut, immer eine solche Hintertür in die Krankheit offenzuhalten, dachte er stolz. Damit kann man vieles abbiegen und vielem ausweichen, und jeder glaubt es einem! Der Krieg wird unserer Generation behilflich sein bis zum Lebensende, er wird immer unsere große Ausrede bleiben! So hat er wenigstens doch etwas Nutzen gebracht: Wir können uns hinter ihm verkriechen. Er ist unser Alibi.

Kurz vor Karneval – in Köln feierte man ihn wieder mit alter Herzlichkeit, denn wer dem Kölner seinen Karneval und seinen Dom nimmt, könnte ebenso die ganze Welt vernichten – brachte die Morgenpost wieder einen ungewöhnlichen Brief.

Wegener stand im Neubau der Fabrik und sah zu, wie man eine Deckenverkleidung einzog – schallschluckende Platten –, als der Lehrling Norbert Schmitz, seit einem Monat bei Lohmanns Apotheke in Ausbildung als kaufmännischer Gehilfe, die Post in den Neubau brachte.

Schon der Absender des vornehmen Büttenkuverts signalisierte Gefahr: Vereinigung ehemaliger Abiturienten des Goethe-Gymnasiums Hannover. Es war die Einladung zu einem Klassentreffen, zu einem Wiedersehen, zur ersten Begegnung nach dem Krieg.

»Mußt du da hingehen?« fragte Irmi.

Er wurde hellhörig. Wollte sie ihn warnen? Aber weshalb? Ahnte sie Zusammenhänge? Nein, das war undenkbar...

»Warum nicht?« sagte er. »Es macht doch Spaß, die alten Kumpel wiederzusehen.« Es klang nicht überzeugend, aber er wollte wissen, ob Irmi auf ihrer Ablehnung bestand.

Doch sie hob nur die Schultern. »Wenn es dir Freude macht...«

Und plötzlich wurde ihm bewußt, daß es nun kein Zurück mehr für ihn gab. Ich bin ein Idiot! beschimpfte er sich. Ich hätte doch nur zu sagen brauchen: Nein, natürlich muß ich da nicht hingehen, was kümmert mich die Penne!? – Dann wäre das Problem schon gelöst gewesen.

Nun wird es eine Katastrophe geben. Meine Mitschüler, meine Mitabiturienten! Ich werde dastehen wie ein Blinder, dem man einen Sonnenuntergang zeigt. Ich kenne doch niemanden von ihnen. Das Bein muß wieder her, diesesmal das rechte, das verwundete. Mein Gott, Hannover wird eine Katastrophe werden!

»Hellmuth«, sagte Irmi sanft. »Soll ich mitfahren?«

Klang das nicht schon wieder, als sei sie besorgt? Er sah sie von der Seite an, aber sie hatte sich halb abgewandt und drehte das Kuvert in ihren Händen. Er schluckte und nickte kurz. Es gab wirklich kein Zurück mehr.

Er antwortete, das sei nicht nötig, es sei ein reines Männertreffen, natürlich führe er hin, aber die Wunde im rechten Oberschenkel, die jucke wieder so verdächtig, und außerdem habe man noch zehn Tage Zeit, sich die Sache zu überlegen.

In diesen zehn Tagen beschaffte sich Wegener die Namen ›seiner‹ damaligen Mit-Abiturienten. Das war nicht schwierig, ein Auskunftsbüro besorgte ihm die Liste des Jahrgangs. Aber was nutzten Namen? Wie hatten die Jungen ausgesehen? Was hat man gemeinsam erlebt? Besaß Hellmuth Wegener einen Spitznamen? Hatten andere Mitschüler einen? Wie hatte man die Lehrer genannt?

Beladen mit Unsicherheit und unterdrückter Angst, fuhr Hellmuth Wegener nach Hannover zum Klassentreffen. Man muß das durchstehen, dachte er. Es ist wie eine Generalprobe: Gelingt sie einigermaßen, wird eine Sicherheit über mich kommen, aus der mich niemand mehr vertreiben kann! Vielleicht ist dann die Persönlichkeit des Hellmuth Wegener perfekt. Vielleicht...

Als er in Hannover eintraf, hatte er schweißnasse Hände und ein von außen her nicht sichtbares Zucken im Hals.

6

Hannover sah noch ziemlich wüst aus, eine aufgeräumte Trümmerstadt, aber immerhin schon wieder eine saubere Stadt, trotz all der Ruinen, an die Wegener ja von Köln her gewöhnt war und die man schon gar nicht mehr bewußt wahrnahm, weil sie zum Alltagsbild

Deutschlands gehörten. Diese Stadt bewies, daß auch ein total verlorener Krieg einen wohl auf die Knie zwingen kann, aber nicht im Trümmerstaub ersticken lassen muß.

Die ›Vereinigung ehemaliger Abiturienten und Schüler des Goethe-Gymnasiums Hannover‹ hatte ein kleines renoviertes Hotel gemietet und tagte in einem Hinterzimmer, stolz ›Sälchen‹ genannt. Wegener schien einer der ersten Gäste zu sein. Der Hotelier begrüßte ihn fast überschwenglich, er erhielt ein Doppelzimmer mit fließendem Wasser und einer Duschecke, in der die Brausentasse frei auf dem Boden stand (ein Luxus besonderer Art) – und hätte doch viel lieber ein Einzelzimmer gehabt. Weiß man, mit wem man zusammen schlafen würde, was dann alles erzählt wurde, was man dann wissen mußte und doch nicht wußte?

»Einzelzimmer haben wir nicht«, sagte der Hotelier. »Noch nicht wieder. Erst, wenn das Hinterhaus fertig hochgezogen ist. Im Moment sind Doppelzimmer auch das bessere Geschäft.« Er lächelte verschmitzt.

Wegener packte seinen Koffer aus, zog sich um, betrachtete sich im Spiegel, holte das alte Foto von Hellmuth Wegener aus der Brieftasche und verglich sich damit. Das typische Militärfoto: Wegener als Fähnrich mit EK II, EK I, Gefrierfleischorden, Nahkampfspange. Kurz geschnittenes Haar, ein wenig Heldenpose. Ein Foto, das nichts verraten konnte. Rußland und Gefangenschaft graben Rinnen in ein Menschengesicht. Und eine Ähnlichkeit war immerhin vorhanden.

Wegener steckte das Foto wieder in das hintere Fach seiner Brieftasche, kämmte die braunen Haare, die jetzt viel länger waren als 1944, etwas lockerer und sah auf seine Armbanduhr. Noch drei Stunden bis zum Treffen.

Er setzte sich in den einzigen Sessel, ein wackeliges Ding mit Plüschbezug, holte aus dem Koffer ein Kompendium über Innere Medizin und Allgemein-Chirurgie, einen dicken Wälzer, betitelt ›Taschenbuch der Medizinisch-Klinischen Diagnostik‹, und begann, wie in den vergangenen Monaten, Seite um Seite und Wort um Wort zu lesen. Die Begriffe, die er nicht verstand, schlug er im Klinischen Wörterbuch nach, las oft ganze Passagen laut vor und hörte sich dabei selbst zu. Ein alter Trick, eine Erinnerung an seine Berufsschulzeit als Schlosserlehrling. Man behält am besten, wenn man alles visuell und tonlich aufbaut. So lernen auch, hatte er sich sagen lassen, die Schauspieler und Sänger. Laut vorlesen, laut vorsingen, bis einem der ganze Text wie festgewurzelt im Gedächtnis bleibt. Sie war wirklich gut, die Methode – er hatte auf diese Weise schon viel in sich aufgenommen und sich bei Gesprächen immer durchschlängeln können.

Es klopfte. Der Hotelier kam ins Zimmer, hinter ihm tauchte ein zweiter Mann auf, der Mitbewohner des Doppelzimmers, der Bettnachbar gewissermaßen. Wegener klappte die Bücher zu und erhob sich.

Erwartungsvoll sahen sich die beiden Herren an. Der Hotelier stellte den Koffer neben die Tür und verschwand sofort wieder.

Der Mann räusperte sich, auch ihm war diese erste Minute peinlich. Wenn man das erlösende Wort gesprochen hatte, ging alles besser.

»Zyschka«, sagte der Mann endlich, als Wegener stumm blieb. »Walter Zyschka.«

»Hellmuth Wegener.«

»Mensch! Du bist Hellmuth?« Zyschka klatschte in die Hände, stürzte auf Wegener zu, umarmte ihn und küßte ihn auf die Backe. »Mensch, Hellmuth, was haben wir uns verändert! Dieser Scheißkrieg! Du hättest mich nicht wiedererkannt, was?«

»Nein –« sagte Wegener ehrlich. »Aber jetzt, wo du's sagst: Ja! Der Walter! Hast du früher nicht eine Brille getragen?«

»Nee, das war der Brylla. Was hat der zu hören bekommen! Da kommt der Brylla mit der Brilla! Armer Kerl. Ist 1942 bei Minsk gefallen.«

»Stimmt!« Wegener klopfte Zyschka auf die Schulter und registrierte alles. Brylla mit der Brilla... das konnte man später gut anbringen. »Und wie geht's dir?«

»Ich bin Assessor der Jurisprudenz. Im Moment beim Grundbuch tätig. Scheißlangweilig! Will sehen, daß ich in die Staatsanwaltschaft hineinkomme. Und du, Hellmuth? Kurz vor dem medizinischen Staatsexamen?«

»Nein. Ich habe nicht weitergemacht, Walter.«

»Du bist verrückt! Du warst doch die Intelligenzbestie der Klasse! Dir flog alles zu, während wir anderen bimsen mußten. Du gingst am Nachmittag mit den Mädchen im Park spazieren, und wir paukten noch Vokabeln! Du konntest auf dem Schloßweiher Kahn fahren, und wir quälten uns mit chemischen Formeln herum. Und gerade du hast die Flinte ins Korn geworfen?! Mensch, Hellmuth!«

»Nach der Gefangenschaft kotzte mich alles an, Walter. Außerdem bin ich verheiratet, habe ein Kind, einen Sohn Peter.«

»Stimmt!« Zyschka erinnerte sich und lachte. »Ich habe mal gehört, du hättest dich ferntrauen lassen. Das kriegt nur der Wegener fertig, dachte ich damals. Und hat sogar Glück dabei!«

»Habe ich auch. Irmgard ist eine wundervolle Frau. Ich bin restlos glücklich.«

»Und wovon kauft ihr euch die Wurst aufs Brot?«

»Irmi hat eine Apotheke geerbt, die beste in Köln. Und zur Zeit baue ich eine pharmazeutische Fabrik...«

»Wie konnte ich auch so dämlich fragen! Hellmuth Wegener ohne Glück. Das gibt es nicht. Wie gesagt: dir fiel immer alles in den Schoß, als hättest du zwischen den Beinen einen Magneten!« Zyschka lachte grob... Juristen und Ärzte haben eine Vorliebe für deftige Witze und Wortspiele. »Wenn du einen Syndikus für deine Fabrik brauchst – denk an deinen Klassenkameraden Walter!«

»Selbstverständlich, alter Freund.«

Es wurde ein schönes Wiedersehen im »Sälchen« mit Schnaps, Bier, Wein und zum Abschluß Champagner, den Eberhard von Hommer bezahlte, der Reichste damals in der Klasse und auch jetzt. Sein Vater besaß Stahlwerke, hatte die vierte Frau, sie war jünger als Sohn Eberhard, wodurch ein heimliches Dreiecksverhältnis entstand. »So etwas solltet ihr euch leisten!« grölte Eberhard von Hommer weinselig. »Wessen alter Herr Witwer ist, der sollte seinem Vater zu einer jungen Frau raten. Praktischer geht es nicht: Der Senior ernährt sie, der Junior bewegt sie! Ein trautes Familienleben mit dreifacher Glücksgarantie: Papa ist stolz auf seine junge Frau, die junge Frau ist stolz auf Schmuck, Pelze, Auto und Namen, der Junior entwickelt häusliche Ambitionen und ist der Mühe enthoben, mühsam neue Betten aufreißen zu müssen. So hat jeder seinen Anteil am individuellen Glück! Wenn das keine Idealkonstruktion ist!«

Für Hellmuth Wegener gab es an diesem Abend eigentlich nur zwei kritische Momente: Das war, als er die beiden alten Lehrer begrüßen mußte, und natürlich keinen kannte, und als sein Banknachbar Fritzchen Leber, jetzt Architekt, zu ihm sagte:

»Mensch, Hellmuth, ich hätte dich nicht wiedererkannt! Obwohl wir neun Jahre zusammengehockt haben! Du hast einen runderen

Kopf bekommen.«

»Vielleicht vom vielen Stahlhelmtragen?« sagte Wegener schlagfertig. Die anderen brüllten vor Lachen, und das Thema war gestorben. Aber Fritzchen Leber wunderte sich noch manchmal an diesem Abend.

Da war die Sache mit Lore, dem Mädchen mit den langen roten Zöpfen, sechzehn Jahre war sie damals gewesen, und Wegener und Leber hatten um sie gekämpft wie Stiere. Sieger war Wegener geblieben, aber auch er war bei der roten Lore nicht weitergekommen als bis zu einem Kuß, einem mutigen Griff an die Brüste und einem Streicheln bis zum Oberschenkel. Dann hatte Lore sich geweigert und war sauer geworden.

»Eigentlich schade«, sagte Leber bedrückt. »Lore ist 1944 beim Bombenangriff verschüttet worden und erstickt. Weißt du das?«

»Nein.« Wegener versuchte, sich Lore mit den langen roten Zöpfen vorzustellen. Ihre Figur, ihre Brüste, die er umfaßt haben sollte, ihre Schenkel. »Wie die küssen konnte!...«

»Darauf noch einen Schampus!« schrie Eberhard von Hommer. »Jungs, wir waren eine gute Klasse! Was sagen unsere liebenswerten Pauker dazu?«

»Ihr wart Nervensägen!« sagte der alte Studienrat Sachtmann. »Die schlechteste Klasse in Mathematik. Vor allem Sie, Wegener.«

»Ich brauche keine Wurzeln mehr zu ziehen – ich bin doch kein Zahnarzt!« erwiderte Wegener und setzte mutig hinzu: »Für Blinddärme bin ich eher zuständig.«

»Und Ihr Latein, meine Herren?!« Der Lateinprofessor Lüders, den sie damals Stummel nannten, weil er immer einen erkalteten Zigarrenstummel im Mund hatte und ihn jeden Tag ganz vorsichtig auf die Pultkante legte, bis der kleine Hammerlein – er fiel schon 1940 als Freiwilliger in Frankreich – ihn mit Senf beschmierte, machte eine ausgreifende Handbewegung. »In Latein waren Sie alle wie ohne Hirn! Vor allem Sie, von Hommer! Eine Katastrophe! Und Sie, Wegener? Wie hat Ihr miserables Latein sich beim Medizinstudium ausgewirkt?«

»Hervorragend! Ich habe das Physikum mit Eins gemacht!«

Man ›sah sich wieder‹ bis zum Morgengrauen. Die Professoren verabschiedeten sich schon früher. Eine Taxe brachte die leicht schwankenden Herren nach Hause. Die ›alte Klasse‹ blieb noch zusammen und sprach von alten Zeiten.

»Immer alt, alt, alt!« rief Fritzchen Leber. »Jungs, wir sind doch keine Greise! Wir sind doch alle erst um die neunundzwanzig, dreißig herum! Reden wir doch von der Zukunft! Man hat uns sieben Jahre geklaut, dazu die Gefangenschaft, für manchen noch mal drei Jahre. Zwei von uns sind noch immer irgendwo in Sibirien! Neun sind gefallen oder vermißt! Wir sind übriggeblieben... ganze zwölf Mann! Und wir sollten wie damals zusammenhalten und versuchen, aus dieser Scheißzeit das Beste zu machen. Jedenfalls was Besseres, als unsere Eltern fertiggebracht haben!«

»Der ist Parteiredner!« grölte Zyschka. Er war so weit, daß man ihn nach oben aufs Zimmer bringen mußte. »Jungs, nichts mehr von Partei! Mit mir nicht! Wenn ein Deutscher ein Parteibuch hat, will er gleich die ganze Welt verändern! Warum machen wir nicht mal was anderes? Eine Weltgemeinschaft der Bumser?!«

Man brachte Zyschka aufs Zimmer, ehe er an der Kellnerin Hannelore demonstrierte, wie er sich sein Parteiprogramm vorstellte. Aber auch die anderen taumelten am Ende ihrer Aufnahmefähigkeit. Nur Wegener war wachsam, hörte allen gespannt zu, trank mit Maßen, kippte scharfe Sachen in einen Blumentopf und nahm mit der Verzweiflung des Menschen, dem die Maske das Leben bedeutet, alles auf, was er später verwerten konnte: von Hommers Verbindungen zur Großindustrie, Zyschkas Juristenclique, Fritzchen Lebers Architektenbüro, Kalle Vorberghs im Aufbau begriffene Einzelhandelskette, Hans Lehmanns internationales Transportunternehmen, Pitter Ortwins Verlagsdruckerei, die bald eine Zeitschrift herausgeben würde.

Die unterschiedlichsten Berufe waren hier im »Sälchen« versammelt, jedoch kein zweiter Arzt. Das beruhigte Wegener, das war ein Glück, mit dem er nicht hatte rechnen dürfen. Es konnte keine fachlichen Diskussionen geben, im Gegenteil, wenn Wegener etwas Medizinisches in seine Sätze einflocht, und sei es auch nur eine Bemerkung wie »Ich habe da neulich einen Mann gesehen mit ungewöhnlich kyphotischem Thorax...«, so hörte jeder seiner Klassenkameraden ehrfürchtig zu, obwohl es Quatsch war, denn eine Kyphose ist eine Rückgratverkrümmung, entweder angeboren wie eine Chondrodystrophie oder erworben wie eine Scheuermann'sche Erkrankung, die Adoleszentenkyphose. So weit wagte sich Wegener aber noch nicht vor. Was er von sich gab, genügte vollkommen, um seinen Ruf als ›Intelligenzbestie‹ bei den Klassenkameraden neu zu festigen. Erst als der Morgen graute, ging man, schwer betrunken, auseinander.

Walter Zyschka schnarchte fürchterlich im Doppelbett, als Wegener sich angezogen neben ihn auf die Decke legte. Das ganze Zimmer stank nach Alkohol.

Das wäre es also gewesen, dachte Wegener mit noch immer klarem Kopf. Das Klassentreffen. Soll jedes Jahr stattfinden, immer woanders, reihum. Einmal also auch bei mir in Köln. Soll man das durchhalten oder die ganze Sache einfach einschlafen lassen, indem man zu den nächsten Treffen nicht erscheint?

Er streifte die Schuhe von den Füßen und ließ seine ›Schulkameraden‹ an sich vorbeiparadieren. Man konnte sie alle brauchen, stellte er wiederum fest: den Großindustriellen, den Juristen, den Architekten, den Kettenlädenbesitzer, den Transportunternehmer, den Zeitungsmacher und Drucker, den Möbelhändler... Alles schöne runde Berufe, die sich ergänzen konnten. Und dazwischen er, der Apothekererbe, der zukünftige Chef einer pharmazeutischen Fabrik, der ›abgebrochene Mediziner‹, der aber genug Wissen hatte, um mitreden zu können: Hellmuth Wegener, wenn das alles nicht reicht, dir eine lebenswerte Existenz aufzubauen, bist du eine wurmstichige Pflaume! Dann schleiche dich weg nach Osnabrück und werde wieder Schlosser. Ein ehrbarer Handwerksmeister. Was du jetzt treibst und in aller Zukunft treiben wirst, ist ein ewiger Tanz auf dem Seil. Ohne Netz!

Aber du schaffst es! Du hast Irmi, du hast den winzigen Peter, du hast deine kleine Welt... Und vor allem: Du liebst alles, was du dir genommen hast, mit einer fast heiligen Liebe und könntest Gott jeden Tag auf Knien anflehen, es so weitergehen zu lassen. Alle sind doch glücklich dabei, keinen schädigst du, im Gegenteil, du schaffst Werte für deine Frau und dein Kind, und mit allem, was du tust, wirst du auch vielen anderen Menschen helfen können. Vergiß endlich, was war, und schlag dein Gewissen in Stücke, das dir noch immer zuflüstert: Peter, du bist ein Lump...

Hellmuth Wegener schlief nicht ein, obwohl ihm die Lider zufielen. In einer Art Dämmerzustand nahm er alles wahr... Zyschka zersägte einen ganzen Wald, im Nebenzimmer fluchte Fritzchen Leber, der nicht schnell genug zur Toilette auf dem Flur kam, das Fenster aufriß und – so hörte sich's an – auf die Straße pinkelte. Im Nebenzimmer zur Rechten hörte man eine Diskussion zwischen

Eberhard von Hommer und dem Hotelier, der sich weigerte, die Kellnerin Hannelore herunterzuholen, auch nicht für fünfhundert gute Deutsche Mark.

Dann war endlich Ruhe im Haus, Wegener duselte etwas ein und wachte erschrocken auf, als Zyschka aus dem Bett fiel. Aber er schlief auf den Dielen weiter. Wegener öffnete das Fenster, um den Gestank hinauszulassen, und blickte auf die noch schlafende Straße.

Morgen wieder in Köln, dachte er. Bei Irmi, in ihren weichen, warmen Armen, eng an ihrer Pfirsichhaut, die Finger um ihre blonden Haare gedreht, die Beine ineinander verschlungen, irgendwo am Schenkel das Gefühl ihres lockigen, warmen Schoßes.

Mein Gott, welch ein glückliches Leben!

Erhalte es mir, mein Gott. Bitte, bitte, erhalte es mir!

Am späten Vormittag das Kaffeetrinken. Noch einmal alle zusammen an einem Tisch, mit roten Kaninchenaugen, Tränensäcken, saurem Atem, etwas bläßlich, Müdigkeit noch in den Nerven, auch wenn man sich munter und kräftig gab und so tat, als mache einem solch eine Nacht nichts aus.

»Das war schön, daß wir uns alle mal wiedergesehen haben!« sagte Fritzchen Leber. Und Pitter Ortwin verkündete: »Beim nächsten Mal steht meine Zeitschrift. Dann gibt es eine große Bildreportage: ›So sieht unsere geistige Elite aus!‹«

Man lachte dröhnend, verdammt, man war eine gute Kameradschaft, gewissermaßen eine Familie, nachdem man den Krieg überlebt hatte und nun, nach den Jahren des Hungers und des Schwarzen Marktes, endlich auf dem besten Wege war, sich eine lohnende Existenz aufzubauen.

»Wir schreiben uns!« sagten sie, als sie nach dem Kaffee in ihre Autos stiegen. Sie hatten alle eins – vom Mercedes (natürlich von Hommer) bis zum DKW mit Sperrholzkarosserie, den ausgerechnet der Architekt Leber fuhr. »Wir wollen uns jeden Monat einmal schreiben. Das schafft jeder von uns trotz seiner Arbeit. Wir sind doch eine verdammt kameradschaftliche Klasse!«

Dann fuhren sie in verschiedenen Richtungen davon, hupten noch einmal, winkten aus den Fenstern und wußten alle, daß man sich keineswegs jeden Monat schreiben würde. Nächstes Jahr in Münster, bei dem kleinen Leber, ja, da wollte man wieder dabeisein. War doch schön, Jungs, so von früher zu quasseln. Und die beiden Pauker – Mathematik und Latein – leben auch noch! Wenn uns der Krieg bloß nicht so beschissen hätte... Wie ständen wir dann da!

Hellmuth Wegener reiste als letzter ab. Er wartete, bis alle verschwunden waren. Dann atmete er auf und stieg in seinen Opel. Er hätte vorher nie geglaubt, daß man sich so elegant aus derart kritischen Affären ziehen konnte.

Auch das ist eine Begabung, dachte er. Schnelles Auffassungsvermögen, die Fähigkeit, auf die richtigen Stichwörter richtig zu reagieren, nie Erlebtes in die eigene Lebensgeschichte zu integrieren – darauf kommt es an. Redegewandt und wachsam mußte man sein, vor allem auch, wenn es um scheinbar nebensächliche Dinge geht – denn wegen einer kleinen Unachtsamkeit hat schon mancher Feldherr eine Schlacht verloren. Hilfreich ist auch wohldosierter Charme im Kostüm saturierter Bürgerlichkeit, und, nicht zu vergessen: eine Spur männlichen Raubtierinstinktes.

Damit kann man die Welt erobern!

Hellmuth Wegener, du bist doch ein Schwein. Aber sei ein liebenswertes!

Dr. Schwangler erwartete Wegener mit guten Nachrichten. Die Reise des Provisors René Seifenhaar nach Zürich zum Apothekerkongreß hatte sich gelohnt, vor allem seine außerkongreßliche Bekanntschaft mit einem Herrn der italienischen pharmazeutischen Industrie. Er hieß Giulio Betrucci, war sechsundfünfzig Jahre alt, leistete sich einen marokkanischen Chauffeur, einen tunesischen Gärtner, einen Sekretär aus Sardinien, einen Koch aus Venezuela und hatte sich in René Seifenhaar verliebt. Ein Brief und drei Telegramme waren schon aus Rom gekommen. Dort wohnte Betrucci in einem Palais und träumte von René.

»Wie war's in Hannover?« rief Dr. Schwangler enthusiastisch. »Alle wiedererkannt? Natürlich nicht! Was wir hinter uns haben, hat uns alle verändert! Die Gesichter schlagen Falten, dafür werden andere Dinge immer glatter. Haha! Also unser Ritter Seifenhaar bekommt eine Kooperation mit einem der größten italienischen Konzerne unter Dach und Fach! Betrucci will bei uns einsteigen und den Laden europäisch aufziehen. Er ist scharf auf unser *Vitalan* wie ein schnüffelnder Bock!«

Wegener setzte sich. Er war müde von der Fahrt. Seine angespannten Nerven brauchten Ruhe. »Ist es nicht möglich, ohne

Schweinereien mit Ihnen zu sprechen?« sagte er. »Dr. Schwangler, was will Betrucci in Rom?«

»Von René seinen... also gut: seine liebende Zuneigung, und von uns enge Zusammenarbeit. *Vitalan* als Markenartikel, eingeführt mit einem Werbeknall, der alle umwirft! In zwei Jahren liegt *Vitalan* auf jedem Nachttisch. Wir werden eine Menschheit schaffen, die alle Widerstände aufstößt. Im wahrsten Sinne des Wortes...«

»Mit Ihnen ist nicht zu reden.« Wegener stand auf. »Außerdem bin ich müde. Wir sprechen morgen weiter. Und dann ohne Sauerei!« An der Tür des Büros blieb er stehen. »Haben Sie konkrete Unterlagen?!«

»Ganz konkrete. Betrucci will in vierzehn Tagen nach Köln kommen. René Seifenhaar harrt seiner schon voller Sehnsucht... Gab's übrigens Weiber beim Klassentreffen?«

»Wir waren unter uns, Doktor!« schrie Wegener. »Nur Kameraden!«

»Muß eine merkwürdige Oberprima gewesen sein!« Schwangler schüttelte den Kopf. »Bis morgen also. Ich bereite alles vor. Betrucci will sofort in die Produktion gehen!«

»Aber das Präparat ist doch gerade erst über das Laborstadium hinaus, Doktor!«

»Na und? Darüber hinaus heißt juristisch: Es ist produktionsreif! Sind Giftstoffe drin?«

»Aber nein!«

»Gesundheitsgefährdende Substanzen?«

»Auch nicht.«

»Nur Vitamine und solches Zeug?«

»Unter anderem. Eine sinnvolle Kombination von...«

»Schon gelaufen, mein Lieber! Sinnvoll – das ist gut, das verkauft sich! Jeder Mensch hat Sinn für sinnvoll! Und der Name *Vitalan!* Sinnvolles *Vitalan!* Sinnenvolles *Vitalan!* – Die Welt wird ein Kaninchenstall werden!«

Wegener winkte ab und verließ das Zimmer. In seiner Art ist Schwangler ein Genie, dachte er. Am Gewissen wird er nie erkranken. Er wird sich vielleicht totfressen, totsaufen oder tothuren. Und das wird er ganz natürlich finden.

Betrucci in Italien. Ein Multikonzern. Und alles nur, weil mein Provisor René Seifenhaar so enge Hosen trägt.

Wie verrückt ist diese Welt! Muß man wirklich auch verrückt

sein, um in ihr zu bestehen? Gerade nur so ein bißchen verrückt, daß man die Aufmerksamkeit auf sich zieht, ohne verlacht zu werden – im Gegenteil: beneidet!

Er tappte die Treppe hinauf und sagte sich, daß ihm das nie gelingen würde. Er war zu normal.

Er spürte es ganz deutlich, als er gebadet hatte, im Bett lag und Irmi neben ihm auf der Bettkante hockte, mit einer Tasse duftenden Kaffees.

»Stell sie weg«, sagte er träge, durchflutet von einer warmen, nach Zärtlichkeit lechzenden Müdigkeit. »Kriech unter die Decke! Du weißt doch, ich ruhe mich am besten aus, wenn ich dich fühle...«

Er schlief tief und fest vier Stunden, bis zum Abendessen. Irmi lag neben ihm, auf seinen gleichmäßigen Atem lauschend, glücklich seine Nähe genießend. Sie hatte eine Hand auf seinem Geschlecht liegen, mit der anderen blätterte sie vorsichtig, damit das Rascheln der Seiten ihn nicht weckte, in der Apothekerzeitung, die auf ihren angezogenen Knien lag.

Endlich stand sie auf; der kleine Peter mußte seine Mischnahrung bekommen: ein Teil Muttermilch, ein Teil vorgesäuerte Milch aus einem Fläschchen. Die Milch in den Brüsten ließ nach, und Frau Viernisch, die ab und zu Irmgard Wegener besuchte, hatte den Rat gegeben, das langsam auslaufen zu lassen und den Kleinen abzusetzen, schon wegen der Brüste. »Dann bleiben sie fest«, sagte die Hebamme. »Sie haben schöne Brüste, Frau Wegener. Das soll so bleiben. Die Männer mögen das, die sind verrückt auf stramme Brüste. So eine ausgetrunkene Brust wird oft schlaff, und wenn die Kerle auch nichts sagen und so tun wie früher – sie denken sich doch was! Passen Sie auf, daß Ihre Brüste knackig bleiben, dann bleibt auch der Mann im Haus!«

Irmi kam zurück ins Bett, als sie Peter versorgt hatte. Hellmuth schlief noch immer. Sie holte eine Illustrierte, zog die Beine wieder an, las weiter und legte die andere Hand wieder über seinen Bauch. Sie spürte, wie etwas wuchs und sich rundete.

Schlaf weiter, dachte sie. Nachher, nach dem Abendessen... Nicht jetzt! Schlaf, mein Liebling. Du bist doch so müde... und ich liebe dich so unsagbar. Ich glaube, ich zerfalle zu Staub, wenn dir etwas passiert. Ich kann ohne dich nicht sein.

Schlaf, mein Liebling.

Er seufzte leise und hob im Schlaf seinen Unterleib ein wenig ihrer warmen Hand entgegen. Aber mehr geschah nicht – er war wirklich zu müde...

Zwei Ereignisse fielen in diesen Tagen zusammen und veränderten die gesamte Lebenslandschaft der Wegeners.

Am Rosenmontag erschien aus Rom der Industrielle Betrucci, um mit Hellmuth Wegener und dem Jüngling René Seifenhaar grundsätzliche Besprechungen wegen der gemeinsamen Arbeit am Projekt *Vitalan* zu führen. Dr. Schwangler verzichtete, wenn auch mit mühsamer Selbstbeherrschung, auf einschlägige Kommentare, staffierte Betrucci als flotten Cowboy aus, während René Seifenhaar sich als einäugiger Seeräuber kostümierte. Dann zogen sie los in das Kölner Karnevalsgetümmel und kamen erst Aschermittwoch wieder zum Vorschein.

»Um die Verträge brauchen wir keine Angst mehr zu haben«, sagte Dr. Schwangler zufrieden zu Wegener. »Da sind schon einige Siegel draufgedrückt...«

»Doktor!...« mahnte Wegener. Schwangler grinste unverschämt und verschwand in seinem Büro. Seit zwei Wochen hatte er alles zusammengelegt: seine Anwaltskanzlei und die Geschäftsführung der *Vitalan*-GmbH... Er hatte gut zu tun, führte die beste Anwaltspraxis weit und breit, denn jetzt, nach einer gewissen Normalisierung der Verhältnisse, da man begann, gutes Geld zu verdienen, und die Ruinen langsam, aber stetig aus den Städten verschwanden, wo Existenzen aufblühten und vor allem das Baugewerbe eine Art Goldgräberboom erlebte, hagelte es auch wieder Ehescheidungen. Darauf war Dr. Schwangler spezialisiert. Meist vertrat er die Ehemänner. Gegen Schwangler hatten dann die Ehefrauen keine Chance mehr, denn die Fragen aus dem Intimbereich, die er mit beispielloser Nonchalance stellte, trieben den armen Frauen die Schamröte ins Gesicht und machten alle Gegenwehr illusorisch. Schwangler konstruierte ehewidriges Verhalten ohne jeden Beweis, jonglierte mit Begriffen wie »geschlechtsvertrauliche Beziehungen« und gewann fast jeden Prozeß, weil die Ehefrauen vor soviel Frechheit kapitulierten. Sie hatten die Nerven nicht.

»Mein Mandant hat immer recht!« war Dr. Schwanglers Devise. Bei den Gerichten war er berüchtigt. Er hatte während eines Prozesses sogar einmal nachgewiesen, daß der Staatsanwalt mit einer Zeugin morgens aus einem Hotel gekommen war...

Schwanglers Instinkt trog nicht: Betrucci bat am Donnerstag nach Karneval um eine Unterredung mit Hellmuth Wegener. Aber an diesem Donnerstag traf aus Hannover ein Brief von einem Notar Dr. Siemsmeier ein. Wegener überlegte, als er das Kuvert aufschlitzte. Dr. Siemsmeier? Nein, ein Klassenkamerad war das nicht. Der einzige Jurist war Walter Zyschka, der große Schnarcher.

Wegener las den Brief zweimal, dann steckte er ihn in die Rocktasche, lief hinauf in die Wohnung und warf sich in einen der Sessel. Irmi sah ihn betroffen an. Hellmuth schien verstört zu sein. Sie legte den kleinen Peter, der auf ihrem Schoß gesessen hatte, zurück ins Kinderbettchen und setzte sich zu ihrem Mann.

»Was ist, Liebling?« fragte sie sanft. Sie wußte: Ihre zärtliche Stimme war für ihn wie Medizin. Wenn er Probleme hatte, sagte er entweder: »Sprich etwas, Irmi. Irgend etwas...« Oder er sagte: »Komm, fahren wir herum. Irgendwohin!« Dann mußte sich Irmi in den Opel setzen, Wegener hockte sich neben sie, stierte wortlos in die Gegend (die er gar nicht wahrnahm), und so fuhr sie ihn eine Stunde lang herum, meistens draußen am Stadtwald, bis er sagte: »Es ist gut, Irmi. Nach Hause!« Dann war das, was ihn bedrückte und worüber er nicht sprach, von ihr weggesprochen oder weggefahren worden.

»Ein Notar Dr. Siemsmeier hat geschrieben. Aus Hannover«, sagte Wegener und holte den Brief aus seinem Rock. Er faltete ihn auf und kratzte sich über den Nasenrücken.

»Wer ist Dr. Siemsmeier?« fragte Irmi und wartete.

»Ich – ich muß weiter ausholen.« Wegener starrte auf den Brief. Was er jetzt seiner Frau erklärte, hatte er gerade erst aus diesem Schreiben erfahren. »Bisher hatte ich immer geglaubt, alle meine Verwandten seien tot. Mir war vollkommen klar, daß ich der letzte Wegener aus Hannover bin. Der Krieg hat in unserer Familie gründlich aufgeräumt. Aber heute weiß ich es anders. Es gab einen Onkel in Hannover, einen Bruder meiner Mutter. Onkel Axel Hellebrecht. Meine Mutter war eine geborene Hellebrecht.«

»Das weiß ich.«

»Diesen Onkel Axel habe ich nie gekannt. Das heißt – ich muß ihn gekannt haben, als Kind! Um so mehr hat er sich um mich gekümmert, ohne daß ich es gemerkt habe.«

Wegener spürte, wie es unter seiner Hirnschale heiß wurde, wie leichter Schweiß aus den Poren drang. Es gibt keinen Menschen ohne Vergangenheit, dachte er. Irgendwann, irgendwie kommt sie zu ihm zurück, unverhofft, ein Gespenst aus dem Dunkel des Vergessenen. Hier ist es Onkel Axel Hellebrecht. Er ist gestorben, und sein Tod bringt sie jetzt ans Licht.

»Ich lese dir am besten vor, was Dr. Siemsmeier schreibt«, sagte er und gab seiner Stimme einen geschäftlichen Ton. »Paß mal auf:

›Lieber Herr Wegener,

ich muß Ihnen die bedauerliche Mitteilung machen, daß Ihr Onkel, Herr Axel Hellebrecht, wohnhaft Hannover-Herrenhausen, Schloßstraße 19, vor drei Tagen plötzlich verstorben ist. Ich darf Ihnen mein tiefempfundenes Mitgefühl aussprechen.

Seit über dreißig Jahren vertrete ich notariell die Interessen des jetzt Verstorbenen und habe, seinem Letzten Willen entsprechend, der in einer Präambel seines Testamentes vorlag, die Beerdigung in aller Stille vorgenommen und von einer allgemeinen Anzeige seines Todes abgesehen. Die Präambel verpflichtete mich aber auch, Ihnen nach diesen drei Tagen mitzuteilen, daß es der letzte Wunsch Ihres Onkels war, bei mir sein Testament zu eröffnen und es anzunehmen.

Ich bin vorweg beauftragt, Ihnen zu sagen, daß Sie Alleinerbe sind. Da es der Herzenswunsch Ihres Onkels war, daß Sie Medizin studierten, und dies auch getan haben, fällt Ihnen jetzt die Hinterlassenschaft zu. Sie besteht aus einer Villa samt Einrichtung und dreitausend Quadratmeter Park in Hannover-Herrenhausen, dem Bankkonto, dessen Höhe noch festgestellt wird, und dem Gesamtkomplex der Chemischen Werke *Protosano*.

Um den ganzen Komplex Ihres Erbes durchzusprechen und die rechtliche Seite zu würdigen, bitte ich Sie, mir mitzuteilen, wann Sie zur Testamentseröffnung nach Hannover in meine Kanzlei kommen können...‹ usw...«

Wegener ließ den Brief auf den Schoß sinken. »Onkel Axel...« sagte er heiser. »Das – das stimmt. Ich habe Medizin studiert, weil er es gerne wollte...«

Irmi sah ihn starr an. Sie hatte die Hände verschlungen, und ihre Finger knackten, so fest preßte sie sie in ihrer Erregung ineinander.

»Die *Protosano*-Werke«, sagte sie leise. »Hellmuth, die gehörten deinem Onkel? Diese großen Werke? Und du – du hast sie jetzt geerbt? Wir sind die Besitzer von *Protosano*? Ich bin wie gelähmt...«

»Ich auch!«

Wegener wischte sich mit beiden Händen über das Gesicht. Es war schweißnaß. Das ist das Ende, dachte er. So ein Erbe kann man nicht einfach in die Tasche stecken wie eine Uhr. Da muß man nachweisen, daß man wirklich der letzte Wegener ist. Hellmuth Wegener. Da wird man von den Behörden durchleuchtet. Hier geht es um Millionen, um eine chemische Fabrik mit einem Weltnamen. Verdammt, warum hat Hellmuth nie von diesem Onkel Axel erzählt, von dem Bruder seiner Mutter, den die ganze Welt kennt? Wie soll ich aus dieser Gasse heraus?! Wie soll ich glaubhaft machen, daß ich der letzte Wegener bin?! Genügt der Entlassungsschein aus Sibirien? Die Kennkarte, die man mir in Köln ausstellte, nach eidesstattlicher Erklärung?! Wenn in Hannover nicht alle Standesamtsakten verbrannt sind, muß ich noch aktenkundig sein. Wo bin ich geboren? Zu Hause oder in einem Krankenhaus? Welche Vornamen hatte mein Vater, welche meine Mutter? Wann sind sie geboren? Das brauchte ich ja alles nicht mehr... ich bin ja als ›alter‹ Ehemann aus Sibirien zurückgekommen, und danach hat keiner mehr gefragt.

»Wir haben jetzt die *Protosano*-Werke«, sagte Irmi mit zitternder Stimme. »Liebling, wir – mein Gott, plötzlich gehören uns Millionen...«

»Noch nicht!«

»Wenn du der Alleinerbe bist...«

»Das muß sich noch klären, Irmi. So ein Riesenerbe trägt man nicht in einem Rucksack davon. Das gibt eine Menge Rennerei, Behördenverhandlungen, Übergabezeremonien. Und – und ich weiß noch gar nicht, ob ich es annehme.«

»Du bist verrückt, Hellmuth!« sagte sie laut. Zum erstenmal hatte sie eine härtere, energische Stimme. Er starrte sie entgeistert an. »Wirklich, du mußt verrückt sein, wenn du das ausschlägst! Warum denn? Was soll aus den Werken werden?«

»Vielleicht eine Aktiengesellschaft, in der ich als Hauptaktionär ohne Funktion sitze. Und warum? Irmi, dieses Erbe macht unsere Familie kaputt! Nehme ich an, dann wirst du nur noch durch Briefe und Postkarten von mir hören. Mal aus New York, mal aus Rio, aus Tokio... Und wenn wir uns einmal wiedersehen, sage ich Gnädige Frau zu dir, so fremd werden wir uns geworden sein! Nein! Ich opfere meine Ehe nicht dem Lustgefühl, Konzernherr und Millionär zu sein!«

»Und Peter?« sagte sie schlicht. »Denkst du nicht an Peter?«

Er zuckte zusammen wie unter einem Schlag. »Welcher Peter?« stotterte er.

»Unser Kind, Liebling... was sonst für ein Peter?!«

»Er hat genug mit der Apotheke und unserer *Vitalan*-Fabrik. Irmi...« Er sprang auf, lief zu ihr, umarmte sie von hinten, zog ihren schmalen Kopf zurück und küßte ihre geschlossenen Augen. »Ich habe einfach Angst, dieses Riesenerbe anzunehmen.«

»Angst?« Ihre Stimme verwehte unter seinen Küssen. »Und wenn ich dir dabei helfe?«

»Wie könntest du helfen?«

»Ich bin bei dir, immer um dich, und ich massiere dir die Schläfen, wenn du müde bist und erschöpft. Das hat immer geholfen, nicht wahr...?«

»Was da auf uns zukommt, Irmi, erdrückt uns«, sagte er heiser. »Das ist alles um zehn Nummern zu groß. Nicht ein Berg, ein Gebirge stürzt auf uns!«

»Bist du schwächer als dein Onkel Axel?« fragte sie. »Wenn er es konnte mit – wie alt ist er geworden?«

»Achtundsiebzig.«

»... mit achtundsiebzig Jahren, kann es ein Hellmuth Wegener mit dreißig erst recht! Fahr hin, Liebling, sieh dir alles an. Du bist doch nicht allein. Du hast Direktoren und Abteilungsleiter, Chefchemiker und Prokuristen, Juristen und Volkswirtschaftler.«

»Und sie bekommen einen Chef, der in einem riesigen Ledersessel sitzen wird wie ein Froschkönig!«

»Aber der Froschkönig im Märchen war ein wirklicher König, den die Liebe erlöste. Die Liebe!« Sie umfaßte seinen Kopf und zog ihn zu sich hinunter. »In keinem Märchen gibt es eine Frau, die so liebt, wie ich dich liebe. Wir fahren nach Hannover, Hellmuth!«

Dr. Schwangler war der gleichen Ansicht. Er war geradezu elektrisiert von den Möglichkeiten, die sich jetzt erschlossen. Die *Vitalan*-Werke, die *Protosano*-Werke, die Co-Operation mit Signor Betrucci in Rom – das war die Geburt eines Wegener-Imperiums in einer Zeit, in der die meisten Deutschen immer noch die lang entbehrten Freuden des Essens und Trinkens nachholten und zur Neueinkleidung antraten.

»Sie sind mehr als ein Glückspilz!« sagte Dr. Schwangler zu Wegener, als er die Botschaft aus Hannover studiert hatte. »Ein ganz

Stiller, mein Lieber. Sie haben die Begabung und den Charme, sogar das Schicksal zu beschlafen und mit ihm lauter kleine Millionen zu zeugen. Die *Protosano*-Werke! Jetzt haben wir eine Ausgangsposition gegenüber Betrucci, bei der wir Seifenhaars Charme nicht mehr brauchen.«

Es war sinnlos, Dr. Schwangler eine andere Sprechweise anzuerziehen. Vielleicht änderte sich das, wenn er von Wegener zum Generalbevollmächtigten ernannt wurde. Vielleicht aber auch nicht. Dann würden die Vorstandssitzungen wohl zu pornographischen Kolloquien entarten.

Mit Betrucci verhandelte man am Donnerstag nur kurz. Er war zu allem bereit, wenn René Seifenhaar in die römische Geschäftsleitung überwechselte.

»Sie sollen ihn haben, Betrucci!« sagte Dr. Schwangler großzügig. Und zu Wegener sagte er später: »Da haben wir jetzt eine Filzlaus genau an der Stelle sitzen, wo sie hingehört! Alles, was in Rom passiert, wissen wir ein paar Stunden später! Und jetzt auf nach Hannover!«

Schwangler sprach noch kurz mit dem Kollegen Siemsmeier, meldete ihren Besuch an, und am nächsten Montag fuhren sie mit zwei Autos los.

Notar Dr. Siemsmeier war ein eisgrauer Herr aus der alten Justizratsschule. Er küßte Irmi die Hand, lachte nicht über Dr. Schwanglers gleich beim Eintritt hingeknallte Feststellung, daß die Sekretärinnen erschreckend überaltert seien und wie man sich wohlfühlen könne unter soviel Dörrobst – er kam gleich zur Sache, holte Onkel Axels Testament aus dem Tresor und brach die Siegel auf. Schwangler zählte sieben.

»Geradezu alttestamentarisch!« bemerkte er.

Das Testament war kurz und klar. Hellmuth Wegener war Alleinerbe. Dr. Siemsmeier erkannte die Kennkarte an... die Daten stimmten überein mit der Geburtsurkunde, die er längst angefordert hatte. Die Standesamtsakten von Hannover waren also nicht vernichtet worden.

Wegener verhielt sich bei allem sehr still. Wie einfach das alles geht, dachte er, wie so oft schon. Niemand fragt. Es genügen ein paar Daten und ein paar Stempel. Und da man nachweislich der letzte seiner Familie ist, fragt man noch weniger. Man scheint sogar fröhlich darüber zu sein, den letzten Wegener aufgespürt zu haben.

»Sehen wir uns mal alles an«, sagte Irmi, die von großer Aktivität war. »Läßt sich das einrichten? Zunächst die Fabrik?«

»Aber ja! Jederzeit!« Dr. Siemsmeier sah Wegener an, lauernd, wie es Hellmuth schien. Wie ein Roßtäuscher am Don, der ein schönes rundes Pferdchen verkauft, kräftig und gesund, dem niemand ansieht, daß man ihm mit einem Rohr Luft in den Bauch geblasen hat. Wenn dann am nächsten Tag der Pfropfen aus Werg und Pech unter der Schwanzrübe hervorschießt und die Luft zischend entweicht, ist der Roßverkäufer längst in der Steppe verschwunden.

»Sie nehmen das Testament an?« fragte Dr. Siemsmeier mit dem Gesicht eines verhungerten Fuchses.

»Wir besichtigen erst«, sagte Dr. Schwangler fröhlich. »Ich habe es mir abgewöhnt, Jungfrauen im Rock zu akzeptieren! Pardon, gnädige Frau.« Er machte vor Irmi eine leichte Verbeugung. »Aber Vergleiche aus dem täglichen Leben überzeugen immer noch am besten.«

Es zeigte sich, daß Dr. Schwanglers Ferkeleien reale Hintergründe hatten: Die *Protosano*-Werke standen am Stadtrand von Hannover – ein riesiger Trümmerkomplex, in dem man zwei kleine Hallen wieder aufgebaut hatte. Ein einsamer Schornstein rauchte. Es roch penetrant nach Medizin, etwa so wie Aspirin, wenn man es auf eine heiße Ofenplatte legt.

»Das ist ein Ding!« sagte Wegener heiser. »Onkel Axel hatte Humor!«

Sie standen auf einem Hügel, der aus zusammengetragenen Trümmern errichtet worden war und auf dem jetzt Gras wuchs. Sogar vier Bänke standen auf der Kuppe. »Das Betriebs-Erholungsgelände!« sagte Dr. Siemsmeier mit Galgenhumor. »Im Frühjahr pflanzen wir hier noch zehn Bäume. Birken.«

»Das ist ungemein beruhigend.« Dr. Schwangler blickte über die große Trümmerwiese und die beiden Barackenhallen mit dem Schornstein. »Was kocht man denn da? Tabletten zur Hirnauflösung?!«

»So ähnlich.« Notar Dr. Siemsmeier holte aus der Manteltasche eine kleine Kognakflasche, im Ruhrgebiet Flachmann genannt. Er reichte sie herum, sie alle nahmen einen Schluck, es war sehr kühl an diesem Märztag. »Die Produktion beschränkt sich aus gegebenen Umständen nur auf ein Medikament. Cerebralon. Gegen Arterienverkalkung.«

»Ausgerechnet!« sagte Dr. Schwangler.
»Wir verkaufen es auch in unserer Apotheke«, sagte Irmi.
»Es wird überall verkauft.« Dr. Siemsmeier nahm noch einen Schluck aus dem Flachmann. »Es hat sich gut eingeführt. Es könnte die Grundlage sein für...«
»Wieviel ist auf dem Konto?« fragte Wegener.
»120000 DM.«
»Privat?«
»Ja. Die Geschäftskonten arbeiten mit Bankkrediten.«
»Ich träumte von einem Vögelein, sagte die Jungfrau, als der Arzt den dritten Monat feststellte.« Dr. Schwangler klappte seine Kollegmappe auf und schraubte den Füllhalter frei. »Ganz konkret, Herr Kollege: Was ist der ganze Scheißdreck wert? Verkehrswert.«
»Das Grundstück zwei Millionen. Die Baracken, die noch arbeiten, knapp 100000 DM. Die Maschinen: 500000 DM! Die Trümmer...«
»Sie Witzbold! Die kosten Geld, wenn man sie wegräumt!« Dr. Schwangler schrieb. Wegener hatte Irmi untergefaßt. Stumm sahen sie über das Trümmergelände und atmeten den Medizingeruch ein, der aus dem Schornstein in dicken, gelben Wolken quoll. »Wieviel Arbeitskräfte zur Zeit?«
»Vierzig. Fünfzehn in der Verwaltung und Forschung, fünfundzwanzig in der Produktion.«
»Eine Forschung haben die auch noch?«
»Drei hochqualifizierte Chemiker, die Herr Hellebrecht sogar vom Kriegsdienst freibekam. Das beweist ihre Qualität. Außerdem stellte ein Nebenzweig der *Protosano*-Werke Giftgas her.«
»Damit ist die Scheiße vollkommen!« Dr. Schwangler klappte die Kollegmappe zu. Er machte eine alles umfassende Handbewegung über das Trümmerfeld. »Bombenvolltreffer?!«
»Nein!« Dr. Siemsmeier mußte noch einen Schluck Kognak nehmen. Er war mit Axel Hellebrecht befreundet gewesen, über ein halbes Menschenalter hinweg. Aber was gewesen war, mußte nun gesagt werden. »Die Werke wurden von den Alliierten gesprengt. Abnehmer des Giftgases war die SS.«
»Ich verzichte auf das Erbe!« sagte Hellmuth Wegener laut. »Gehen wir! Wir brauchen nicht mehr darüber zu sprechen. Kein Wort mehr!«
»Halt!« Dr. Schwangler hielt Wegener am Mantelärmel fest. »Was

da produziert wird, ist gegen Arterienverkalkung! Und was wir produzieren werden, wird der ganzen Menschheit nützen. Der Axel Hellebrecht ist tot, das Werk ist gesprengt. In zwei Baracken arbeitet eine neue Generation. Auch Sie sind die neue Generation, Wegener. Verdammt, ich lehne den Begriff der Sippenhaft ab! Sie haben das Gas nicht produziert, und wer Ihnen später das vorhalten sollte, was Ihr Onkel getan hat, dem trete ich in den Sack! Ist das klar?! Wir nehmen das Erbe an!«

»Mit allen Verbindlichkeiten?!«

»Mit allen! Der ganze Scheißdreck da unten wird verkauft. Wir bauen die *Protosano* in Köln neu auf!«

»Sehr klug!« Dr. Siemsmeier streckte Wegener die Hand hin. »Das hatte ich mir nämlich für den Schluß aufgespart, um Sie wieder aufzurichten: Wie Sie sehen, ist eine Produktionserlaubnis für rein medizinische Präparate wieder erteilt worden. Und der Firmenmantel, der Name *Protosano*, ist geradezu unbezahlbar.«

Sie blieben eine Woche in Hannover, um mit den Behörden alles zu regeln. Irmi ließ den kleinen Peter nachkommen, eine Nachbarin unterzog sich gern der Mühe; eine Woche ohne den Jungen – das hielt Irmi nicht aus. Im Schloßpark Herrenhausen fuhr sie ihn spazieren.

Als sie am Sonntag wieder zurück nach Köln fuhren, war Hellmuth Wegener ein Millionär. Aber es war ihm auch für immer die Möglichkeit genommen, jemals zu gestehen, daß er der Schlosser Peter Hasslick war.

Was Hellmuth Wegener, Irmi und Dr. Schwangler in den nächsten Monaten und Jahren leisteten, erklärte sich nicht nur aus der Einsicht, vom Schicksal die günstigsten Startbedingungen bekommen zu haben, sondern auch aus dem Bedürfnis, die im Krieg verlorenen besten Jahre des Lebens auf diese Weise nachzuholen. Daß sie damals bis zu achtzehn Stunden am Tag arbeiteten und nur sechs Stunden schliefen, und das auch noch unruhig, weil das Gehirn sich von der Anspannung nicht befreien konnte, daß unter ihren Händen und mit ihrem Mut zum Risiko die neuen *Protosano*-Werke in die Höhe wuchsen, weit draußen vor den Toren Kölns, in einem rekultivierten Braunkohlengebiet, umgeben von Baggerseen und Trostlosigkeit, während Gartenarchitekten im Auftrage Wegeners bereits Pläne für eine neue Landschaft entwarfen – das alles interessierte später weder die Gewerkschaften noch die linken Revoluzzer, die von Ausbeutung schrien, Enteignung, Entflechtung und Machtstreben. Aber das war alles viel später.

In jenen Jahren 1949, 1950 und 1951 besaßen auch die Gewerkschaftsfunktionäre nur eine Hose und einen Pullover. Damals standen sie noch an der Hacke oder mischten selbst Beton, spuckten in die Hände und waren froh, wenn ihre Firmen Aufträge erhielten.

Aufbauen, hieß es. Heraus aus dem Dreck! Weg mit den Trümmern! Kein Volk der Erde hat so auf der Schnauze gelegen wie wir, – aber wir werden es der Welt zeigen, was ein Mensch alles kann in der Not.

Bereits am 1. Mai 1951 nahm die neue *Protosano* ihre Produktion auf. Dr. Schwangler hatte es fertiggebracht, das Erbe in Hannover so zu verkaufen, daß man die Gebäude aus eigener Kraft hochziehen konnte. Parallel dazu wuchs die kleine Fabrik für *Vitalan* in Lindenthal empor, hinter der alten Lohmannschen Apotheke, die auch eine neue Fassade bekam, vier Schaufenster und eine Art Passage um einen großen gläsernen Schaukasten, in dem Wegener Gemälde und Plastiken junger Künstler ausstellte. Eine Revolution ohne Beispiel! Kunst neben Abführmitteln!

Es waren die Monate, in denen Irmi wenig von ihrer Ehe hatte, wie vorhergesagt. Abends fiel Hellmuth ins Bett, las noch zehn Minuten in einem Kriminalroman – für geistigere Genüsse war er nicht mehr aufnahmefähig –, rollte sich dann auf die Seite, griff ab und zu nach Irmis Hüfte oder Brust und schlief sofort ein. Waren sie einmal zusammen, weil ihre Liebe immer wieder stärker war als jedes Bauprojekt, jede Sitzung, jede Konferenz, jeder körperliche oder geistige Streß, so reduzierte sich auch dieses Glück der Vereinigung, als sei es im Bauplan eingezeichnet: eine kurze, wilde Glut, eine sternenübersäte Erinnerung an frühere, lange Stunden, ein Sichumklammern, als ahne man, wie größer die Zeitspannen vom einen zum anderen Mal wurden, ein fast verzweifelter Kampf um das Gefühl der absoluten Lust – und dann das Auseinanderfallen, das desillusionierende Nebeneinanderliegen mit der bohrenden Erkenntnis: Es war schön, wunderschön, Irmi, ich liebe dich wie früher, ich liebe dich mehr, viel mehr, tiefer, inniger, ganz in mein Herz eingeschlossen – aber heute habe ich neunzehn Stunden auf den Beinen gestanden, und nach dieser halben Stunde jetzt mit dir fühle ich mich wie zerstört. Warst du glücklich, Irmi?

Und dann schlief er wieder ein, mit dem Kopf zwischen ihren Brüsten, mit halb offenem Mund, schwer, manchmal pfeifend atmend, mit einem Zucken in den Muskeln, weil die Nerven ihn terrorisierten. Wenn er so dalag, sah er aus, als habe man ihn bis zur Grenze des Erträglichen gefoltert. Es war furchtbar.

Dann lag Irmi ganz still, mit weit offenen Augen, starrte gegen die Zimmerdecke, legte die Arme um Hellmuths zuckenden, schweißnassen Körper und wußte nicht, ob sie weinen sollte oder ob sie so stark sein konnte, ihm zu sagen: Du machst dich kaputt, Hellmuth! Und mich dazu! Warum alles auf einmal, warum alles so schnell? Wir haben doch noch so viel Zeit…

Am Morgen war das dann alles weggeblasen. Da saß er im Bett, noch bevor der Wecker schellte, geladen mit neuer Energie, küßte Irmi aus dem Schlaf und sagte: »Du, wir werden in vierzehn Tagen in den USA eine neue Pillenstraße kaufen. Weißt du, was das ist? Ganz simpel ausgedrückt: Vorne schüttest du Pulver hinein, und hinten kommen die fertig gepackten Medikamentenschachteln heraus. Alles macht die Maschine, sogar die Mischungen und ihre Verhältnisse bis zu einem tausendstel Gramm. Das Ding kostet zwei Millionen!«

»Und wir haben das Geld?« fragte sie.

»Wir haben einen Namen und Kredite!« lachte er. »Man muß etwas wagen, Liebling. So eine Zeit wie heute kommt nie wieder! Wir können wieder Pioniere sein. Wir haben Neuland vor uns! Oder – wie Schwangler sagt – nimm einen Scheißhaufen, bestreue ihn mit blau gefärbtem Kalk und verkaufe ihn als Rosendünger!«

»Pfui!« sagte sie dann, sprang aus dem Bett und duschte sich. Und hier, unter der Dusche, in der gekachelten Kabine neben dem Schlafzimmer, geschah es dann manchmal, daß seine morgendliche Kraft in sie überfloß. Dann war es wie früher, und sie hätte wirklich weinen können vor Glück.

Die Eröffnung der neuen *Protosano*-Werke hatte Peter Wegener übernommen. Er war nun etwas über drei Jahre alt, hatte die blonden Haare seiner Mutter, die stämmige Figur seines Vaters, die kritischen Augen seines Großvaters Johann Lohmann und – vorerst allerdings nur – die Ausdrucksweise Dr. Schwanglers, den er Onkel Edi nannte. Kaum daß der kleine Peter artikuliert Papa und Mama sagen konnte, lehrte Schwangler ihn, ebenso klar Scheißdreck zu sagen, was eine pädagogische Meisterleistung war. Wegener hatte deswegen einen Riesenkrach mit Schwangler, man duzte sich jetzt, und Hellmuth schrie: »Wenn du dem Jungen noch weiter solche Sauereien beibringst, fliegst du, bei aller Freundschaft!«

Peter Wegener also eröffnete die Fabrik mit einem Vierzeiler, den er fehlerlos herunterleierte. Das Gedicht stammte von René Seifenhaar, der zu allem auch noch ein verkappter Dichter war und eigens aus Rom angereist kam. Er trug einen hypereleganten Maßanzug, eine Orchidee im Knopfloch, ganz spitze Schuhe, beste italienische Maßarbeit, fünf Brillantringe an seinen beiden Händen und pflegte neuerdings beim Gehen in eindeutig stimulierender Weise auf den Zehen zu wippen.

Peters helles Stimmchen war deutlich zu vernehmen in der großen Halle I. Sie saßen alle in erwartungsvoller Stille: der Oberbürgermeister, der Oberstadtdirektor, der Regierungspräsident, der Präsident der Industrie- und Handelskammer, der britische Stadtkommandant, die Abordnungen der Ärztekammer, der Apothekerkammer, der Arbeitgebergemeinschaft Chemie, die besonders feierlich blickenden Herren der Gewerkschaften, der Betriebsrat. Hinter den Sitzreihen standen die Arbeiter und Angestellten, zur Zeit einhundertundzwölf. Und Peter sagte fließend:

»Nun steht das Werk. Macht auf das Tor!
Gesundheit flieg hinaus zu allen Orten!
Was Gott nicht schuf in seiner herrlichen Natur,
erwachse hier aus den Retorten!«

»Du meine Scheiße!« schnaufte Dr. Schwangler Wegener ins Ohr. »Wenn ich das vorher gewußt hätte! Der Kerl hat mir den Text nicht gezeigt, sollte wohl eine Überraschung sein! Jetzt muß gleich der Regierungspräsident sprechen, was soll der nach dem Quatsch noch sagen?!«

Die Ehrengäste und die Belegschaft schienen anderer Meinung zu sein. Alles klatschte, als der kleine Peter zu seinem Stuhl zurücktrippelte, der Oberbürgermeister umarmte und küßte ihn, Irmi war mächtig stolz und strahlte Wegener an, der mißmutig vor sich hinstierte, die Frau des Regierungspräsidenten beugte sich zu Wegener hinüber und sagte: »Ist das ein süßes Kerlchen!« und Dr. Schwangler rettete alles, indem er ans Rednerpult ging und ausrief: »Das Wort hat der Herr Regierungspräsident!«

»War's so gut, Papi?« fragte Peter, als er neben Wegener auf den Stuhl krabbelte.

»Sehr gut, mein Junge. Fehlerfrei.«

»Das war schwer, Papi! Was ist eine Retorte, Papi? Hat das was mit Sahnetorte zu tun?«

»Ich erklär's dir später«, sagte Wegener abwehrend. Er kannte Peters unaufhaltsam bohrende Fragen. »Hör lieber zu, was der Onkel Präsident sagt.«

»Scheißdreck!« sagte Peter beleidigt.

Wegener zuckte zusammen, Dr. Schwangler nickte zufrieden. »Aus dem Jungen wird mal etwas Großes!« flüsterte er. »Ihm ist die Erkenntnis angeboren!«

Es wurde eine große Feier. Mit einem kalten Büffet, das damals – 1951 – noch fotografiert wurde und in den Zeitungen erschien. Man brauchte sichtbare Beweise, daß es aufwärts ging.

Es war spät in der Nacht, in der Halle I wurde noch getanzt, die Ehrengäste waren längst weggefahren, und die Belegschaft setzte die ausgegebenen Essens- und Getränkemarken an den Theken in Speisen und Getränke um. Dr. Schwangler saß an einem Tisch im Hintergrund mit René Seifenhaar, Signor Betrucci, dem Pfarrer der Landgemeinde, dem Förster und – man muß bei solchen Feierlichkeiten alles ertragen können – auch dem Leiter des Finanzamtes. Der Jurist ließ Witze los, die selbst dem Teufel den Schwanz verbrannt hätten.

Um diese Stunde saß Irmi auf der Bettkante und sah Hellmuth zu, wie er seinen schwarzen Anzug auszog und das weiße Hemd aufknöpfte.

Hier hatte sich nichts verändert. Sie wohnten noch immer in den engen Zimmern über der Lohmannschen Apotheke. Nur die Einrichtung war gewechselt worden. Es gab jetzt eine Ledergarnitur, einen altdeutschen Dreimeterschrank, einen echten Orientteppich und einige gute Gemälde an den Wänden, die Irmi scheußlich fand und deren Urheber die Nazis ›entartet‹ genannt hatten. »In ein paar Jahren sind die ein Vermögen wert!« hatte Wegener gesagt, als er sie kaufte. »Klee, Macke, Dali, Chagall ... Du wirst sehen, ich habe da den richtigen Riecher!«

Und auch das Schlafzimmer war neu. Moderne Betten mit Schaumgummimatratzen, in die ganze Längswand eingebaut ein Schrank mit Spiegeltüren. Wenn man im Bett lag, konnte man sich in den Spiegeln sehen. Ein wahres Aphrodisiakum, aber: »Ein paar Jahre zu spät!« sagte Irmi einmal. Und sie sagte es auch nicht laut oder zu Hellmuth, sondern leise zu sich, wenn sie im Spiegelschrank ihren erschöpften, in einen bleiernen Schlaf geschleuderten Mann betrachtete.

Jetzt hatte der Spiegel eine profane Funktion: Wegener betrachtete sich in der kurzen Unterhose von vorn und von der Seite und strich über seinen nackten Leib.

»Irmi!« rief er entsetzt. »Ich bekomme einen Bauch!«

»Ich weiß, Liebling.«

»Seit wann?!«

»Du bist schwerer geworden, wenn du auf mir liegst...«

»Irmi!« Er schlüpfte aus seiner Unterhose und sofort in die Pyjamahose. »Tu ich dir weh?«

»Aber Liebling«, sagte sie sanft. »Ich habe es ganz gern, wenn du nicht mehr so knochig bist.«

»Ist das wahr?« Er küßte sie auf die Stirn, rollte sich ins Bett und gähnte. »Das war eine schöne Feier, Irmi! Ich glaube, damit haben wir Eindruck gemacht und Freunde gewonnen! Und Peterli war trotz des saublöden Gedichtes große Klasse!«

Sie nickte, blieb auf der Bettkante sitzen und wartete. Sie war noch nackt, ihr Nachthemd mit dem tiefen Spitzenausschnitt ringelte sich zu ihren Füßen. Der milde Schein der Nachttischlampe mit dem rosa Seidenschirm lag milde auf ihren vollen Brüsten.

»Gute Nacht, Liebling!« sagte Wegener und gähnte wieder. »Auch du hast sehr gut ausgesehen in deinem neuen Kleid und der neuen Frisur. War direkt stolz auf dich. Jei, bin ich müde...«

Er drehte sich auf die andere Seite und schlief sofort ein.

Sie legte sich neben ihn, nackt wie sie war, preßte die Hände flach zwischen ihre Schenkel und begann lautlos zu weinen.

Jahre intensiver Arbeit schrumpfen wie Stunden zusammen. Keine Uhr geht anders, die Erde dreht sich nicht schneller um die Sonne, und trotzdem werden die Tage so kurz, daß man oft sagt: Der Tag müßte sechsunddreißig Stunden haben. Ich komme mit der Zeit einfach nicht mehr aus...

Wegener besuchte noch zweimal das Klassentreffen – einmal in Münster, einmal in Regensburg. Das nächste sollte in Brüssel sein, wo Adolf Hümmeling als Nationalökonom bei einer multinationalen Behörde arbeitete. Ausgerechnet Hümmeling, der der Faulste in der Abiturklasse gewesen war und die Prüfung nur bestand, weil er die Offizierslaufbahn einschlagen wollte. Er hatte es bis zum Oberleutnant geschafft, natürlich nicht an der Front, sondern in einem Stab, der weit hinten für den Nachschub sorgte. Man nannte das vornehm Logistik. Der Lateinprofessor war gestorben. Dafür kreuzten die Mitschüler in Köln auf, weil Wegener sie für seine Projekte engagierte: Der kleine Leber als Architekt, Hans Lehmann als Transporteur der Maschinen, Eberhard von Hommer sorgte dafür, daß alles, was mit Stahl zusammenhing, vor allem die Hallenkonstruktionen, zum Einkaufspreis geliefert wurde, Walter Zyschka, der Jurist, baute eine Rechtsabteilung auf, für die Dr. Schwangler als Generalbevollmächtigter keine Zeit mehr hatte, und Pitter Ortwin, der auch noch einen Pressebilder-Dienst gegründet hatte, lancierte Bildberichte in die Illustrierten und Zeitungen über das Wiedererwachen der deutschen pharmazeutischen Industrie.

Wegener ging von der Erwartung aus, daß keiner fragen werde, der bei ihm beschäftigt ist. Die Rechnung ging auf: Wenn Hellmuth Wegener auf den alten Klassenfotos auch anders aussah als jetzt, hellere Haare hatte, ein ovaleres Gesicht, eine andere Stellung der Augen, vor allem aber eine völlig andere Nase – man nahm hin, daß Krieg, Rußland, Sibirien einen Menschen so umwandeln können, daß sich auch sein Äußeres verändert. Der alte Schwung war ja noch da, die geistige Wendigkeit, der Mut zum Risiko, den sie schon in der Schule an Wegener bewundert hatten, – wer sollte also auf den Gedanken kommen, daß er nicht Hellmuth Wegener war!?

So lief das Leben dreigleisig ab: der Aufbau der Fabriken und die Apotheke, in den Stunden der ›Ruhe‹, die er sich täglich nahm, das intensive Selbststudium in medizinischen und pharmazeutischen Fachbüchern und abends das Eheleben, das Spielen mit dem kleinen Peter, das Eingehen auf die vielen kleinen weiblichen Sorgen, die sich im Laufe eines Tages ansammeln, die Zärtlichkeiten im Bett, bei denen er meistens kapitulierte und Irmi die Initiative überließ, um später wie zerschlagen einzuschlafen.

Drei Jahre lang.

Dabei wurde er zum allgemeinen Erstaunen dicker, setzte ein Bäuchlein an und wog um die Hälfte mehr als bei seiner Rückkehr aus Sibirien.

1952, im Juni, bekam Irmi das zweite Kind. Wieder mit einem Kaiserschnitt, wieder bei Professor Goldstein in der Klinik. Und es war wie bei Peter. Wegener saß mit der nackten Angst im Nacken in der Klinik herum, Dr. Schwangler erschien mit einem gewaltigen Blumenkorb, denn nach allen Berechnungen mußte Irmi jetzt aus dem OP gerollt werden, aber sie kam noch nicht, und Wegener lief im Wartezimmer herum wie ein struppiger Wolf.

»Das ist das letztemal!« sagte er heiser. »Ich schwöre es... das letztemal!«

»Dann melde dich gleich im OP II an und laß ihn dir abschneiden!« erwiderte Dr. Schwangler in seiner Art. »Hellmuth, in jeder Sekunde werden auf der Erde Kinder geboren, auch mit Kaiserschnitt.«

»Aber ich habe die Nerven nicht mehr!« schrie Wegener. »Wenn ich mir vorstelle, daß sie Irmi wieder den ganzen Bauch aufschneiden, nur weil wir fünf Minuten... Nein, der Preis ist mir zu hoch!«

Aber dann rollte man Irmi doch noch munter und wesentlich lebendiger als nach Peters Geburt ins Zimmer. Schon an der Tür winkte sie Hellmuth zu und sagte: »Liebling, ein Mädchen! Stell dir vor, ein Mädchen! Ich hab's schon gesehen. Mit schwarzen Haaren! Ein süßes Mädchen!«

»Gratuliere!« dröhnte Dr. Schwangler, der hinter dem riesigen Blumenkorb stand. »Dem verfluchten Kerl gelingt einfach alles! Eine hübsche Frau, ein klotziges Erbe, ein Sohn und jetzt auch noch eine Tochter!«

Professor Goldstein war, als er mit Wegener sprach, weniger fröhlich. »Sie sollten jetzt eine Pause machen«, sagte er. »Zwei Kaiserschnittgeburten sind genug für Ihre Frau. Ich habe einige Narbenbildungen von der ersten Operation herausgetrennt, und wenn Ihre Frau auch von gesunder Konstitution ist, möchte ich doch raten, es bei den beiden Kindern zu belassen. Ihre Frau wird immer Kaiserschnittgeburten haben, das ist jetzt sicher. Und einen Reißverschluß können wir in einen Bauch noch nicht einnähen.«

»Ich habe mir das gleiche überlegt, Herr Professor«, sagte Wegener. »Zwei Kinder, das ist eine vernünftige Familie.«

»Sie haben eine wundervolle, tapfere Frau, Herr Kollege!« Prof. Goldstein, in den letzten vier Jahren schneeweiß geworden, gab Wegener beide Hände. »Sie machen ja viel von sich reden mit Ihrer modernen Tablettenstraße. Ich werde übrigens Ihr neu entwickeltes Mittel zur Östrogentherapie bei Totalexstirpationen von Ovarien in die klinische Erprobung aufnehmen.«

»Das freut mich ungemein, Herr Professor.«

Als Wegener in das Krankenzimmer zurückkam, war Dr. Schwangler gegangen – er hatte immer Sitzungen und Konferenzen –, dafür saß Dr. Emil Hampel da, der alte Hausarzt der Lohmanns. Von den Wegeners konnte er nicht leben, die waren zu gesund, abgesehen von Irmis jährlicher Frühjahrsbronchitis, für die man aber keinen Arzt mehr brauchte, denn dafür gab es in der Apotheke Mittel genug. Aber er sah immer mal wieder bei Wegeners herein, aus alter Anhänglichkeit oder auch nur, um wieder einmal in den Räumen seines alten Freundes Lohmann zu sitzen. Da hatte sich ja nichts geändert, das Plüschsofa stand noch da, und auf ihm saß Dr. Hampel am liebsten und trank Kaffee mit Kognak.

Nur Hampel selbst hatte sich verändert. Er kleidete sich modern, trug bunte Hemden, hatte sich die weißen Haare lang wachsen lassen und roch nach Parfüm. Dr. Schwangler hatte ihn ein paarmal in Begleitung junger Damen gesehen, die man aber nur mit großem Wohlwollen als Damen bezeichnen konnte.

»Er ist im sechsten Frühling!« sagte Schwangler. »Und auch noch sechs mit x geschrieben! Bei anderen gehen die Hormone nach unten und werden Gichtknoten, bei Hampel knoten sie woanders! Ein Phänomen, der Mann! Wie lange will er das durchhalten?!«

»Ich beneide Sie, Herr Wegener«, sagte Dr. Hampel. »Ich habe nie geheiratet und nie das Glück gehabt, eine Familie zu gründen. Warum? Ich hatte immer eine Praxis mit so viel Krankenscheinen, daß ich immer nur auf nackte Körper gucken, aber nie einen besitzen konnte. Außerdem war ich Idealist, ein medizinischer heiliger Antonius! Wissen Sie, daß ich Irmi geholt habe? Daß sie jetzt mit Ihnen so glücklich ist, ist auch ein Teil Glück von mir. So empfinde ich es wenigstens – oder maße mir an, es zu empfinden.«

Vier Wochen später – Irmi und Hellmuth dachten gerade darüber nach, ob sie ihren ersten Urlaub machen sollten, im Schwarzwald, in einer kleinen Pension – starb unerwartet Dr. Hampel. Er starb nach seiner neuen Lebensauffassung, mit ›Pauken und Trompeten‹, wie Dr. Schwangler es ausdrückte.

»Als Hampel mit alttestamentarischer Wucht die Mauern von Jericho umblasen wollte«, sagte er in seiner unwiderstehlichen Art, »traf den Kühnen der Herzschlag. Er starb im Puff! Holzgasse neun. Bei der roten Lilly. Die Polizei identifizierte ihn. Er hatte keine Papiere bei sich. Und Verwandte hat er auch nicht.«

Dr. Hampel bekam kein Armengrab. Er erhielt eine Gruft neben seinem alten Freund Johann Lohmann auf dem Friedhof Melaten. In seinem Testament vermachte er Irmi alles, was er hinterließ: eine total überalterte Praxis und die Abrechnung der Krankenscheine für das letzte Vierteljahr.

Es war an einem Abend im Juni 1953, als Dr. Schwangler einmal Zeit hatte, bei Wegeners zu Abend zu essen. »Es ist furchtbar«, sagte er. »Mein Terminkalender ist so voll, daß ich von zehn Terminen jeweils fünf Minuten abschneiden muß, um wenigstens fünfzig Minuten für einen Hüpfer abzuknappen!« Er trank eine ganze Flasche Rotwein aus, rauchte dann eine Zigarre und blickte sich um. Wegener ahnte, was kommen würde. Und es kam!

»Sag mal –« setzte Dr. Schwangler an, als Irmi in der Küche verschwunden war und man das Geschirr im Abwaschbecken klappern hörte. »Bist du ein Idiot, ein Geizkragen oder ein pathologischer Fall von Existenzfurcht?«

»Vielleicht alles«, sagte Wegener ruhig.

»Du wohnst immer noch in den alten kleinen Zimmern hier über der Apotheke.«

»Wie du siehst.«

»Du hast keine Hausgehilfin. Trotz zwei Kindern macht Irmi alles allein.«

»Ja.«

»Sie kocht, putzt, kauft ein, wäscht, spült, bohnert, klopft Teppiche, putzt die Fenster.«

»Das ist die Aufgabe einer Frau.«

»Daß du ein Herrenmensch bist, wußte ich schon immer! Aber weißt du, wieviel du auf dem Konto hast?«

»Natürlich.«

»Und das regt dich nicht an, ein Haus zu bauen?! Endlich ein vernünftiges Haus für deine fabelhafte Familie?«

Hellmuth Wegener beugte sich vor, nahm Schwangler die Zigarre aus dem Mund, machte zwei lange Züge, blies den Qualm gegen Schwanglers Gesicht und steckte ihm dann die Zigarre wieder zwischen die Lippen.

»In drei Wochen ist die Grundsteinlegung«, sagte er. »Ein wundervolles Parkgrundstück am Rande des Stadtwaldes. Fritzchen Leber hat einen Kasten hingemalt – wenn ich den baue, halten mich alle für verrückt!«

»Du Saukopp!« Dr. Schwangler kaute an seiner Zigarre. »Und

keiner weiß das?«

»Keiner!«

»Auch Irmi nicht?«

»Es soll ihr Weihnachtsgeschenk sein. Edi, wenn du *einen* Ton sagst!«

»Pflanze einen Baum, baue ein Haus, zeuge einen Sohn! Das galt immer als Ziel eines Mannes«, sagte Dr. Schwangler mit ungewohnter Feierlichkeit. »Junge, was sind wir doch für eine Generation! Blick mal zurück: Was haben wir in fünf Jahren geschaffen, seitdem du mit Stroh in den Stiefeln aus Sibirien zurückgekommen bist!«

7

Wer sich 1953 eine Villa baute, wie sie Wegeners Klassenkamerad Fritzchen Leber entworfen hatte, mit allen Ingredienzien einer Architektenphantasie, die bisher mangels geeigneter Aufträge nicht zur Entfaltung gelangt war (wie Fritzchen Leber es formulierte), der wurde nicht nur von seiner Umwelt beneidet, sondern dem sagte man auch nach, daß er in der hundsgemein schlechten Zeit vor der Währungsreform einer der ganz großen Gauner gewesen sein müsse. Denn von 1948 bis 1953, also innerhalb von fünf Jahren, sich ein solches Vermögen zu erarbeiten – das konnte nicht mit rechten Dingen zugehen. Nun ja, der Wegener hatte geerbt, eine pharmazeutische Fabrik in Hannover, und das Grundstück und die Trümmerhaufen darauf blendend verkauft (auch das nannte man, bei aller Anerkennung der Geschäftstüchtigkeit, unter der Hand eine Gaunerei), er hatte einige Präparate entwickelt wie das *Vitalan*, das angeblich neue Spannkraft geben sollte, aber doch nur Wegener reich machte, und wenn erst das neue Werk der *Protosano* GmbH anlief, dann würden die Millionen nur so heranrauschen. Bisher – seit Einweihung der Neubauten durch den kleinen Peter mit dem saublöden Gedicht von René Seifenhaar (der jetzt Subdirektor der ganzen italienischen Gruppe des Signor Betrucci geworden war – ein Beweis, wie vielseitig Seifenhaar auch außerbetrieblich sein mußte!) – bisher hatten die *Protosano*-Werke nur versucht, ihr böse beschädigtes Image auf dem Weltmarkt wiederherzustellen.

Wegener tat das mit harmlosen Mitteln, die in den »Rezeptbüchern« der Firma von Onkel Axel Hellebrecht standen, wie er es nannte, und die sich gut verkauften: Schlafmittel, Kopfschmerzmittel, Hustensaft, Grippetabletten, ein Antibiotikum gegen Nierenentzündung, ein Abführmittel (besonders gutes Geschäft, nachdem es die Schokolade wieder frei zu kaufen gab und alles sich auf Süßigkeiten stürzte, wodurch es zu Verstopfungen und Verdauungsstörungen kam), und als Knüller der *Protosano*-Werke ein Tampon für die kritischen Tage der Frau.

Trotzdem war es – vor allem im Ausland – schwer, den Geruch wegzubekommen, den Onkel Axel durch seine Gaslieferungen an die SS in der Welt verbreitet hatte, und Wegeners Auslandsvertreter hörten oft die hämischen Worte: »Danke, wir haben keine politischen Häftlinge! Versuchen Sie es mal in Rußland...«

»Wir müssen die Vergangenheit eliminieren!« sagte Dr. Schwangler immer wieder. »Himmel, Arsch und Zwirn, du hast die Fabrik geerbt und kannst nichts für die alten Geschichten!«

»Tu was dagegen«, sagte Wegener und hob hilflos die Schultern. »Willst du in alle Zeitungen die Anzeige setzen: Die *Protosano*-Werke bedauern nachträglich, einmal Giftgas geliefert zu haben? Wir stellen jetzt hochwirksame Dragées gegen Darmträgheit her!?«

»Aber vielleicht sollten wir die Werke umtaufen?« gab Dr. Schwangler zu bedenken.

»Nein.« Wegener legte beide Fäuste auf den Tisch. Es war ein endgültiges Nein. »Ich habe in Rußland ganz vorne im Dreck gelegen, ich habe Sibirien hinter mir, und ich habe nie kapituliert! Es gibt da auch noch andere Dinge, Eduard – und auch davor habe ich nicht auf dem Bauch gelegen! Soll ich mich durch eine Umbenennung der Werke auch als Erbe der Schuld von Onkel Axel bekennen? Man sollte der neuen Generation, die bemüht ist, eine neue, bessere Welt zu bauen, endlich grünes Licht geben!«

»Bravo! Hipp hipp hurra und cheerio!« sagte Dr. Schwangler. »Mann, warum gehst du nicht in die Politik? Das ewig dämliche deutsche Volk liefe dir nach wie eine Katze dem Baldriangeruch!«

So war die Lage im Jahre 1953, als Wegener mit seinem Hausbau am Rande des Kölner Stadtwaldes begann. Nicht rosig war die Lage, aber auch nicht hoffnungslos, im Gegenteil: Finanziell hatte man keine Sorgen, und über geschäftliche Dinge sprach Wegener wenig zu Hause. Er schirmte Irmi ab. Sie hatte ihre beiden Kinder, den Haushalt, einen zärtlichen Ehemann mit partiellen Ermüdungserscheinungen; sie zog dann und wann ein Abendkleid an (immer ein neues, das Wegener selbst für sie aussuchte) und mußte repräsentieren: bei Firmeneinladungen, bei Konzerten, bei Hausbällen (die auch schon wieder Mode wurden), bei Auslandsreisen, vor allem in die Schweiz, nach Österreich, Frankreich und Italien, wo man wieder große Eleganz pflegte, als müsse man die Erinnerung an die Kleider aus Holzzellstoff verdrängen, die man noch vor sechs Jahren getragen hatte. Vor allem in Rom, bei Signor Betruccis Bällen, wo sich die römische Aristokratie drängte und wo Irmi sogar von König Faruk von Ägypten einen Handkuß und einen verschleierten Antrag bekam, sich mit ihm am nächsten Tag zu treffen, war Irmgard Wegener wie ein bewundertes Schmuckstück, das sich Wegener umgehängt hatte. Wer Irmgard schön und begehrenswert fand, nahm auch den ›unangenehmen Deutschen‹ in Kauf, der so fleißig war, daß er schon wieder störend wirkte. Fleiß ist eine gute Eigenschaft, aber übermäßiger Erfolg durch Fleiß ist wie ein Tritt gegen das Schienbein seiner Geschäftspartner.

Es hieß also: Seht euch das an! Der Wegener baut sich am Stadtwald ein Haus, als sei er ein Fürst! Seht euch bloß diesen Grundriß an! Allein die Eingangshalle! Was will er damit? Das ist doch Größenwahn! Da hat man immer gemeckert über den ›Dicken‹, den Reichsmarschall Göring mit seinem Karinhall und was er sonst noch hatte. Na und? Geht mal raus zum Stadtwald und seht euch die Wegener-Villa an! Das wird ein ›Palazzo Protzo‹. Und wovon das alles? Von Kackpillen! Von Hustensaft! Von Vitamintabletten! Von Hirnnahrungs-Dragées. Da kann man sich ausrechnen, was die Herstellung solcher Medizinen kostet und was da an Verdienstspanne drinhängt! Leute, das ist eine Sauerei!

Aber das alles sagte man hinter der Hand. Während der Rohbau hochwuchs, standen die Leute am Zaun und bewunderten das Haus, das da entstand. Fritzchen Leber, der Architekt, war so stolz, als baue er die neuen Pyramiden. Er kam zweimal wöchentlich nach Köln, kletterte überall auf dem Bau herum, stauchte die Arbeiter zusammen, änderte laufend die Details (was bekanntlich eine Masse Geld kostet) und soff mit den Unternehmern, die am Bau verdienten, bis man ihn stockvoll ins Hotel transportierte.

Auch Dr. Schwangler besuchte manchmal die Baustelle, sah die Grundrißpläne ein und stimmte Wegener darin zu, daß diese Villa für ihn um einige Nummern zu groß war. Nicht was die Grundfläche, sondern die Einrichtung betraf.

»Ich habe noch ein halbes Leben Zeit«, sagte Wegener dann. »Ich bin erst vierunddreißig.«

»Wenn du so weitermachst, wirst du keine vierundvierzig!« sagte Dr. Schwangler grob. »Wann bist du eigentlich mal zu erreichen? Immer unterwegs!«

Das stimmte. Aber Wegener war nicht unterwegs, wie man glaubte. Er saß brav in Köln, in der Innenstadt, in einem Haus in der Mittelstraße, und ließ sich von einem pensionierten Professor Privatunterricht geben.

Das war eines seiner großen Geheimnisse. Nach zwei Klassentreffen und einigen Kongressen hatte er mit immer größerem Erschrecken gemerkt, daß alle selbst erworbenen und angelesenen Kenntnisse in Medizin, Pharmazie und sogar in den Fächern, die zur »Allgemeinbildung« gehören, nicht ausreichten, um ein über Stunden hin fließendes Gespräch zu führen. Mit Schlagworten und Fachausdrücken kann man sich helfen und Eindruck schinden, aber wenn es ins Detail ging, vor allem in eine Diskussion, dann mußte Wegener passen, hörte schweigend zu oder entschuldigte sich mit anderen Terminen, um nur schnell die Gesellschaft verlassen zu können. Was weiß ein Schlosser zum Beispiel von den persischen Satrapen, von den Ptolemäern, vom Paläolithikum, vom Philippinengraben oder der Malerei des Greco? Wer konnte von einem Peter Hasslick verlangen, daß er die Manessesche Liederhandschrift kannte oder jemals etwas vom Utrechter Frieden gehört hatte? Als dieses Thema einmal aufkam, im kleinen Kreis von Medizinern (warum gerade Utrechter Frieden, wußte nachher keiner mehr), dachte Wegener sofort an das Wort, das er kannte: Uterus. »Natürlich ist der Frieden mit dem Uterus etwas Gutes!« sagte er. Alles brach in brüllendes Lachen aus, nahm es als glänzenden Medizinerwitz, und Wegener war gerettet, obgleich er in dieser Sekunde verstand, wie jemand spontan sich das Leben nehmen kann. Auch Dr. Schwangler sagte auf dem Heimweg: »Du bist ja ein Erzschwein, Hellmuth! Habe ich gar nicht gewußt. Meine Sympathie zu dir wächst sich aus in geradezu perverse Dimensionen...«

Aber für Wegener waren das Warnsignale. Er suchte und fand einen pensionierten Gymnasialprofessor, dem er sich als Johann König vorstellte und der ihm für zehn DM (damals ein klotziger Stundenlohn) Nachhilfeunterricht in Allgemeinbildung gab. Dreimal wöchentlich vier Stunden. Hinterher war Wegener so geschlaucht, daß er oft hinter seinem Schreibtisch im Werk einnickte.

Seine Hausaufgaben – auch die verlangte der pedantische Professor – machte Wegener ebenfalls heimlich. Er hatte sich dazu – woanders fand er keine Möglichkeit, unbeobachtet zu sein – in Köln, auf dem Gereonswall, ein möbliertes Zimmer, auch unter dem Namen König, gemietet. Dort saß er dann, schrieb seine Arbeiten, paukte Vokabeln und Begriffe und sagte sie sich laut vor. Er hatte schon in Sibirien im Gefangenenlager, auf der Sanitätsstation, gemerkt, daß er nicht nur ein visueller Typ war, der schnell das Gesehene erfaßte und im Hirn speicherte, sondern vor allem Gehörtes in sich aufnahm wie auf einem Tonband, das er bei Bedarf abspielen konnte.

Einmal, kurz vor Weihnachten, schlug das Schicksal wieder Kapriolen. Dr. Schwangler durchstreifte Köln für einige Weihnachtseinkäufe – er hatte seit drei Wochen ein Verhältnis mit einer Gerichtsreferendarin –, nahm durch die noch weitgehend von Trümmern durchsetzte Stadt eine Abkürzung zum Neumarkt und prallte auf dem Gereonswall mit Wegener zusammen, der gerade das Haus verließ, wo er im dritten Stock in einem Hinterzimmer Geschichte des Mittelalters geochst hatte.

»Nanu!« sagte Dr. Schwangler verblüfft. Er blickte an dem Haus empor und grinste. »Du hier?!«

»Und was machst du in der Stadt?« fragte Wegener heiser zurück.

»Ich kaufe ein für den Weihnachtsmann!« Schwangler musterte Wegener unverschämt lächelnd. »Du siehst müde aus! Das Haus muß es in sich haben!«

»Edi, wenn du *ein* Wort davon sagst...« Wegener atmete hastig. »Bei unserer Freundschaft...«

»Bin ich ein Ungeheuer?! Aber daß du, gerade du, das Musterbild eines Ehemannes... Ist sie blond, schwarz oder rot?«

»Schwarz«, sagte Wegener tonlos, um Schwangler in seinem Verdacht zu bestärken. Es war das Beste, was er tun konnte. Für so etwas hatte Schwangler sofort Verständnis.

»Jung?«

»Anfang Zwanzig...«

»Übernimm dich nicht, Junge!« Schwangler lachte und klopfte Wegener auf die Schulter. »Mensch, ich merke das doch seit Wochen, ohne zu ahnen, was wirklich ist! Du fällst ja vom Fleisch! Brems die Kleine mal ein bißchen! Soll ich dir'n Trick verraten, wie man elegant immer der Stärkere ist, ohne sich zu verausgaben?! Paß mal auf...«

»Laß das, Edi!« Wegener winkte müde ab. »Halt den Mund, das genügt! Und jetzt mach weiter den Weihnachtsmann.«

»Und du?«

»Ich fahre ins Werk. Kommst du heute abend zu uns?«

»Als Alibi? Gern! Wir waren heute den ganzen Tag bei Müllerjan & Co. Gut so?«

»Von mir aus!« Wegener wandte sich ab und ging langsam in Richtung Dom davon. Dr. Schwangler blickte ihm nach, sah an der Fassade des Hauses empor, grinste mit der Vorstellungskraft eines in solchen Dingen versierten Mannes und setzte seinen Weg fort. Sieh an, der keusche Hellmuth! Leistet sich ein schwarzes Luderchen, das ihm die Knie weich macht! Wie wird sich Irmi benehmen, wenn sie das jemals erfährt?!

Schwangler blieb stehen und starrte in die Trümmer eines Bürohauses, das noch nicht wieder aufgebaut war. In den offenen Kellern stand hoch das Unkraut. Irmi ist der Typ der stillen Eifersüchtigen, dachte er. Sie würde stumm leiden. Aber man kann sich auch täuschen. Vielleicht bricht dann alles aus ihr heraus, was bisher geruht hat. Ihre weibliche Urgewalt! Dann hat Hellmuth noch etwas zu erleben! Aber eins würde Irmi nie tun: sich mit den gleichen Waffen rächen. Sich einen Freund zulegen. Fremd gehen, wie man so sagt. Sie ist wirklich das fast heilige Abbild der Treue, und weil sie es selbst ist, setzt sie es bei Hellmuth als selbstverständlich voraus. Ein Mann mit einer solchen Frau hat einen Engel im Haus. Aber wir leben nicht im Himmel, wir boxen uns durch das Erdenleben! Und das ist hundsgemein! Das ist eine Art Hölle. Und das Höllischste an der Hölle sind die hübschen, scharfen Weiber, an denen man nicht vorbeikann. Also landet man zwangsläufig im Feuerchen! Nur: Welche Frau begreift das? Irmi, der reine Engel, bestimmt nicht.

Er ging weiter, beschäftigt mit diesem Urproblem, und nahm sich vor, Hellmuth Wegener wenigstens so weit ins Gewissen zu reden, daß er sich nicht eines Tages mit dem Notarztwagen aus dem Haus Gereonswall abtransportieren lassen müßte.

Am frühen Nachmittag des vierundzwanzigsten Dezember, den man den Heiligen Abend nennt, fuhr Wegener seinen Wagen – es war jetzt ein Opel Kapitän – vor die Apotheke und lief die enge Treppe hinauf in die Wohnung, immer zwei Stufen auf einmal nehmend. Irmi hatte den Tannenbaum geschmückt, nicht bunt, wie allgemein üblich, sondern nur mit roten Holzkugeln, goldenen Lamettafäden und einem Rauschgoldengel auf der Spitze des Baumes. Ein großer Baum, von den Dielen bis zur Decke, breit ausladend, das halbe Zimmer einnehmend. Der neue Provisor der Apotheke hatte ihn aus dem Wald geholt, aus dem Königsforst, natürlich nachts und unter der Gefahr, dabei erwischt zu werden. »Sagen Sie das bloß nicht meinem Mann!« hatte Irmi ihm geraten. »Erzählen Sie ihm, Sie hätten ihn auf dem Heumarkt gekauft. Mein Mann wirft ihn glatt aus dem Fenster, und Sie dazu!«

»Bäume klauen macht Weihnachten erst schön«, sagte der Provisor fröhlich. »Natürlich ist das keine Moral, es ist sogar eine große Schweinerei, aber ich kenn's von Kind auf nicht anders.«

Unter dem Baum stand die Krippe, die Wegener vor einem Jahr gekauft hatte. Die Scheune mit dem Strohdach, dazu die Figuren aus bemaltem Gips, das Ganze mit rotgefärbten Birnchen beleuchtet – sehr kitschig, aber für Peter ein großes Erlebnis. Jetzt war auch noch Vanessa Nina da, und wenn sie mit ihren kaum anderthalb Jahren auch nicht begriff, was sie sah, sie nahm doch die roten Lichter wahr, die Kugeln, die Goldfäden des Lamettas, das klingelnde Engelsspiel und das Karussell mit den Messingfiguren, das sich durch die Wärme zweier Kerzen drehte.

Wegener freute sich auf diesen Augenblick mit geradezu kindlicher Erwartung: Peter, als der »Große«, vor seinen Geschenken und die kleine Vanessa Nina auf dem Arm des Vaters, mit weiten, braunen Augen in die Kerzen starrend, deren milder, wehender Glanz in ihren Augen widerspiegelte. Welche Stunde in meinem Leben könnte jemals schöner sein, dachte Wegener, wenn er sich auf diesen Tag freute. Das ist ein Augenblick, wo selbst ich, der nie mit Gott gesprochen hat, ihm dafür danken könnte.

»Anziehen!« rief er schon in der kleinen Diele und ließ die Tür zum Treppenhaus offen. »Irmi! Peter! Wir machen noch eine Fahrt. Irmi! Pack Spätzchen warm ein, draußen ist eine verdammte Kälte!«

Spätzchen – das war Vanessa Nina. Aus der Küche kam Irmi, sie hatte sich eine bunte Schürze umgebunden. Der Duft von Anis wehte vor ihr her, sie buk anscheinend noch ein Blech Plätzchen. Peter steckte seinen blonden Lockenkopf aus dem Kinderzimmer.

Er trug einen ›Feiertagsanzug‹, der ihm gar nicht gefiel: Hose und Jacke aus dunkelblauem Samt, dazu ein weißes Hemd mit blauer Samtkrawatte. Seit vorigem Weihnachten wußte er: Jetzt durfte man sich nicht mehr schmutzig machen. Man durfte nur herumsitzen, warten, in Bilderbüchern blättern und die Angst unterdrücken, der später am Abend vor dem Lichterbaum auftauchende Weihnachtsmann könne zuviel von dem wissen, was er im Laufe des Jahres angestellt hatte. Daß in der Kutte des Weihnachtsmannes der Apothekerprovisor steckte, sollte Peter erst zwei Jahre später entdecken. Aber dann würde er das Spielchen mitspielen, zunächst, um seinen Eltern die Freude nicht zu verderben, – später, weil es allen Spaß machte, und zuletzt, als Erwachsener, immer noch, weil es zur Tradition im Hause Wegener geworden war, am Heiligen Abend den Weihnachtsmann zu empfangen.

»Jetzt?« fragte Peter. »Wohin fahren wir denn?«

»Das ist eine Überraschung, mein Sohn!« sagte Wegener.

»Ich habe gerade Plätzchen im Ofen, Hellmuth...«

»Stell ihn ab oder mach sonst was! Auf ein paar Plätzchen kommt es nicht an! Es geht um Größeres! Alles anziehen!«

Wegener lachte und steckte die Hände in seinen dicken Wollmantel. »Eine Überraschung!«

»Für Weihnachten?« fragte Peter, der immer schnell schaltete.

»Ja!«

»Mit dem Auto?« sagte Irmi ungläubig. »Was hast du dir bloß wieder ausgedacht, Liebling?!«

»Nicht fragen! Anziehen!«

Eine Viertelstunde später saßen sie im Auto, nach zwanzig Minuten fuhr Wegener langsam die Straße am Rande des Kölner Stadtwaldes hinunter. Sie waren hier ganz allein, dünner Schnee bedeckte Bäume und Sträucher, es war bitter kalt, und er mußte langsam fahren, weil der Wagen auf der glatten Straße zu rutschen begann. Vor dem Rohbau ließ er das Auto vorsichtig ausrollen und bremste mit Gefühl. Irmi und Peter starrten durch die Scheiben auf die Hausmauern... Eine ›Neubauruine‹ ohne Dach, umgeben von Stein- und Sandhaufen, Mischmaschinen, Holzbalken. Das sinnvolle Chaos einer Baustelle. Wegener wartete und trommelte mit den Fingern auf das Lenkrad. Was sagen sie jetzt, dachte er. Was fragen sie? Begreifen sie es sofort? Aber Irmi und Peter schwiegen. Vanessa Nina hatte die Händchen geballt und schlug mit den winzigen Fäustchen gegen die Wagenfenster.

»Nun?« sagte Wegener, als sich niemand meldete. »Steigen wir aus?«

Irmi sah ihn entgeistert an. »Du willst hier spazieren gehen? Jetzt?! Hier?«

»Ja, das will ich!«

Er öffnete die Tür und stieg aus. Peter und Irmi blickten ihn an, als habe er plötzlich ohne Grund einen Schrei ausgestoßen. Sie blieben sitzen.

»Ein Spaziergang am Heiligen Abend! Wenn das deine Überraschung ist«, sagte Irmi etwas aufsässig. »Meine Anisplätzchen wären besser gewesen.«

Wegener antwortete nicht. Er ging um den Wagen herum, öffnete die andere Tür, machte eine Verbeugung wie ein hochherrschaftlicher Chauffeur. »Madame?« sagte er. »Und der junge Herr und das kleine Fräulein... darf ich bitten?«

»Verrückt!« Sie stiegen aus, standen auf der Straße vor dem großen Rohbau und froren. »Was nun?« fragte Irmi. »Einmal quer durch die Bäume und dann zurück?!« Wegener hatte sie noch nie so angriffslustig gesehen. Sie war wütend, das sah man ihrem Gesicht an, aber sie beherrschte sich, wie immer. Nur ihre blauen Augen klagten: Das am Heiligen Abend! Was ist bloß mit dir los, Hellmuth?

Wegener faßte Irmi unter, die auf dem anderen Arm die kleine Vanessa Nina trug, und zog sie näher an den Neubau heran. Peter folgte ihnen, blies in die Hände; er hatte, wie immer, seine Handschuhe vergessen.

»Was siehst du da?« fragte Wegener, als sie an der großen Baugrube standen. Irmi drückte Vanessa Nina enger an sich. Plötzlich, als schlüge ein Blitz in ihr Herz, begriff sie. Mit weiten Augen starrte sie über das Grundstück. Im Hintergrund alte, große Bäume, eine Art Park. Vorn – man ahnte eine Auffahrt mit Blumenbeeten und Büschen – das Haus. Ein Riesenhaus! Da der Rohbau noch ohne Dach war, aber die Mauern der einzelnen Zimmer bereits hochgezogen waren, konnte man sich mit einiger Phantasie ein Bild von dem fertigen Haus machen.

»Du – du bist verrückt! Du bist wirklich verrückt, Hellmuth«, stammelte Irmi. »Sag schnell, ganz schnell, daß du uns nur einen Schrecken einjagen willst!«

»Einen Schrecken?« Wegener wippte auf den Fußspitzen. »Ihr solltet vor Freude in die Luft gehen! Das ist euer Haus! Ganz allein euer Haus! *Unser* Haus! Und ich werde es ›Villa Fedeltà‹ nennen. Fedeltà – das heißt: die Treue! Das ist mein Weihnachtsgeschenk für euch.«

»Verrückt! Total verrückt!« Irmi lehnte sich an Wegener, als brauche sie Halt, um noch stehen zu können. Ihr Blick wanderte über den Rohbau. Was andere, Fremde, bei diesem Anblick empfunden hatten, ging nun auch ihr durch den Kopf: Wer so etwas baut, im Jahre 1953, der mußte reich wie der sagenhafte Krösus sein! Aber Hellmuth Wegener war kein Krösus. »Hellmuth«, sagte sie leise. Ihre Stimme bebte. »Hellmuth...«

»Freust du dich gar nicht?« fragte er stolz. »In diesen Bau hat Fritzchen Leber seine ganze Phantasie gepackt.«

»Das sehe ich! Und wer soll sie bezahlen?«

»Die *Protosano*-Werke beginnen sich auf dem europäischen Markt zu etablieren«, sagte Wegener, etwas enttäuscht, weil seine Überraschung Irmi in die Knie gerutscht war. »Die *Vitalan*-Fabrik arbeitet mit Gewinn, die Apotheke geht vorzüglich, ich werde in zwei Jahren eine Art Apothekenkette aufbauen, so wie man heute bereits Lebensmittelladenketten hat.«

»Das da –« sie nickte zu dem Rohbau hin – »das ist kein Haus, das ist ein Palast.«

»Wenn man's mit unserer Wohnung über der Apotheke vergleicht, mag das stimmen.«

»Wieviel Zimmer?«

»Fünfzehn.«

»Wozu?«

»Drei Schlafzimmer, ein Herrenzimmer, ein großes Wohnzimmer mit offenem Kamin, ein Eßzimmer, zwei Zimmer für Hausangestellte, ein Gartensalon, eine Bibliothek, eine Küche, ein Damensalon...«

»Ich habe Angst, Hellmuth«, sagte sie leise und schmiegte sich an ihn. »Ich habe richtige Angst. Dieses Haus ist wie ein Berg, den wir bezwingen müssen. Ich weiß, du freust dich, es ist ein wunderbares Weihnachtsgeschenk, es ist alles unbeschreiblich schön – das Grundstück, die Lage, der Park dahinter... aber ich habe trotzdem Angst. Soviel Glück wird mir unheimlich, Hellmuth. Das kann nicht gutgehen!«

»Es wird gutgehen, Irmi!« sagte er laut und fest. »Wir sind noch jung, und ich habe soviel Kraft in mir und soviel Glück, durch dich, Irmi, nur durch dich, daß schon die Welt untergehen müßte, um mich aufzuhalten!« Er legte den Arm um ihre Hüften, zog sie an sich und küßte ihre eiskalten Lippen. Vanessa Nina, die auf Irmis Arm hockte, boxte ihm dabei gegen die Stirn. »Ich bin alles nur durch dich!« sagte er leise und mit einem Zittern in der Stimme. »Alles. Ohne dich wäre ich ein Nichts!«

»Das ist nicht wahr!« Ihre großen blauen Augen lächelten ihn an. »Du bist das Wunderbarste an Mann auf dieser Welt...«

»Sag, daß du dich freust!« flüsterte er. Er konnte kaum mehr sprechen. Wenn du wüßtest, wer ich bin, dachte er. O Himmel, wenn du das wüßtest! »Sag, daß du dich auf das Haus freust!«

»Ich freue mich, Liebling. Es ist ein Märchen.« Sie schloß die Augen und drückte die kleine Vanessa Nina enger an sich. Peter stand am Rande des Neubaus, hatte längst begriffen, daß nun auch das ein Haus werden würde, das ihnen gehörte, und rang mit anderen Sorgen.

»Wird das auch eingeweiht?« fragte er.

»Natürlich!« antwortete Wegener.

»Und muß ich dann auch wieder so'n blödes Gedicht aufsagen?«

»Nein! Nein! Auf gar keinen Fall!« Wegener lachte laut, befreit – es war fast wie ein Aufschrei. Mein Junge! Mein Junge reißt mich zurück in die Wirklichkeit. »Das machen wir ganz unter uns, ganz allein, ganz still!«

»Und jetzt fahren wir wieder nach Hause«, sagte Irmi und wandte sich ab. »Spätzchen friert. Ich auch! Und in drei Stunden ist Bescherung...«

Sie ging zum Wagen zurück, setzte sich und zog die Tür zu. Wegener blickte noch einmal über den Rohbau. Peter neben ihm kickte einen kleinen Stein gegen die Kellermauer.

Nächstes Jahr zu Weihnachten wohnen wir hier, dachte er. Und der Tannenbaum wird in der Halle stehen, die durch die Höhe des ganzen Hauses gehen wird. Es wird ein Riesenbaum werden. Hellmuth Wegener, du, der richtige Hellmuth – bist du dort oben bei Gott, wenn es so etwas gibt, zufrieden mit deinem Kumpel Peter Hasslick?! Ich muß dir etwas sagen: Mich drückt das Gewissen nicht mehr, du zu sein...

Der Hausbau dauerte zwei Jahre. Fritzchen Leber verbaute mehr als seine Phantasien... Als die Villa Fedeltà fertig war, als Baufachblätter das Haus in allen Einzelheiten abbildeten und den Architekten Leber als einen der ideenreichsten Planer hochjubelten, wobei Klassenkamerad Pitter Ortwins Pressedienst kräftig die Posaune blies, legte sich Fritzchen Leber einen Koller zu, ließ sich scheiden und liierte sich mit einer Blondine, die zwar üppig, aber dumm war. Dr. Schwangler hatte dafür – wie immer – Verständnis. »Eine Philosophin im Bett könnte mich umbringen«, sagte er. »Aber ein Dummerchen mit BH Größe acht und grünem Pfeffer im Hintern, das ist genau das, was Männern wie uns besser tut als eine Flasche Whisky!«

Als Hellmuth Wegener umzog und die Wohnung über der Apotheke renoviert wurde und der neue Pächter der Apotheke einzog, stellte sich heraus, daß Wegener romantisch veranlagt war. Obgleich die Villa mit einem Riesenaufwand von Ideen und Geld, das heißt mit neuen Möbeln, Teppichen und Lampen ausgestattet worden war und Fritzchen Leber sogar in Amsterdam, Rom und London besonders schöne antike Einzelstücke aufgespürt hatte, nahm Wegener die alte Einrichtung mit in das neue Haus.

Was früher in vier Zimmer gepaßt hatte, konnte er jetzt in einem einzigen großen Raum unterbringen. Und das tat er auch: Er stellte die alte Wohnung in einem Zimmer wieder auf, so, wie die Wohnung über der Apotheke gewesen war. Mit Sperrholz zog er die Trennwände – und es gab wieder das Wohnzimmer, das Kinderzimmer, das Schlafzimmer und das kleine Arbeitszimmer. Nur die Küche war nicht umzutransportieren, wegen der Wasseranschlüsse.

»Ein verrückter Hund!« sagte Fritzchen Leber, der darin eine Entweihung seines ›Lebenswerkes‹ sah. »Wozu baut er sich dieses Riesending, wenn er die alten Klamotten aufstellt, als seien es Altäre?!«

»Weil er darin glücklich war«, sagte Irmi und lächelte sanft. »Aber ich glaube, das verstehst du nicht.«

»Das stimmt. Betrachten wir es so: Jeder Mann hat sein Spielzeug. Der eine Briefmarken, der andere eine elektrische Eisenbahn...«

»Betrachten wir es so.« Irmi schloß das große Zimmer mit den aufgebauten alten Möbeln ab. Wegener war noch in der Fabrik, hieß es. In Wahrheit saß er bei einem Korrepetitor und ließ sich gegen viel Geld Einzelheiten der Bauchchirurgie eintrichtern. Nach langen

Gesprächen mit dem wissenschaftlichen Assistenten, der ihm das beibringen sollte, hatte er sich dafür entschieden, weil Bauchchirurgie immer ein weites Gesprächsfeld darstellt. Das gleiche gilt für die Thoraxchirurgie, aber sie schien Wegener zu schwierig zu sein. Immerhin war er so weit präpariert, daß er nach einem Jahr intensiven Lernens bei einem Ärztekongreß in Brüssel mitreden konnte, als es um eine neue Form der Gastroenterostomie ging, einer Verbindung des gesamten Querschnitts des Magenrestes mit der obersten Jejunumschlinge in End-zu-Seit-Anastomose. Er verkündete zwar keine eigenen ›Erfahrungen‹, aber er war stolz, mit berühmten Kapazitäten an einem Tisch sitzen und einige treffende Bemerkungen einstreuen zu können, die von großer Kenntnis der Materie kündeten.

Peter war mittlerweile in die Schule gekommen und hatte einen Haufen Freunde, denn jeder drängte sich danach, in der Prachtvilla am Stadtwald spielen zu dürfen. Die Wegener-Fabriken arbeiteten auf Hochtouren, neue Präparate wurden entwickelt, darunter ein Antibiotikum, das bisher resistente Erreger angriff. Es gab in der Villa Fideltà Cocktail-Empfänge und kleine Essen für ausländische Kunden, und auch Politiker meldeten sich, um durchblicken zu lassen, daß ihre Partei einflußreiche Unternehmer wie Wegener gut gebrauchen könne. Und, wie schon so oft, sagte Wegener ziemlich kalt: »Zum Politiker muß man geboren sein. Mir fehlt einfach die Fähigkeit, anders zu reden, als ich denke...«

Es war klar, daß Hellmuth Wegener sich damit in politischen Kreisen aller Couleur die Sympathien verscherzte. Aber das kümmerte ihn weniger als Dr. Schwangler, der seine Vorurteile relativieren und gelegentlich sogar eine Beleidigung ausbügeln mußte mit dem Hinweis, Wegener sei zwar ein Genie, aber auch ein Sonderling, und das gehöre ja meistens zusammen.

Im Februar 1956 wurde Vanessa Nina krank. Zum erstenmal. Bisher hatte sie alle Krankheiten ignoriert, die andere Kinder in ihrem Alter befallen. Sie bekam keine Masern, keine Windpocken, keinen Ziegenpeter, nicht einmal eine richtige Erkältung. Aber jetzt hatte es sie erwischt, sie fieberte stark – 38,7 –, der ganze Körper glühte, als sei er im Ofen gebacken worden, und wenn sie sprach, mußte sie krampfhaft schlucken. Irmi sah ihr in den Hals und sagte nüchtern: »Sie hat eine Mandelentzündung. Sieh dir das an, Liebling!«

Wegener sah den gelben Belag auf den dick geschwollenen, glutroten Mandeln und geriet in Panik. Er rief sofort Professor Goldstein an und bat ihn dringend um seinen Besuch.

»Aber lieber Kollege«, sagte Goldstein milde. »Was soll ich mit Mandeln? Ich bin Gynäkologe. Für die oberen Etagen sind andere Kollegen zuständig. Und überhaupt: Sie haben doch alles im Haus! Sie stellen doch selbst das beste Breitband-Antibiotikum her, das auf dem Markt ist!«

»Trotzdem ...« Wegener kaute an der Unterlippe. Dieses verdammte ›Herr Kollege‹! »Ich möchte einen Kollegen bitten. Sie verstehen ...«

»Natürlich!« Professor Goldstein dachte nach. Ärzte behandeln nun einmal die eigenen Familienmitglieder, vor allem Frau und Kinder, höchst ungern. Ein Chirurg würde nur im allerhöchsten Notfall seine Frau oder sein Kind operieren, und Wegener – das wußte Goldstein ja – war ein ›abgebrochener‹ Chirurg. »Ich empfehle Ihnen den Kollegen Dr. Bernharts, Ewald Bernharts. Mit ›t‹ am Ende. Er muß ganz in Ihrer Nähe wohnen. Stadtwaldgürtel, glaube ich ...«

Dr. Bernharts kam sofort, blickte in Vanessa Ninas Hals und sagte: »Die müssen raus!«

»Auf gar keinen Fall!«

Dr. Bernharts nickte. »Da haben Sie völlig recht, Herr Kollege. Mit dieser Vereiterung ist eine Tonsillektomie völlig ausgeschlossen. Das behandeln wir zunächst konservativ, und wenn die Tonsillen sauber sind, dann knipsen wir sie ab!« Er lachte fröhlich, tätschelte Nina die heißen Wangen und hob die Schultern. »Ein Rezept brauchen Sie wohl nicht, was?« Er lachte wieder. »Oder soll ich Ihnen verschreiben, was Sie selbst herstellen? Zur Vorlage bei der Krankenkasse?«

Er lachte nochmals und ging aus dem Kinderzimmer, das – Fritzchen Leber hatte auch da zugeschlagen – im venezianischen Stil, wie auch das Schlafzimmer, eingerichtet war, was manchem Besucher Mitleid mit der kleinen Vanessa Nina entlockte.

Dr. Bernharts blieb noch drei Stunden bei Wegener, trank vier Kognaks, machte Irmi Komplimente – man traue ihr zwei Kinder gar nicht zu – und dann erzählte er aus seinem Leben, vom Krieg (Dr. Bernharts war Stabsarzt gewesen, bei der 2. Armee, und hatte den ganzen Rückzug mitgemacht), und als Dr. Bernharts ging, war es nach Mitternacht.

»An ihn könnte ich mich gewöhnen«, sagte Wegener später im Bett zu Irmi. Das Bett hatte einen weiten Himmel aus französischer Spitze, war das, was man ein französisches Bett nennt, damals eine Sensation. Die Spiegelwand gegenüber störte Irmi sehr, aber sie ließ sie nicht entfernen, weil Fritzchen Leber so stolz auf dieses Schlafzimmer war. »Eine Kopie aus dem Schloß der großen Katharina von Rußland!« sagte er. Und Dr. Schwangler, schweinisch wie immer, hatte dazu bemerkt: »Ich glaube nicht, daß Irmi sich deshalb junge Hengste ans Bett schnallen läßt!«

»Dr. Bernharts ist ein netter Kerl!« sagte Wegener und gähnte. Irmi sah es zweimal, in Natur und im Spiegel. »Wir sollten ihn zu unserem Hausarzt machen.«

»Wir haben doch dich, Liebling«, sagte Irmi.

»Schon. Aber manchmal, wie jetzt bei Spätzchen... Es ist besser, wenn ein Kollege zur Hand ist. Außerdem habe ich ja nicht fertig studiert, vergiß das nicht.«

»Das war sicherlich ein Fehler.« Sie räkelte sich und kroch eng an seine Seite. Ein französisches Bett macht so etwas leicht. »Vielleicht dein einziger Fehler, Liebling.«

Wegener legte den Arm um Irmis Nacken und bedeckte mit der Hand ihre rechte Brust. So schliefen sie oft ein, einer den anderen fühlend und festhaltend, in der glücklichen Gewißheit: Du gehörst nur mir! »Dann wäre ich jetzt Chirurg an einer Klinik, und wir hätten keine pharmazeutischen Werke.«

»Was wäre dir lieber, Schatz?«

»Das, was ich jetzt bin! Es gibt Chirurgen genug, aber nur einen Hellmuth Wegener mit einer Frau wie du.«

In dieser Nacht hatte Irmi nichts mehr dagegen, daß die Wand vor dem Bett aus einem einzigen Spiegel bestand.

Dr. Bernharts kam jetzt öfter, als notwendig war.

Vanessa Ninas Mandeln schwollen ab, der Eiterbelag verschwand, das Fieber ließ schon am folgenden Tag nach, aber immer wieder erschien Dr. Bernharts, auch, als ›Spätzchen‹ längst wieder im Garten herumspielte. Er lobte Wegeners Antibiotikum, plädierte für die Herausnahme der Mandeln, die Tonsillektomie, und hielt sich sonst vorzugshalber im Damensalon bei Irmi auf. Er trank Tee, den er überhaupt nicht mochte, aß Plätzchen, obgleich er für Schinkenbrote schwärmte, und erzählte charmant und mit Witz von seinen Erlebnissen als Arzt und seinen Reisen.

»Der Kerl ist Junggeselle!« sagte Dr. Schwangler zu Wegener, als selbst dem diese häufigen Besuche auffielen. »Und Irmi ist eine attraktive Frau! Junge, was ist aus ihr geworden! Wo sie auftaucht, bekommen die Männer glasige Augen! Und da soll Bernharts anders reagieren?! Wo er, wie kein anderer, die vorderste Position bei Irmi hat? Als Hausarzt! Was glaubst du, wie der zittert, wenn er Irmi mal die Lunge abhorchen darf und sie ›den Oberkörper freimacht‹, wie ihr Ärzte dämlicherweise sagt. Und dann das Herz abhorchen, wobei er die Brust heben muß...«

»Man sollte dich endlich kastrieren!« sagte Wegener wütend. »Ich will keine Prognosen à la Schwangler, ich will deinen Rat!«

»Kann Bernharts etwas?«

»Er ist ein sehr guter Arzt.«

»Und sonst?«

»Was fragst du so dämlich? Du kennst ihn doch. Ein guter Gesellschafter. Man kann mit ihm reden.«

»Dann spiele Blindekuh«, sagte Dr. Schwangler weise. »Du hast doch Vertrauen zu Irmi?«

»Vollstes! Ich ließe mich für sie köpfen!«

»Was willst du also mehr? Laß Dr. Bernharts die Freude, in Irmis Gegenwart das leise Jucken zu ertragen. Irmi wird es nie wahrnehmen wollen!«

Wegener brach die Unterhaltung ab, wie so oft, wenn es um derartige Themen ging. Mit Dr. Schwanglers Ratschlägen waren nur pornographische Privatdrucke zu veranstalten.

Dennoch blieb Wegener wachsam. Vanessa Nina hatte längst ihre Mandeln heraus, Peter hatte die Masern hinter sich, ohne Nina anzustecken, was Dr. Bernharts verwunderlich fand. Es hatte sich eine Freundschaft gebildet, die aber noch nicht auf das förmliche »Sie« verzichtete. Zu einer Duzfreundschaft hatte Wegener bewußt noch keinen Anlaß gegeben.

Und Irmi wurde immer schöner. Sie war eine – so schien es – nie verblühende Schönheit. Ein konstantes Lob der Schöpfung. Dr. Schwangler sagte: »Früher, im Mittelalter, schloß man so etwas ein, versteckte es und brachte jeden um, der ein Auge darauf warf. Junge, Hellmuth – ich würde verrückt vor Eifersucht, wenn Irmi zum Friseur ginge und eine Stunde länger bliebe als nötig. Wo war sie in dieser Stunde? Was hat sie gemacht? Stimmt das, was sie dir erzählt?

Hat sie wirklich eine Freundin getroffen und war mit ihr im Café? Oder im Modesalon? Oder war sie bei irgendeinem Kerl auf der Bude oder in einem Hotelzimmer, und während du denkst, jetzt dampft sie unter der Trockenhaube, dampft sie in einem fremden Bett!? Junge, das sind Qualen! *Ich* hätte sie – aber du von Gott Gesegneter hast ja einen Engel geheiratet!«

Diese Worte – Wegener nahm sie diesmal nicht übel und unterbrach auch Dr. Schwangler nicht, um ihn eine Sau zu nennen – blieben haften. Und hinzu kam, daß Dr. Bernharts bei seinem nächsten Besuch leichthin sagte: »Mein lieber Herr Wegener. Als Ihr Hausarzt und Vertrauter muß ich es Ihnen sagen: tun Sie was für Ihre Figur! Sie setzen Fett an! Grob gesagt: Sie haben die Veranlagung, dick zu werden! Früher, im Krieg und in der Mangelzeit, da brauchten wir uns mit solchen Problemen nicht zu befassen. Da lebten wir auch gesünder als heute! Mit 20 Gramm Butter und zwei Scheiben Maisbrot täglich ist noch niemand an einer Fettleber zugrunde gegangen. Wieviel wiegen Sie eigentlich?«

»Ich glaube, einhundertachtundsiebzig Pfund.«

»Und sind 1,76 groß?! Viel zuviel, mein Lieber! Ich sehe es ja an Ihren Hosen. Im Bund viel zu eng. Ihr Bauch hängt über! Wir *müssen* was tun!«

Als Dr. Bernharts gegangen war, sagte Wegener: »Er mag ehrlich sein, Irmi. Aber *wie* er es sagt – verdammt, ich weiß allein und sehe es ja, daß ich zu dick geworden bin! Aber bis jetzt hast du nie gesagt, daß es dich stört.«

»Ich würde das auch nie sagen, Liebling«, antwortete sie und räumte die Gläser weg. Es war sehr spät, das Hausmädchen schlief schon.

»Auch, wenn es dich wirklich störte?«

»Dann doch!«

»Ich bin also nicht zu dick?«

»Du stehst an der Grenze, Schatz...«

»Das ist ein Wort!« Wegener riß den Schlips herunter. »Was haben wir jetzt? Den 6. April?! In der Schweiz und in den italienischen Alpen liegt immer noch genug Schnee. Ich lasse morgen sofort durch mein Sekretariat einen Schneeurlaub buchen. Und dann wird skigelaufen, daß das Fett nach allen Seiten spritzt.«

»Einverstanden!« Sie stellte die Gläser hin, kam um den Tisch herum und küßte ihn. »Danke, Schatz!«

»Wofür?«

»Wie lange sind wir jetzt verheiratet?«

»Verdammt!« Er starrte sie entgeistert an. »Genau vierzehn Jahre! Davon zehn Jahre richtig, wenn man es so nennen will...«

»Und das ist seit zehn Jahren unser erster Urlaub.« Sie küßte ihn wieder. »Dafür danke, mein Schatz!«

Der Ort hieß San Geronimo, lag irgendwo in den italienischen Dolomiten, man konnte vom Fenster des Hotels aus das ›Marmolata-Massiv‹ bewundern, wenn die Abendsonne es vergoldete und, ehe die Nacht alles zudeckte, in tiefes Purpur hüllte. Aber das alles war für Hellmuth Wegener nur ein billiger Trost für die Wut, die er hinunterschlucken mußte.

Er saß am Fenster, das linke Bein weit von sich gestreckt, und haderte mit allem, was lebte. Das Bein war bis zum Oberschenkel in Gips. Schon am dritten Tag war es passiert, auf höchst blamable Weise, an einem Hügelchen, von dem die kleinsten Kinder mühelos herunterfuhren. Er war einfach umgefallen, wieso, das wußte er nicht. Er lag im Schnee, das Bein war abgeknickt, Irmi rief um Hilfe. Zwei Skilehrer trugen ihn weg und sagten grinsend: »Wade kaputt! Lange Gips! Schade, schönes Frau lange allein...«

Es war die Zeit, da ein Skilehrer sich auf der Piste weniger anstrengte als im Bett. Der Hunger gerade der nordischen Touristinnen nach schwarzgelockten Gespielen war ungeheuer.

Dr. Schwangler fand, wie immer, die richtigen Worte. Wegener holte ihn aus gegebenem Anlaß als ›Feuerwehrmann‹ nach San Geronimo. »Die Russen glauben, der Teufel habe neun Schwänze«, sagte Schwangler fröhlich. »Davon träumt jeder Skilehrer...«

Der italienische Arzt, der den Gips angelegt hatte, sprach kein Deutsch. Aber er zeigte Wegener das Röntgenbild und überzeugte ihn, daß mit sechs bis acht Wochen Gips zu rechnen war.

»Ein Misturlaub!« sagte Wegener. »Aber laß dir durch mich nicht die gute Laune verderben, Irmi! Du hast den Urlaub nötiger als ich. Ich werde mich zur Nulldiät entschließen und auf diese Weise meine Pfunde verlieren. Wer nichts ißt, kann auch nichts ansetzen.«

Irmi lernte sehr schnell skifahren, der kleine Peter lernte es noch schneller. Und manchmal sauste Irmi, nur von einem der schwarzgelockten, immer lachenden Skilehrer begleitet, die Hänge hinunter. Sie tranken Obstschnaps in einsamen Skihütten, aßen Weißbrot und

Käse, probierten den würzigen Rotwein und genossen weidlich, was man »Après-Ski« nennt und was für in Gips liegende Ehemänner eine Qual ist, wenn sie nicht dabeisein können. Während Wegener auf seinem Zimmer mit seinem komplizierten Bruch herumsaß und Illustrierte las, Kriminalgeschichten, Kriegsromane, dröhnten unter ihm die Bässe und Schlagzeuge, sang ein Tenor schnulzige Lieder, hörte man Lachen und Kreischen, wenn ein Conférencier in drei Sprachen kalauerte. Und als Peter sagte – er mußte um neun ins Bett: »Papi, die Mami kann aber gut tanzen, sie ist gestern zur Miss Après-Ski gewählt worden. Was ist das?« – da wurde Wegener trotz seines Gipsbeines sehr munter.

Mit Irmi sprach er nicht über die Miss-Wahl, und sie erzählte ihm auch nichts davon, was ihn erstaunte, ja geradezu erschütterte. Sie hat Geheimnisse vor mir, dachte er. Sie ist fähig, mir etwas zu verschweigen. Das hat es in zehn Jahren nicht gegeben... oder doch? Habe ich es vor lauter Arbeit bloß nicht bemerkt? Wir haben zusammen gelebt wie ein Körper und ein Herz, aber wir hatten immer zwei Köpfe... Daran habe ich nie gedacht. Gut, sie sagt nichts über die Miss-Wahl – das ist eine Lappalie gegen das, was ich ihr verschweige. Warum rege ich mich auf?! Mein ganzes Leben, mein ganzes Verhalten ihr gegenüber ist eine einzige Lüge. Und trotzdem ist es etwas anderes! Es ist schwer zu erklären, aber das Verschweigen von Kleinigkeiten kann zum Nährboden des Mißtrauens werden. Und überhaupt: Eine Miss ist bisher immer ein unverheiratetes Mädchen gewesen. Wieso ernennt man eine Frau mit zwei Kindern zu einer Miss?

Wegener sprach mit dem Oberkellner des Hotels. Der Mann sprach Deutsch, lächelte verbindlich und antwortete: »Ihre Gattin, Signor, ist so etwas wie die Königin von San Geronimo. Ich beglückwünsche Sie.«

Wegener hatte wenig von diesem Glückwunsch. Um so mehr bohrte jetzt ein Gefühl in ihm, das ihm bisher fremd gewesen war – nicht einmal Dr. Bernharts' zahlreiche Hausbesuche hatten es geweckt. Verflucht, ich bin ja eifersüchtig, dachte er. Wahrhaftig, in mir staut sich etwas auf, platzen könnte ich bei der Vorstellung, ein anderer Mann drückte Irmi an sich! Das ist ein verdammtes Gefühl. Er rief Dr. Schwangler an, sagte: »Edi, komm sofort nach San Geronimo!« – und legte auf, ehe Schwangler fragen konnte, was eigentlich los sei. Dann ließ er die beiden Hausdiener kommen und gab jedem tausend Lire. Das war an einem Abend, an dem unten im großen Hotelsaal ein Kostümball stattfand unter dem Motto: »Eine Nacht in Venedig«. Und das in den Alpen. »Saublöd«, sagte Wegener säuerlich, saß mit seinem Gipsbein am Fenster, sah zu, wie Irmi sich mit Hilfe von bunten Schals und Glasketten in eine bildhübsche venezianische Prinzessin verwandelte und der kleine Peter mit einer Schärpe um den Bauch in einen jungen Gondoliere.

»Gibt es eine Möglichkeit«, fragte er die Hausdiener, die beide Deutsch sprachen, weil sie aus Südtirol stammten, »mich in den Saal zu bringen, wo ich alles übersehen kann, ohne selbst gesehen zu werden?«

Die Hausdiener dachten nach, dann einigten sie sich auf eine Möglichkeit. »Es geht nur eins, Signor«, sagte der eine und steckte den Geldschein lässig in die Schürzentasche. »Wir tragen Sie auf den Dachboden. Durch eine Luke, die auch zur Lüftung dient, könnten Sie die ganze Halle überblicken. Aber da oben wird es heiß werden, Signor. Dicke Luft, es zieht ja alles durch die Luke ab...«

»Ich werde schon nicht ersticken!« Wegener rückte noch einmal tausend Lire heraus, und am Abend, als der große Ball begann, trugen ihn die Hausdiener mit seinem Stuhl über die Hintertreppe unters Dach, schoben ihn an die Luke heran, öffneten sie so weit, daß er den Saal überschauen konnte, und wünschten ihm viel Spaß. Dabei grinsten sie unverschämt. Wegener ertrug es zähneknirschend. Er entdeckte Irmi sofort, umringt von Männern, die alle wie Gondolieri aussahen. Sie sah süß aus, lachte, trank Sekt und war so ganz anders als sonst. Sie war tatsächlich der Mittelpunkt des Festes. So kenne ich sie gar nicht, dachte Wegener, und der Druck auf seinem Herzen wurde immer stärker. Lag es an mir? Hat sie das vermißt, diese Fröhlichkeit, befreit von der Pflicht, repräsentieren zu müssen?

Er hockte auf seinem unbequemen Stuhl, das Gipsbein ausgestreckt, zur Unbeweglichkeit verurteilt, schluckte die verbrauchte Luft, die ihn umwehte, sah Irmi tanzen und belegte die Männer, die sich um sie rissen, mit gehässigen Namen. Er war froh, als nach zwei Stunden die beiden Hausdiener wieder auf dem Dachboden erschienen und ihn auf sein Zimmer schleppten.

Als Irmi aus dem Ballsaal zurückkam, lag er längst im Bett und tat so, als schlafe er fest. Er schnarchte sogar, so gekonnt, daß sie sich leise auszog und ganz vorsichtig, damit er nicht aufwachte, in ihr Bett huschte. Wegener, der auf der Seite lag, blinzelte auf die Uhr. Fast vier Uhr morgens! Das war das letztemal, dachte er. Das halte ich nicht mehr aus! Und wenn ich eines Tages mal fest im Bett liegen müßte – ich ließe mich dahin rollen, wo Irmi ist! Ich werde noch verrückt...

Zwei Tage später war Dr. Schwangler da. »Du Hornochse!« sagte er zu Wegener. »Sitzt da herum und frißt die Tapeten von der Wand vor Eifersucht – und was machst *du*? Was ist mit dem Haus auf dem Gereonswall? Die kleine wilde Schwarze?! Und du gönnst Irmi nicht mal einen harmlosen Skiflirt.«

»Gereonswall, das ist etwas anderes, Edi«, sagte Wegener dumpf.

»Natürlich, bei uns ist immer alles anders! Sag mir mal, was soll ich hier? Die Skilehrer verhauen? Die sind stärker als ich.«

»Kümmere dich um Irmi.«

»Als Wegener-Ersatz?«

»So ähnlich, Edi.«

»Zu was ich alles tauge!« Dr. Schwangler seufzte resignierend. »Wie lange bleibst du noch?«

»Zehn Tage.«

»Prost Scheiße! Warum bin ich bloß dein Freund geworden...«

Aus den zehn Tagen wurden nur drei. Dr. Bernharts rief am Morgen des vierten Tages an, ziemlich aufgeregt und mit zitternder Stimme.

»Ich will Ihnen den Urlaub nicht verderben, Herr Wegener«, sagte er. »Aber ich halte es für meine Pflicht, es Ihnen zu sagen: Wir sind hier alle tief erschüttert. Gestern nacht hat Professor Goldstein versucht, sich das Leben zu nehmen!«

»Mein Gott«, sagte Wegener leise. Er starrte aus dem Fenster auf die von der kalten Morgensonne überstrahlten Dreitausender. Die Schneehänge glitzerten bläulich. Ein herrlicher Tag. »Warum? Warum denn nur?«

»Das weiß keiner. Man konnte ihn retten. Er gibt keine Auskunft. Ich dachte, es interessiert Sie. Sie kennen Professor Goldstein doch gut...«

»Ich danke Ihnen sehr, Doktor«, sagte Wegener tonlos. »Danke.«

Er legte auf, starrte aus dem Fenster und wartete, bis Irmi aus dem Badezimmer kam. Sie war nackt, das warme Wasser tropfte von ihrer glatten Haut.

»Wer war das?« fragte sie. »Am frühen Morgen?! Komm, trockne mich ab...« Sie kam zu ihm, drehte ihm den Rücken zu, er küßte den Ansatz ihrer Hüften, das Grübchen ihres Gesäßes und streichelte, nach vorn fassend, den lockigen Flaum zwischen ihren Schenkeln. Sie gehört mir, dachte er dabei. Nur mir, mir, mir! Ich bringe jeden um, der sie mir wegnimmt! Ohne diese Frau bin ich ein Haufen Dreck! Ich lebe nur durch sie.

»Du sollst mich abtrocknen, Schatz«, sagte sie und dehnte den Unterkörper seiner streichelnden Hand entgegen. »Nichts anderes!«

»Wir reisen noch heute ab«, sagte Wegener heiser. »Wir packen sofort!« Er nahm das Handtuch und trocknete sie ab. »Goldstein hat versucht, sich umzubringen...«

»Um Gottes willen, nein!« Sie fuhr herum und starrte ihn entsetzt an. »War das der Anruf?!«

»Ja. Dr. Bernharts. Ich muß zu Goldstein! Er hat unsere Kinder geholt, er hat dir zweimal das Leben gerettet... ich muß einfach hin.«

»Natürlich! Selbstverständlich! Aber warum? Warum hat er das getan?«

»Das weiß keiner.« Er sah Irmi zu, wie sie sich anzog. »Auf jeden Fall fahren wir sofort.«

Spät in der Nacht kamen sie in Köln an, nach einer Non-stop-Fahrt, bei der sich Wegener und Dr. Schwangler am Steuer abgelöst hatten. Schwangler war mit dem Zug gekommen.

Kaum im Haus, rief Wegener die Klinik an. Eine muffelige Nachtschwester sagte, hörbar böse: »Wir geben keine Auskunft!« Dann legte sie auf.

»Ganz natürlich!« meinte Dr. Schwangler, als Wegener die Schwester eine alte Zippe nannte. »Was glaubst du, wie sich die Presse auf den Fall gestürzt hat! Ausgerechnet Goldstein! Du wirst gar nicht an ihn herankommen.«

Wegener kam an ihn heran. Der Chefarzt der I. Medizinischen Klinik, auf deren Privatstation Goldstein unter einem Sauerstoffzelt lag, erlaubte, daß er Goldstein ein paar Minuten besuchte.

Der Professor war wach, als Wegener leise eintrat. Das weiße Haar lag wie ein Kranz um das blasse, schmale Gesicht. Die Augen blickten Wegener an, als wollten sie sagen: Auch du kannst nichts mehr tun.

Er will nicht mehr, durchfuhr es Wegener. Da liegt ein Mann, den das ganze Leben ankotzt. Und ausgerechnet Professor Goldstein! Wer soll das begreifen?

Nach zehn Minuten begriff es Hellmuth Wegener.

Goldstein sprach mit leiser Stimme, aber sehr artikuliert, wie immer. Auch in Todesnähe immer noch ein Aristokrat. »Sie sind kein Beichtvater«, sagte er. »Und auch Ihnen würde ich nichts sagen, wenn Sie nicht indirekt damit zu tun hätten.«

»Ich?« Wegener sah Professor Goldstein betroffen an. »Wieso?«

»Die Vergangenheit hat mich eingeholt. Was damals keinem gelungen ist, hat man jetzt geschafft. Ich habe schwache Nerven, Herr Wegener, das weiß nur keiner. Die Flucht vor den Nazis hat sie fadendünn gemacht und zerreißbar.« Goldstein blickte nach oben gegen das Sauerstoffzelt. »Das war vorige Woche. Eine Frau kommt auf meinen OP-Tisch. Den Namen kann ich Ihnen nicht nennen... Das ist es ja! Eine Frau, dreiundfünfzig Jahre alt. Eine totale Ovarektomie wegen eines epithelialen Tumors. Die Operation verlief ohne Komplikation. Und am dritten Tag danach sagt die Frau zu mir: ›Sie heißen Goldstein, Herr Professor? Kann ich mit Ihnen frei sprechen? Sie haben doch Schweigepflicht wie ein Priester? Kann ich bei Ihnen eine Art Beichte ablegen?‹ Und ich antworte: ›Natürlich! Ein Arzt muß auch immer ein bißchen Priester sein!‹ Und die Frau sagt weiter: ›Herr Professor, ich war einmal Aufseherin im KZ Flossenbürg. Das weiß keiner. Ich habe jetzt einen anderen Namen. Und ich glaube, in Flossenbürg hatten wir ein paar Insassen, die hießen Goldstein. Kann das sein? Ich... ich muß Sie danach fragen!‹ – Ich war wie vor den Kopf geschlagen. In Flossenbürg sind meine Mutter, meine Schwester und meine Schwägerin umgebracht worden...«

»Mit dem Gas von meinem Onkel Axel Hellebrecht«, sagte Wegener kaum hörbar.

»Vielleicht.« Goldstein schloß die Augen. »Die Frau hatte es mir gesagt, ich muß schweigen, weil es eine Beichte war, aber ich hatte nicht mehr die Nerven, das mit mir herumzutragen. Deshalb habe ich...« Er schwieg mit einem Seufzer und atmete tief durch. »Nun haben sie mich doch noch erwischt, die Nazis...«

»Wer ist die Frau?« fragte Wegener heiser.

»Das darf ich Ihnen nicht sagen! Trotz allem nicht! Ich ersticke an meinem ärztlichen Ethos! Nun wissen Sie es. Bitte, tun Sie nichts,

Herr Kollege! Vielleicht fange ich mich wieder. Es ist eine Qual, so sensibel zu sein, glauben Sie's mir! Ich bewundere Ihre Kraft!«

Nachdenklich verließ Wegener das Zimmer der Intensivstation. Er bewundert meine Kraft, dachte er, aber er kennt nicht meine ständige Angst. Auch das zermürbt. Die Vergangenheit ist immer um einen, man sieht es an Goldstein. Man kann ihr sein Leben lang nicht entfliehen, man schleppt sie immer mit sich herum. Hundert unbekannte Faktoren können die Katastrophe auslösen.

Angst! Es gibt keine Kraft, die die Angst besiegt. Wer das behauptet, ist ein Lügner.

Professor Goldstein starb nicht unter dem Sauerstoffzelt. Man entließ ihn nach drei Wochen. Er war fröhlich, gab sogar für den Ärztestammtisch einen Bierabend in seiner Villa, hielt einen Vortrag in Genf und fuhr dann in den Urlaub. Er wählte die Insel Capri, um sich das Haus ›San Michele‹ seines Kollegen Axel Munthe anzusehen.

Und auf Capri geschah es dann. Am Rande eines Felsens, der senkrecht ins Meer abfiel, rutschte er aus und stürzte hinab. Man fand seinen Körper nie, die Strömung des Meeres hat ihn weggetrieben, vielleicht hinüber nach Afrika, wo Fischer den unbekannten Leichnam gefunden haben mochten.

Zeugen sagten aus, es sei kein Selbstmord gewesen, man habe gesehen, wie er auf den glatten Steinen ausgerutscht sei. Ganz einwandfrei ein tragischer Unfall.

Wegener glaubte es nicht. Aber er sprach mit niemandem darüber, auch nicht mit Irmi oder Dr. Schwangler. Er dachte nur: Dazu gehört Mut! Ein Felsen, das Meer, vor sich die Tiefe, die Sekunde der Überwindung: Hinunter! Mein Gott, welch ein Mut gehört dazu! Ob ich ihn hätte? Ich glaube nicht. Ich hatte ja noch nicht einmal den Mut, Irmi damals in Friedland zu sagen: Du umarmst einen anderen, Hellmuth Wegener, den du erwartest, ist in Orscha auf dem Flur einer Schule verreckt... Jawohl, regelrecht verreckt! Nicht den Heldentod gestorben, denn Heldentod gibt es nicht. Das ist nur ein geradezu perverses Wort der Militärs und Politiker für zerfetzte Leiber und armselige, schreiende, für Ideen geopferte Menschen, die im Dreck, in Blut und Eiter krepieren und nicht ›Heil mein Vaterland‹, sondern ›Mutter! Mutter!‹ brüllen...

Wie oft habe ich das erlebt.

»Wir werden nie nach Capri reisen«, sagte Irmi, als der Unfall bekannt geworden war.

»Was kann Capri dafür?«

»Trotzdem...«

Bei der Trauerfeier, die die Ärztekammer abhielt, sprach auch Hellmuth Wegener. Nicht von dem Arzt, sondern von dem Menschen Goldstein. Es gab Ärzte, die dabei feuchte Augen bekamen.

»Und du kommst doch noch in die Politik!« sagte Dr. Schwangler später zu Wegener. »So etwas von Rhetorik! Du kannst ja Granit zu Knetgummi reden.«

Jeder Mensch hat sein eigenes Schicksal, und es ist immer ein ›großes‹ Schicksal, wenn man es zusammennimmt, zusammenrafft, als Ganzes betrachtet. Das Leben eines Menschen ist in seiner Vielfalt, in der Verzahnung entscheidender Situationen, in den Aufbrüchen von Leidenschaften und Leiden, Freuden und Freudlosigkeiten von einer solchen Faszination, daß jeder von uns, wenn er zurückblickt, von sich sagen kann: Ich habe ein großes Leben gehabt.

Daran ändern auch die Jahre nichts, die gleichförmig dahinfließen wie das Wasser eines Baches.

So war auch das Leben des Hellmuth Wegener in den nächsten Jahren ein gleichförmiges Fließen. Sie erbrachten, wie zwangsläufig, eine Steigerung seiner Produktivität, seiner Arbeit, seiner Erfolge. Die Kinder wuchsen heran, Peter besuchte das Gymnasium, die Villa Fedeltà füllte sich von Jahr zu Jahr mehr mit wertvollen Möbeln, Teppichen und Gemälden. Die *Protosano*-Werke und die *Vitalan*-Fabrik waren längst zu Begriffen geworden, als Wegener 1964 sich entschloß, alles zusammenzufassen und seine Firmen von nun an *»Euromedica-Werke«* zu nennen. Anlaß dazu war ein gehässiger Artikel in einer deutschen Zeitung, deren Chefredakteur früher, sinnigerweise, Kriegsberichter gewesen war. Er wärmte wieder die Geschichte von Onkel Axel Hellebrecht und seinem Gas auf. Wegener rief die Redaktion an.

»Sie werden uns zu groß!« sagte der verantwortliche Redakteur freimütig. »Sie persönlich interessieren uns überhaupt nicht. Aber das Monopol, das Sie auf dem Pharmazie-Markt haben – das ist uns wichtig! Sie sind der Typ des Kapitalisten! Ob Sie sich das schwer und mit Schweiß auf der Stirn erarbeitet haben, interessiert uns einen

Dreck! Sie sind reich, Millionen andere sind arm – das ist der Hammer! Was wären wir, wenn wir keine Buhmänner der Nation hätten?«

Wegener brach das Telefonat ab – es führte zu nichts. Man sagte sich das alles unter vier Augen, und die Redaktion würde doch alles abstreiten, wenn man dieses Gespräch bekanntgab.

Die Villa Fedeltà am Stadtwald von Köln wurde zu einem gesellschaftlichen Mittelpunkt. Und dessen Mittelpunkt wiederum war Irmi. Sie alterte anscheinend nicht, – sie erblühte nur! Wegener, der jetzt einhundertundneunzig Pfund wog und alles tat, etwas von seinem Gewicht herunterzubekommen, aber alle Bemühungen als nutzlos erkannte, da er pro Woche drei Arbeitsessen durchstehen mußte, kam sich ganz verloren vor, wenn Irmi nicht bei Empfängen repräsentierte. Da die meisten Verträge bei Essen und Trinken ausgehandelt werden, nutzte auch der Hinweis Dr. Bernharts' nichts, auch Heinrich VIII. habe sich zu Tode gefressen, und jedes Pfund über Normal verkürze die Lebenszeit um ein Jahr. Wegener nahm ihn zweimal zu Verhandlungen mit Auslandspartnern mit und setzte Dr. Bernharts an der Tafel unter die Manager. Hinterher hing der Arzt in einem Sessel, trank Mokka und sah Wegener wie ein geprügelter Hund an.

»Das ist Mord!« stöhnte er. »Ihr ermordet euch gegenseitig mit Löffel, Gabel und Messer!«

»Haben Sie einen anderen Vorschlag, Doktor?« fragte Wegener.

»Für diese Clique nicht! Sie haben heute abend mindestens 4000 Kalorien zu sich genommen!«

»Und einen Vertrag über 30 Millionen unter Dach gebracht! Geben Sie mir einen vernünftigen Rat!«

»Bei diesen Zahlen weiß ich keinen Rat, Herr Wegener.« Dr. Bernharts trank den glühheißen Mokka mit kleinen Schlucken. »Haben Sie das noch nötig?«

»Ich nicht! Aber von meiner Arbeit leben 3500 Arbeiter und Angestellte.«

»Delegieren Sie gute Mitarbeiter, die Ihnen das Fressen abnehmen!«

»Ich habe schon fünf Direktoren. Aber bei bestimmten Größenordnungen will man mich selbst sehen. Das wäre so, als müßten sich Ihre prominenten Privatpatienten mit telefonischen Ferndiagnosen zufrieden geben.«

Dr. Bernharts kapitulierte.

Dr. Schwangler hingegen konnte durchaus nicht begreifen, daß sein Freund ›bei diesem Lebenswandel nicht vom Fleische fiel‹. Er war noch immer der Meinung, Wegener fröne am Gereonswall verzehrenden Leidenschaften. Wochenlang hatte er seine Neugier gezügelt, aber eines Tages ging sie doch mit ihm durch.

Seit Hellmuth aus Sibirien zurückgekommen war, hatten Irmi und er immer alles gemeinsam gekauft. Es gab kein Kleid, das Wegener nicht mit ausgesucht hatte. Kein Paar Schuhe, das er nicht begutachtet, keine Bluse, die ihm Irmi nicht vorgeführt hätte. Oft saß er mit ihr stundenlang in den Modehäusern herum, denn Irmi kaufte grundsätzlich nur das, was Hellmuth für gut befunden hatte. Manchmal durchwühlte er selbst die Kleiderständer, zog heraus, was ihm gefiel, oder ließ es ändern. Es kam sogar so weit, daß Wegener in den Kabinen der Miedergeschäfte auf einem Hocker saß und die Büstenhalter und Miederhöschen begutachtete, die Irmi anprobierte.

»So was wie dich sollte man später einbalsamieren!« sagte Dr. Schwangler, als er von diesen Einkäufen erfuhr. »Sucht die BHs aus! Machst du das auch bei deiner Mieze vom Gereonswall?!«

»Ich habe keine Mieze, du Schuft!« sagte Hellmuth Wegener grob.

Aber mit dem Gereonswall war es tatsächlich vorbei: Die Privatstunden bei dem Professor waren ausgelaufen. Wegener war der Ansicht, er besitze jetzt genug »Allgemeinbildung«. Auch über Bauchchirurgie wußte er alles. Er hatte auch alle maßgebenden medizinischen Zeitschriften abonniert, las sie sorgfältig durch, merkte sich die neuesten Erkenntnisse, legte sich ein Archiv mit Ausschnitten an und hatte bald eine medizinische Bibliothek, um die ihn jeder Arzt beneidet hätte.

Es kann nichts mehr passieren, dachte Wegener in diesen Jahren. Überhaupt nichts mehr! Die Vergangenheit ist völlig ausgelöscht. Ich bin ich – und das heißt: ich bin Hellmuth Wegener –, und das erkennt man überall an!

So kam der 17. September 1965. Ein Tag wie jeder andere.

Wegener war in seinem riesigen Büro in den *Euromedica-Werken* und ließ sich von seinem Chefchemiker die Neuentwicklung eines Mittels gegen Bluthochdruck vortragen, Vanessa Nina – jetzt dreizehn Jahre alt – war bei einer Freundin, um mit ihr die verdammten

Mathematikaufgaben zu machen, Irmi gab einen Damen-Tee im kleinen Kreis, zu dem einige Diplomatengattinnen aus Bonn herübergekommen waren und bei dem man über das Absurde Theater von Ionesco diskutierte, und Sohn Peter, jetzt siebzehn Jahre, nach Dr. Schwangler eine ›Intelligenzbestie‹, der wenig dazu tun mußte, um seine Stellung als Klassenprimus zu halten, hatte sich gerade an diesem Nachmittag vorgenommen, auf dem riesigen Speicher der Villa Fedeltà nach alten Klamotten zu suchen, die man für einen Lumpenball verwenden konnte.

Dabei entdeckte er eine alte Truhe, die noch aus der Dynastie der Apothekerfamilie Lohmann stammte. Er öffnete die Schlösser, fand lauter Puppen und Spielzeug und ahnte, daß damit einmal seine Mutter gespielt haben mußte. Nicht ohne eine gewisse Scheu packte er sie aus, und dabei stieß er auf einen kleinen Packen Briefe, der mit einem lila Seidenband umschlungen war. Der Stempel auf dem ersten Kuvert weckte sein Interesse.

Feldpost.

Er setzte sich auf die Truhe, löste das lila Band und begann, die Briefe zu lesen.

Die Feldpostbriefe seines Vaters an seine Mutter, das damalige Fräulein Irmgard Lohmann in Köln. Der erste Brief stammte aus dem Jahre 1943. Irgendwo in Rußland. Absender Unteroffizier Hellmuth Wegener. Später: Fähnrich Hellmuth Wegener. Im Februar 1944 die große Frage: ›Willst Du meine Frau werden?...‹ Drei vergilbte, unscharfe Fotos lagen bei den Briefen: der Fähnrich Wegener im Kreise seiner Kameraden, irgendwo an der Front im Osten.

Peter betrachtete die Bilder, las die Briefe, packte dann alles zusammen und stieg vom Dachboden herab. Er wartete, bis die Damen der Teegesellschaft abgefahren waren, und ging dann zu Irmi in den Salon.

»Mama, ich habe auf dem Dachboden herumgewühlt und das gefunden«, sagte er.

Er legte die Briefe auf den Tisch. Irmi erkannte sie sofort und lächelte.

»Ich habe einen sehr neugierigen Sohn«, sagte sie. »Hast du sie etwa gelesen?«

»Ja, Mama.«

»Du bist alt genug, um zu verstehen, daß ich mich schon durch diese Briefe in deinen Vater verlieben mußte.« Sie nahm einen Brief aus dem Packen und überflog ihn. »Es ist wie gestern«, sagte sie leise. »Ich weiß noch genau, wie sie ankamen. Binde sie wieder zusammen und trag sie zurück in die Truhe.«

»Natürlich, Mama.« Peter ergriff einen anderen Brief und faltete ihn auseinander. Vergilbtes, billiges, holzhaltiges, hartes Papier. Eng beschrieben mit vielen schönen Worten. »Sieh mal! Ein hochinteressantes Beispiel dafür, wie Zeitumstände den Menschen verändern können. Schau dir das an! Pa's Handschrift von damals – und seine Schrift heute... sie sind grundverschieden!«

8

Irmgard Wegener sah ihren Sohn schweigend an. Es war einer jener Blicke, die man in der Familie fürchtete. Es hatte in all den Jahren kaum ein lautes Wort gegeben, nie einen ernsthaften Streit, nie eine Handgreiflichkeit zwischen Eltern und Kindern, keine Spur von jener ›Erziehung‹, die auftretende Probleme mit Ohrfeigen wegzuwischen pflegt... Es hatte fast immer ein Blick genügt, und jeder konnte entscheiden, ob es sich lohnte, weiter über die kritische Frage zu diskutieren.

Peter legte die Briefe schnell wieder auf den Tisch und faltete das Schreiben, das er in der Hand hielt, zusammen. »Ich meine ja bloß, Mama...«, sagte er lahm.

»Du weißt nicht, wie die damalige Zeit war, mein Junge.« Sie packte die Briefe wieder aufeinander und band das Bändchen darum. »Aber du müßtest es ahnen können, bist alt und intelligent genug, um zu wissen, was Krieg bedeutet, Rußland, jahrelange Gefangenschaft in Sibirien. Als dein Vater aus der Taiga zurückkam, *war* er ein anderer Mensch, obwohl er derselbe war. Ich kannte ihn kaum wieder, ich hatte ja nur seine Fotos, sein helles, lachendes Jungengesicht. Als wir uns dann in Friedland gegenüberstanden, brauchten wir ein paar Stunden, um uns zu sagen: So ist das eben! Das hat der Krieg aus uns gemacht, das hat Sibirien als Hellmuth Wegener freigegeben. Damit müssen wir uns abfinden. Aber dann war doch alles so, wie wir es uns erträumt haben. Verstehst du das, Peter?«

»Natürlich, Mama. Und die Schrift?...«

»Auch eine Handschrift kann in der Taiga verlorengehen.« Sie blickte auf das zuoberst liegende Kuvert. »Früher schrieb Pa mit einer Linksneigung der Buchstaben, heute fallen sie mehr nach rechts. Vielleicht ist es sogar ein Protest? Weg mit dem alten Leben...«

»Bestimmt ist es so.« Peter schien überzeugt zu sein. »Es war nur im ersten Moment komisch, nicht wahr, Mama?«

»Nicht komisch, Peter... Tragisch!« Sie schob das Päckchen wieder zu ihm über den Tisch. »Leg sie wieder dorthin, wo du sie gefunden hast. Und überlege einmal, was es heißt, in Sibirien zu vegetieren, ohne die Hoffnung, jemals wieder gesund nach Hause zu kommen. Und dann kam er doch, stand da, abgemagert, hohlwangig, in alten Militärkleidern, von der langen Reise schmutzig, mit fiebrigen Augen... ein Mensch, der ins Leben zurückkommt. Und wie glücklich sind wir geworden!«

»Das stimmt.« Peter nahm die Briefe an sich und umfaßte sie wie etwas ganz Zerbrechliches. »Ihr führt wirklich eine glückliche Ehe. Wenn ich da andere Paare sehe – und was mir meine Klassenkameraden von zu Hause alles erzählen, o Mannomann! Da ist was los! Eure glückliche Ehe ist fast schon unnormal!«

»Siehst du, mein Junge«, Irmi lächelte mild. Wenn sie so still lächelte, hatte sie etwas Madonnenhaftes an sich. Und wenn sie mit diesem Lächeln sprach, nahm man es als endgültig, als eine Art Offenbarung hin. »Wie unwichtig ist es da, ob Pa früher linkslastig und jetzt rechtslastig schreibt. Ob sein K anders aussieht und sein F nur drei Striche sind, während er es früher mit einem Schnörkel verzierte. Hängt daran ein Mensch?«

»Schon vergessen, Mama.« Peter stand auf. »Ihr seid überhaupt eine Generation, die etwas von einem Chamäleon an sich hat.«

»Danke, mein Sohn!«

»Das soll kein Tadel sein, Mama. Aber – warum hat Pa eigentlich nicht weiter Medizin studiert? 1948 war das doch längst möglich.«

»1948 kamst du zur Welt.«

»Deswegen kann man doch studieren!«

»Die Apotheke war wichtiger, Junge. Pa sollte dir mal alles erzählen, ihr habt ja keine Ahnung, was es heißt, in solchen Zeiten zu überleben! Und außerdem: Pa war völlig mit den Nerven fertig.«

»Sibirien.«

»Wenn du dieses eine Wort begreifst, mein Junge, hast du viel von unserer Generation begriffen!«

»Euren Massenirrsinn mit Hitler wird niemand begreifen.«

»Und wie verhalten sich die Chinesen unter Mao Tse Tung?!«

»Das ist etwas ganz anderes. Das ist eine soziale Revolution, die die Welt beispielhaft verändern wird.«

»Als wir siebzehn waren, dachten wir von Hitler genau so! Jedes Volk, jede Generation hat ihre Probleme, ihre guten oder falschen Vorbilder, ihre Tragödien und Sternstunden, ihre geschichtlichen Irrtümer. Wir sind eben doch nur dumme Menschen!«

»Du bist klug, Mama!«

»Ich habe alles von deinem Vater gelernt. Früher wußte ich nur, wo das Aspirin liegt und in welcher Schublade die Salbe gegen wunde Füße. Weißt du, daß du einen ungeheuer klugen Vater hast?«

»Wenn er solche Fabriken auf die Beine stellen kann...«

»Das sind Äußerlichkeiten, Peter! Es gibt auch eine stille Klugheit. Aber darüber sprechen wir ein andermal.«

Am Abend – Peter hatte die Briefe längst wieder in die alte Truhe gelegt und war jetzt angeblich bei einem Freund, der ein Billard hatte, in Wahrheit aber trafen sie sich im Stadtwald mit Schülerinnen des »Königin-Luise-Gymnasiums« – am Abend saßen Irmi und Hellmuth im Gartenzimmer. Er hatte, wie immer, wenn sie hier zu zweit saßen, die Beine auf einen Hocker gelegt, blickte auf den Bildschirm, trank eine halbe Flasche französischen Rotweins, erzählte in Abständen, so, wie's ihm gerade einfiel, von einigen Ereignissen des Tages, mokierte sich über die neuesten schweinischen Witze Dr. Schwanglers – kurz: Es war ein Abend wie seit Jahren. Irmi regte sich über Dr. Schwangler auf, das Fernsehen brachte eine Tanz-Show, Vanessa Nina war auf ihrem Zimmer und hörte progressive Jazzplatten, und Hellmuth Wegener war müde nach dem Tagespensum und saß überhaupt nur hier, weil Irmi so gern gute Tänzer sah. Er selbst hätte lieber längst im Bett gelegen, mit einem Buch zum Einschlafen. Drei, vier Seiten lesen, das Gefühl, neben sich Irmi zu haben, die glückliche Sattheit, die ihn immer überkam, wenn er ausgestreckt lag (dem Erfinder des Bettes müßte man in jedem Dorf auf der ganzen Welt ein Denkmal setzen, sagte er einmal), und dann die selige Müdigkeit, das Ausknipsen der Nachttischlampe, das Herumrollen auf die Seite, Irmi zu hören, wie auch sie ihre Lampe ausknipste und sich zurechtlegte... das war ein wundervoller Tagesabschluß, ein Teil dessen, für das es sich lohnte, zu leben, zu arbeiten, zu schuften, sich aufzureiben.

»Ich muß nächste Woche nach Rom«, sagte er, als zur Pausenfüllung ein sogenannter Sänger etwas ins Mikrofon spuckte, was ein Lied sein sollte. Wegener wartete gebannt darauf, ob er vielleicht das Mikrofon verschlucken würde. Vanessa Nina kannte den Knaben bestimmt und hätte sein Geheul ›dufte‹ genannt. Für Hellmuth Wegener klang es, als ob man Zehennägel feilte.

»So?« sagte Irmi und starrte auf den Sänger, der mit den Hüften wackelte und merkwürdige Urlaute ausstieß. »Nach Rom?«

»Ich habe dazu soviel Lust wie ein Clochard zur Arbeit.«

Irmi lehnte sich zurück, eine neue Ballettnummer war an der Reihe.

»Übrigens: Peter hat deine Feldpostbriefe an mich gefunden...«

Hellmuth Wegener zeigte keine Wirkung, aber in seinem Hirn schrillte, wie schon lange nicht mehr, die Alarmklingel. Er nippte nur an seinem Rotweinglas, mit ruhiger Hand hielt er es fest.

»Die gibt es noch?« fragte er ruhig und schielte zu Irmi hinüber. Sie starrte auf den Bildschirm.

»Ja. Ich habe sie alle noch. Gebündelt, mit einem Bändchen drum. Peter kramte in der alten Truhe und fand sie. Ich könnte mich doch nie von deinen Kriegsbriefen trennen, Liebling.«

»Und der Bengel hat sie gelesen?«

»Hättest du's nicht auch getan?«

»Nee! Aber wenn ich denke, was ich dir alles geschrieben habe, und Peter weiß es... Merkwürdiges Gefühl«, sagte er.

»*So* schlimm sind die Briefe auch nicht.« Irmi lächelte. »Wir waren – im Vergleich zu der heutigen Jugend – brav wie die Klosterschüler.«

»Waren wir das?« fragte er lässig zurück.

»Das weißt du doch! Deine Briefe – meine Briefe... das liest sich heute wie aus einem anderen Jahrhundert.«

»Trotzdem, es waren unsere tiefsten seelischen Geheimnisse. Und die kennt der Bengel jetzt...«

»Die interessierten ihn gar nicht. Was ihm auffiel, war deine Handschrift.«

»Meine – was?« fragte Wegener. Unter seiner Kopfhaut bekam er wieder das typische Glühen. Es ist zum Verzweifeln, durchfuhr es ihn. An alles habe ich gedacht, wirklich an alles. Nur nicht daran, daß Hellmuth Wegener Feldpostbriefe geschrieben hat, er hat doch Irmi auf diese Weise kennengelernt – ›Deutsche Mädel schreiben an die Front‹ – aber wer denkt auch daran, daß sie diese Briefe aufgehoben hat, mit einem Bändchen umschnürt! Und mein Sohn findet nach 22 Jahren diese verdammten Briefe und stellt fest... Nach 22 Jahren soll ich stolpern über ein paar Buchstaben? Und mein eigener Sohn haut mich damit zu Boden?!

»Deine Schrift«, sagte Irmi ganz ruhig. Im Fernsehen tanzte man einen herrlichen Tango. »Sie hat sich seit damals sehr verändert. Das fiel Peter auf.«

»Krieg! Rußland! Sibirien!« sagte Wegener laut.

»Genau das habe ich ihm auch gesagt. Wir haben darüber diskutiert. Über unsere verlorene und doch so aktive Generation.«

»Und wo sind die Briefe jetzt?«

»Wieder auf dem Speicher in der Truhe.«

»Du willst sie weiterhin aufheben?!«

»Aber ja, Liebling. Wenn es nicht so lächerlich wäre – für die anderen –, würde ich sie auf einen Marmorsockel stellen wie eine Plastik. Deine Briefe aus Rußland, deine Frage, irgendwoher von der Front: Willst Du meine Frau werden?... So etwas vernichtet man doch nicht, Schatz!«

Er nickte und schloß die Augen. Die Schrift. Morgen nehme ich einen Brief aus dem Bündel und werde üben, so zu schreiben wie Hellmuth Wegener. Ich habe das ja schon getan, natürlich, ich Rindvieh, wie konnte ich das vergessen! Ich habe Irmi doch aus der Gefangenschaft geschrieben, allerdings in Druckbuchstaben – und dann schlugen die Ereignisse so über mir zusammen, daß ich an die Scheißschrift überhaupt nicht mehr gedacht habe. Ich habe so geschrieben wie immer. Und das heißt natürlich: ganz anders als Hellmuth Wegener schrieb.

»Woran denkst du, Schatz?« fragte Irmi. Der Sänger war wieder auf dem Bildschirm, mit dem Mikrofon auf Lippenfühlung.

Wegener öffnete die Augen. »An Rom«, sagte er. Nein, ich übe nicht, dachte er. Das würde auffallen. Das wäre ein Schuldbekenntnis. Ich schreibe weiter wie bisher. Ich bin der durch Sibirien veränderte Mensch. Ich habe mich nicht zurückverändert. Ich bin der geblieben, den Irmi in Friedland in die Arme nahm und zu dem sie sagte: »Endlich, endlich bist du gekommen!« Und das war der Mensch mit dem veränderten Gesicht und der veränderten Schrift! Und das ist jetzt der Fabrikant Hellmuth Wegener, ein in Europa bekannter Millionär, einhundertundneunzig Pfund schwer und nach Aussagen seines Hausarztes dazu prädestiniert, einen herrlichen Diabetes zu bekommen, weil die Bauchspeicheldrüse eines Tages streiken wird.

Ich *bin* Hellmuth Wegener, dachte er. Scheiß was auf die andere Schrift! Aber da sieht man mal, wie klein die Steine sein können, über die man stolpern und sogar stürzen kann!

Siebzehn Jahre lebe ich an Irmis Seite. Das Glück verfolgt mich, und ich habe es mir abgewöhnt, in bestimmten Situationen ein Gewissen zu haben. Aber manchmal, allein vor dem Spiegel, sieht mich der Schlosser Peter Hasslick an. Dann könnte ich etwas Massives nehmen und dieses impertinente Gesicht zerschlagen, zertrümmern, zerstören, auslöschen. Im Grunde bleibt man doch immer der, der man war.

»Ich lese die Briefe auch noch mal durch«, sagte er und gähnte ungeniert. »Ich weiß keinen Satz mehr, den ich dir damals geschrieben habe.«

»Ich kann einige Briefe noch auswendig«, sagte sie. »Soll ich dir einen aufsagen?«

»Bitte nein! Der Sänger da genügt mir. Irmi, Liebling, ich bin müde. Das war ein Tag mit sechs Sitzungen, und dazu die Vorstellung einer Neuentwicklung. Ein Präparat für Hämophilie. Die Bluterkrankheit. Ich glaube, wir haben einen Blutgerinnungsstoff gefunden!«

»Wie schön!« Sie sah ihn mit ihren großen blauen Augen an. »Was ihr alles leistet! Du bekommst noch den Nobelpreis!«

»Das fehlte noch! Dann hätte ich nicht einmal mehr die Zeit, mir diesen gräßlichen Mikrofonküsser anzuhören.« Er gähnte wieder und streckte sich in seinem Damastsessel. »Irmi, sollten wir nicht...«

»Geh schon vor, Schatz, die Show ist in zehn Minuten zu Ende.«

Er stand auf, verließ das Gartenzimmer, stieg in der Halle die breite Freitreppe hoch in den ersten Stock und betrat das »venezianische« Schlafzimmer. In zehn Minuten kommt sie nach, dachte er und blieb vor dem prunkvollen Bett stehen. Ich ziehe mich jetzt aus, dusche mich, putze mir die Zähne, steige in einen Pyjama, lege mich hin, nehme mein Buch, lese ein paar Seiten, und vielleicht schlafe ich schon, wenn Irmi kommt.

Das war doch früher nicht so? Da gingen wir gemeinsam ins Bett, da lagen wir aneinandergeschmiegt, da fühlte jeder des anderen

Körper, da bekam keiner genug, den anderen abzutasten, zu streicheln, ihn überall zu küssen, sich endlich zu vereinigen. Da war der Abend, da waren die Dunkelheit und die Schritte zum Bett heitere Signale, die nach eines Tages Last das nur zwei Menschen gehörende Glück ankündeten.

Und jetzt? Geh schon vor... Ich komme in zehn Minuten nach... Und man geht hinauf, wälzt sich ins Bett und achtet nicht einmal mehr darauf, ob es wirklich nur zehn Minuten waren.

Wie lange geht das schon so? Das ist gekommen, ohne daß wir es merkten. Das hat sich eingeschlichen, und jetzt ist es wie selbstverständlich geworden. Du lieber Himmel, nichts ist in unserer Liebe gestorben, gar nichts, im Gegenteil, Irmi ist schöner geworden, ich bin stolzer denn je auf sie, ich würde verrückt, wenn ihr etwas geschähe, und ich könnte zum Mörder werden, wenn ich einen anderen Mann bei ihr entdeckte. Dabei ist gerade das absolut undenkbar! Und doch sagt man sich ganz selbstverständlich: Geh schon rauf. Ich komme in zehn Minuten nach. Nach der Show im Fernsehen, die will ich noch zu Ende sehen...

Er zog sich nicht aus, er ging nicht ins Bad. Er blieb vor dem Bett stehen, setzte sich dann auf das geschnitzte, vergoldete Fußteil und wartete. Seine Müdigkeit war groß, er starrte auf das aufgeschlagene Bett und hatte ein unwiderstehliches Verlangen, sich hinzulegen. Er sah sich in der großen Spiegelwand und musterte sich im Schein der venezianischen Kronleuchter.

Du hast breite Schultern bekommen, dachte er. Und einen Bauch! Wenn du da auf dem Fußteil des Bettes sitzt, quillt er über den Gürtel, und man sieht, daß der Hosenbund zu eng ist, weil du zu eitel bist, um dir einzugestehen, daß du wieder zugenommen hast und dir zwei, drei Zentimeter in der Taille zugewachsen sind! Da nimmst du es lieber auf dich, daß die Hose im Bund verdammt kneift, daß der Bauch überhängt, das Hemd spannt und der Hosenstoff um Hintern und Hüften verflucht eng ist. Einhundertundneunzig Pfund! Du bist schon ein Brocken! Aber bloß nicht zugeben, daß du zu dick bist! Mensch, sieh dich doch an, du Trottel. Wie du dasitzt! Und welche Figuren von Männern umschwärmen Irmi! Dagegen bist du ein Kloß, ein Elefant, ein brummelnder, tapsiger, dicker Tanzbär! Und trotzdem liebt sie dich! Begreifst du das, du Dickwanst?! Und du gehst auch noch allein ins Bett, läßt sie unten bei ihrer Fernsehshow! Hättest du müder Bock nicht auch noch zehn

Minuten neben ihr aushalten können? Dein Bett! Dein herrliches Bett! Dein Buch neben dem Bett auf dem Nachtkasten. Das köstliche Gefühl des Einschlafens, des Weggleitens: das hast du gewählt, nicht Irmi, und selten, nur noch höchst selten ihren jugendlichen, weichen und straffen Körper mit den herrlichen Brüsten!

Er zog sich aus, setzte sich völlig nackt wieder auf das Fußteil und betrachtete sich abermals im Spiegel.

Welch ein Bauch! Wäre ich eine Frau – ich liefe weg vor diesem Ungetüm! Wo ist die Ästhetik geblieben?! Da sitzt du auf dem Bett wie ein riesiges rosa Urschwein und bist ein reicher, berühmter Knülch und denkst immer noch, du seist auch ein attraktiver Mann! Mensch, sieh dich nur richtig an! Über jeden anderen, der so aussieht, würdest du sagen: Bei dem sollten sie mal die Luft ablassen.

Du legst dich hin und schläfst. Und tust das im heiligen Vertrauen, daß Irmi dich liebt, immer lieben wird, und wenn dein Bauch zum Fesselballon wird!

Er wußte nicht, wie lange er so vor der Spiegelwand auf dem Bett saß und sich selbst beschimpfte. Plötzlich stand Irmi im Schlafzimmer und sah ihn verwundert an. Nicht, weil er nackt war, sondern weil er saß. Seine dicke Nacktheit gehörte zu ihrem Leben.

»Du bist noch auf?« fragte sie.

»Wie du siehst.«

»Warum schläfst du nicht, Schatz?«

»Ist deine Show zu Ende?«

»Ja. Die haben zum Schluß einen himmlischen Charleston getanzt!«

»So? Welche Freude!« Er blieb auf dem Bett hocken, sah zu, wie Irmi sich auszog, blieb auch noch hocken, als sie sich duschte, und erhob sich erst, als sie, das Badetuch um ihren nackten Körper geschlungen, zurück ins Schlafzimmer kam.

Wortlos riß er ihr das Tuch weg und umfaßte ihre Brüste.

»Bist du verrückt?« sagte sie, ehrlich verblüfft.

»Ja!«

»Hellmuth –«

Er drängte sie zum Bett, sie fiel auf die Matratze und er über sie. Instinktiv umklammerte sie ihn mit ihren langen schlanken Beinen.

»Hellmuth!« sagte sie fast böse. »Laß den Unsinn!«

»Was ist Unsinn?!«

»Du bist doch so müde. Und morgen die Konferenzen...«

»Bin ich ein fettes Untier?!« sagte er heiser.

»Aber Liebling...«

»Wenn ich es nicht bin, dann liebe mich! Komm! Liebe mich wie früher! Ich kann es noch, ich habe es nicht verlernt, ich werde es dir beweisen, ich halte durch, ich... ich nehme es noch mit jedem auf. Mit jedem!«

»Was ist bloß mit dir los?!« Sie bewegte sich unter ihm, sie wollte weg, aber er drückte sie in das Bett, und unter seinem Bauch wegzugleiten war allein technisch nicht möglich. »Was redest du für einen Blödsinn! Paß auf dein Herz auf...«

»Mein Herz bist du!« brüllte er. »Du bist alles, alles! Irmi, was ist aus uns geworden?! Mit Seide, Mohair, Schmuck und Pelzen behängte Puppen! Irmi – das muß anders, ganz anders werden! Nicht: ›Ich komme in zehn Minuten nach.‹ Und wenn du kommst, schnarche ich schon! Ist das noch Liebe?«

»Aber Hellmuth. Ich liebe dich doch! Was hast du denn plötzlich? Du weißt doch, wie ich dich liebe!«

»Diese einhundertundneunzig Pfund!«

»Es sind doch einhundertundneunzig Pfund von dir! Das allein ist wichtig!«

Er küßte sie, sie schlang ihre Beine fester um ihn, er drang in sie ein, und es war doch nicht so wie früher, der Bauch war überall im Weg! Sie stöhnte leise, grub die Fingernägel in seinen fetten Nacken und erwiderte seinen Rhythmus, der ihm den Atem nahm. Ein einziges Mal wagte er es, in die große Spiegelwand zu blicken und ihre Liebe zu betrachten, was sie früher so lustvoll getan hatten. Er sah sich auf ihr liegen, sein mächtiges Gesäß wölbte sich hoch, seine gewaltigen Hinterbacken zuckten auf und nieder, es war ein Bild, das ihn wie mit Keulen traf.

Er stöhnte qualvoll, vergrub sein Gesicht zwischen Irmis wundervollen Brüsten und hatte große Lust loszuweinen.

Ich zerschlage den Spiegel, dachte er. Ich zerschlage ihn! Diese Wahrheit ist ja tödlich! Da reitet ein widerlicher fetter Faun auf einer zauberhaften Nymphe!

Er begann wirklich zu schluchzen, wälzte sich von Irmi herunter, lag auf dem Rücken und schlug beide Hände vor sein Gesicht.

»Es geht nicht mehr«, stammelte er. »Es ist furchtbar: Es geht nicht mehr!«

»Auch wenn du die Absicht haben solltest, dich drücken zu wollen«, sagte Dr. Schwangler am nächsten Morgen, bevor die Aufsichtsratssitzung der *Euromedica* begann. »Du *mußt* nach Rom! Ich kann nicht, – ich muß nach Stockholm. Dort haben sie ein phantastisches Ding entwickelt, das ich mir ansehen muß und dessen Lizenz wir erwerben werden: ein Präservativ mit Himbeergeschmack!«

»Verlaß sofort mein Zimmer!« schrie Wegener. »Ich bin heute nicht in der Stimmung, deine Sauereien anzuhören!«

»Es ist keine, sondern eine Tatsache«, sagte Schwangler ungerührt. »Aber gut, schweigen wir davon. Ich muß also nach Stockholm. Die anderen Direktoren schwirren auch in der Welt herum, nur du bist noch frei. Außerdem könnte dir ein bißchen schwitzen nichts schaden!«

»Im September!«

»In Rom sind zur Zeit neununddreißig Grad. In den Puffs verlangen sie Sonderprämien... Nein! Ich gehe nicht aus dem Zimmer! Du bist der einzige Mann, mit dem Betrucci verhandeln kann, ohne gleich feuchte Augen zu bekommen; du bist nicht sein Typ. Und du weißt, was von dem Romgeschäft abhängt!«

»Ich kenne Rom gar nicht!« antwortete Wegener steif.

»René Seifenhaar wird's dir zeigen. Und außerdem sollst du keine Bildungsreise in die Antike machen, sondern den Vertrag vorbereiten. Die juristischen Dinge gebe ich dir unterschriftsreif mit! Du sollst nur Betrucci bei guter Laune halten, mit ihm essen gehen, saufen und wieder drei Pfund zunehmen! Das ist doch dein Metier.«

»Ich weiß nicht, warum ich dich nicht rausschmeiße!« sagte Wegener heiser. »Ich werde in allerkürzester Zeit verschwinden. Für sechs oder acht Wochen. In eine Klinik! Und dort werde ich abnehmen. Radikal! Ich kann mich selbst nicht mehr sehen!«

»Erst Rom! Was dann auf deinem Plan steht, ist mir wurscht! Hat sich Irmi beschwert?«

»Wenn du nicht sofort gehst«, sagte Wegener ganz leise, »ersteche ich dich mit der Papierschere. Bei Gott, ich tue es!«

Dr. Schwangler starrte seinen Freund an. Er begriff plötzlich, daß das kein Witz mehr war. Das war verzweifelter Ernst. Er nickte, drehte sich um und verließ das Chefbüro. Draußen ließ er hörbar Luft ab und stellte sich ans Fenster. Von hier aus, von der zehnten Etage, hatte man einen Blick bis nach Köln hinein. Die Domtürme stachen durch einen milchig-hellen Tag.

Irgendwo hat es ihn jetzt gepackt, dachte Schwangler. Was ist passiert und wo? Im Bett? Ist ihm die Luft weggeblieben? Auf jeden Fall sitzt in ihm eine Verzweiflung, die man nicht mit dummen Reden bagatellisieren sollte. Vielleicht wird ihn Rom ablenken... für ein paar Tage wenigstens.

Dr. Schwangler ging hinüber in sein Büro, rief René Seifenhaar in Rom an und sprach mit ihm eine Viertelstunde lang. Dann legte er zufrieden den Hörer zurück. Ich habe schon oft in die Speichen des Schicksals eingegriffen, dachte er. Ich habe Hellmuth so oft, ohne daß er es merkte, durch kritische Situationen gepaukt. Auch das hier wird mir gelingen. Er wäre der erste Mann, der unter südlicher Sonne nicht seine Jugendlichkeit wiederentdecken würde.

René Seifenhaar war am Flugplatz, als Wegener landete. Vor dem Lufthafengebäude wartete ein Maserati mit roten Lederpolstern (ein Geschenk Betruccis an René). Hinter dem Lenkrad saß eine Frau in einem kurzen weißen Kleid, das bis zum Ansatz des Oberschenkels geschlitzt war. Um die langen schwarzen Haare hatte sie ein goldenes Tuch gebunden, und als sie Wegener entgegenlachte, war ihr feuerroter Mund eine einzige Versprechung. Wegener blieb stehen.

»Wer ist das?« flüsterte er.

»Die Gräfin Elietta Dagliatti.«

»Bei dir im Wagen? Hast du ganz neue Ambitionen?«

René Seifenhaar, weit davon entfernt, solche Bemerkungen als Beleidigung anzusehen, grinste müde. »Elietta ist seit einem Jahr geschieden, gehört zur römischen Großaristokratie, hat ein Palais, gibt Partys, auf denen sich alles trifft, was in Rom wichtig ist. Also auch für Sie, Herr Wegener. Außerdem gilt sie als die schönste Frau Roms.«

»Das glaube ich gern! Aber was geht das mich an?!«

»Ihr Temperament ist berühmt.«

»Das bezweifle ich nicht. Aber was soll *ich* mit der Gräfin?«

»Nichts! Gar nichts!« Seifenhaar hob abwehrend beide Hände. »Ich dachte nur, daß die Bekanntschaft mit der Gräfin Dagliatti uns Türen öffnen könnte – zu neuen Partnern. Das denkt auch Signor Betrucci.«

Wegener nickte. Also fügen wir auch noch die Gräfin in den römischen Terminplan ein, dachte er. Mir ist schon alles egal! Er dachte an die Nacht mit Irmi, an sein Versagen, an sein Schluchzen, an ihre Worte, die immer nur sagten: »Ich liebe dich doch! Ich liebe dich so, wie du bist! Du bist doch du! Die Liebe besteht doch nicht nur aus dem einen... Liebling, das ist doch alles Dummheit, was du sagst! Du bist mein Mann! Immer, immer, ewig...« Und er hatte dagelegen, nackt, dick und impotent, und sie küßte ihn, küßte ihn überall, aber in seinem Inneren war keine Regung, kein Prickeln, kein erotischer Glanz. In ihm war es leer, wie eine taube Nuß. Es war die furchtbarste Nacht seit dem Sterben Hellmuth Wegeners auf dem Flur der Schule von Orscha. Ich bin tot, dachte er immer wieder. Ich bin ein toter Fleischkloß. Wenn der spricht, wenn der handelt, ist das alles nur motorisch. Aber innen, das, was einen Mann ausmacht, das ist plötzlich nicht mehr da. Das zu erleben ist wie eine Hinrichtung...

Er ging an den Sportwagen, erfaßte die ihm entgegengestreckte schmale Hand der Gräfin, küßte sie flüchtig und sah sie erstaunt an, als sie ihre Finger mit den hellroten Nägeln um seine Hand schloß.

»Ich freue mich«, sagte sie in einem Deutsch, das auf Erziehung in einem Schweizer Pensionat schließen ließ. »Ich habe schon viel von Ihnen gehört. Kommen Sie, steigen Sie ein!«

»In diesen Wagen? Wir werden wie die Heringe gequetscht.«

»René und Ihre Koffer kommen mit einem anderen Wagen nach. Ich lade Sie ein, mit mir zu fahren. Oder haben Sie Angst vor einer Frau am Steuer?«

»Wenn Sie so fahren, wie Sie aussehen, ich meine...«

Er begann zu stottern, aber Elietta hatte die Situation im Griff, wie Wegeners Hand. »Ich verstehe«, sagte sie. Dann lachte sie mit einer perlenden Koloratur und bog sich etwas in den roten Polstern zurück. Ihr weißes Kleid spannte sich... der Körper darunter schien schlechthin vollendet. »Das haben Sie nett gesagt, Herr Wegener. Steigen Sie ein.«

Sie ließ seine Hand los, er ging um den Wagen herum und setzte sich neben sie. Seifenhaar trabte mit den Koffern zu einem Fiat und blickte sich nicht mehr um. Sein Auftrag war ausgeführt.

»Wo wohnen Sie?« fragte die Gräfin.

»Ich weiß nicht. Das Hotel hat René ausgesucht.«

»Dann ist es das Excelsior! Ich bringe Sie hin.« Sie legte die Hand um das Lenkrad, machte aber keine Anstalten, den Motor zu zünden. Sie streckte nur die Beine zu den Pedalen aus. Dabei klaffte ihr Rock auseinander. Wegener sah ihre sonnenbraunen, glatten Oberschenkel, die kleinen Knie, die rehschmalen Fesseln. Die Füße waren nackt.

»Ich fahre immer barfuß«, sagte sie und lächelte ihn wieder an. »Man hat ein ganz anderes Fahrgefühl. Der Mensch sollte überhaupt viel mehr seinen Gefühlen folgen.«

»Das darf eine Frau sagen...«

»Ein Mann nicht?« Ihr Mund, leicht geöffnet, die blutroten Lippen wie mit Tau befeuchtet, war nahe bei ihm. Er roch ihr Parfüm, ein fremder exotischer Duft, den er nicht einordnen konnte, obgleich er viele Parfüms kannte, allein aus der Kosmetikabteilung der Apotheke. Aber dieser Duft war wie eine Wolke aus einem Orchideenwald, süß, betörend, lockend und gefährlich zugleich.

»Haben Sie Angst vor Gefühlen?« fragte sie.

Wegener spürte, daß in ihm etwas erwachte, das er schon für abgestorben gehalten hatte: das warme, prickelnde, auf dem Herzen schwer lastende Gefühl beim Anblick einer schönen Frau. Ein Gefühl, dem man entfliehen möchte und das einen doch so fesselt, daß man lieber in seinen Fesseln verschmachten wollte, als auf die Nähe dieser Frau zu verzichten.

»Ich kenne keine Angst!« sagte er ruhig.

»Nie?«

»Nie, Gräfin.«

»Elietta klingt schöner.«

»Es paßt zu Ihnen wie eine rote Rose in Ihrem Haar.«

»Sieh an, Sie können ja Komplimente machen, Hellmuth...«

»Es war nur ein lyrischer Einfall, Elietta.«

»Rege ich Sie zur Poesie an?«

Sie lachte wieder ihre perlende Koloratur, drehte den Zündschlüssel und ließ den Maserati aus der Parkreihe heraus auf die Straße schießen. Wegener hielt den Atem an. Nicht nur, weil sie so verwegen fuhr, sondern auch, weil er sich fragte: Was ist mit dir los?! Wie sprichst du plötzlich?! Eine rote Rose im Haar... So was hast du zeit deines Lebens nicht von dir gegeben!

Er beobachtete Elietta Dagliatti, wie sie den schnellen Wagen sicher durch den geradezu wahnwitzigen römischen Verkehr steuerte. Ihre schlanken Beine waren nackt bis zu den Oberschenkeln, und er fragte sich, ob ein paar Zentimeter höher wirklich der Hauch eines Schlüpfers unter dem Kleid war oder ob sie nichts darunter trug. Die Vorstellung erregte ihn maßlos – zum erstenmal seit Jahren wieder, er biß sich auf die Unterlippe und schaute ostentativ zur anderen Seite. Aber ihre Nähe war da, ihre Ausstrahlung, der Duft aus dem Urwald, er meinte sogar, trotz der Fahrgeräusche, das Wehen ihrer langen schwarzen Haare zu hören, dieses leichte Rauschen wie Wind, nächtlicher Wind in einem Palmenhain... Verrückt, dachte er. Total verrückt! Wind in einem Palmenhain, Rosen im Haar... du bist plötzlich selber zu einer Kitschfigur geworden, zu einer monströsen, einhundertundneunzig Pfund schweren Kitschfigur, über die sich die Gräfin Elietta nur lustig macht! Denk an den Spiegel in deinem Schlafzimmer, an deinen weißlichen Bauch, an dein Zusammenfallen in dem Augenblick, als du Irmi wieder bei dir hattest und ihr geben wolltest, was ein Mann geben kann. *Das* ist die Wahrheit, nicht Rosen im Haar! Du Narr! Du Trottel! Du Clown!

»Sie sind so schweigsam, Hellmuth?!« sagte sie plötzlich.

»Ich genieße«, antwortete er kurz.

»Rom oder mich?«

»Beides gehört zusammen.«

»Das war kein Kompliment. Rom, soweit es schön ist, ist Altertum. Bin ich antik?«

»Elietta, Sie beschämen mich.«

»Nein! Sie schulden mir aber für diese Entgleisung einen Abend!«

»Sie haben recht. Bestimmen Sie über mich!«

»Heute abend um 21 Uhr? Ich hole Sie vom Hotel ab, und wir bummeln über die Via Veneto. Irgendwo essen wir dann – nicht in einem Luxusschuppen, sondern ganz intim in einem Eckchen, wo es nach Wein, Knoblauch, Paprika und Tomaten riecht.«

Sie legte beim Fahren die rechte Hand auf seinen Oberschenkel und lenkte mit der linken. Es durchfuhr ihn heiß vom Schenkel bis unter die Kopfhaut, als sie ihn so berührte... unverbindlich und doch vertraut, harmlos und doch voller explosiver Erotik. Er atmete tief durch und sah sie an. Ihr Blick traf ihn aus den Augenwinkeln. Schwarze Augen mit goldenen Punkten darin. Pantheraugen.

»Wir sind gleich da«, sagte sie schnell, als sie bemerkte, daß er nach Worten suchte. »Noch drei Straßen, dann sind wir vor dem Excelsior. Also, um 21 Uhr?«

»Ich werde die Zeit vor mir hersagen wie ein unbegabter Schauspieler, der seinen Text memoriert.«

»Sie sind nicht unbegabt, Hellmuth.«

»Um beim Theater zu bleiben: Ich bin der dicke Drache auf der Bühne. Das dumme Ungeheuer, das nur Feuer spuckt und sich töten läßt.«

»Ich kenne ein Märchen«, sagte Elietta Dagliatti, »in dem es auch einen mächtigen Drachen gab. Alle hatten Angst vor ihm, er beherrschte das ganze Land. Da kam ein kleines Mädchen, das gar keine Angst hatte, küßte den Drachen auf das Feuermaul – und plötzlich verwandelte er sich in einen schönen Prinzen.«

»Das Mädchen war eine Gräfin?« fragte er mit belegter Stimme.

»Ich weiß es nicht. Es ist lange her, daß ich das Märchen gehört habe. Ich kenne die Einzelheiten nicht mehr, nur den Inhalt, in groben Zügen.«

»Manchmal kommt es auf Einzelheiten an, Elietta!«

»Das stimmt. Ich werde versuchen, mich zu erinnern, wie es gewesen ist, im Märchen...«

Sie hielten vor dem Hotel. Elietta blieb sitzen, er küßte wieder ihre Hand. Ihr lachender roter, wie aufgebrochener Mund, ihre goldglitzernden Augen, ihr Körper unter dem dünnen Kleid auf den roten Lederpolstern, ihre nackten Beine, unbedeckt bis zu den Oberschenkeln, die bloßen Füße an den Autopedalen, ihr Parfüm... Er mußte flüchten.

Schnell stieg er aus, winkte noch einmal und rannte durch die Drehtür in die Hotelhalle. An der Rezeption wartete schon René Seifenhaar mit den Koffern.

»Du verdammter Satan!« sagte Wegener zu ihm.

Seifenhaar hielt ihm den Zimmerschlüssel hin, ohne eine Miene zu verziehen. Ein schöner Jüngling, den Wegeners Probleme kalt ließen.

»Sie haben die Suite Nummer 15, Herr Wegener.«

»Eine ganze Suite? Seid ihr verrückt?«

»Ein Schlafzimmer mit französischem Bett, ein Wohnzimmer, ein Salon mit Bar, ein Schreibkabinett...«

»Ich will schlafen, aber nicht residieren, René!«

»Sie müssen Besuche empfangen.« Seifenhaar war die Ruhe selbst. »Es werden viele einflußreiche Leute zu Ihnen kommen. In Rom ist es so, daß die Umgebung immer einen Rückschluß auf den Gastgeber zuläßt. Wände aus Kristall bedeuten auch einen kristallenen Herrn.«

»Das ist doch hochprozentiger Quatsch!«

»Das ist die neue Gesellschaft, Herr Wegener.«

»Und das nach einem solchen Krieg!«

»Der Krieg ist seit zwanzig Jahren vorbei. Er ist Historie geworden, weiter nichts. In *dieser* Gesellschaft will niemand daran erinnert werden! Man will nur leben, aus dem vollen!«

»Dann werde ich pausenlos von meinen Kriegserlebnissen erzählen!« sagte Wegener in grober Opposition. Seifenhaar nickte ungerührt.

»Man wird Ihnen fasziniert zuhören. Ob eine neue Liebschaft des Grafen Laparollo oder die Schlacht bei Smolensk – für diese Gesellschaft ist das ein und dasselbe... Unterhaltung.«

»Das kann ja lustig werden!« Wegener nahm den Schlüssel für die Suite Nummer 15 in Empfang. »Wer dolmetscht? Ich kann fünf Worte Italienisch.«

»Die Gräfin Dagliatti.«

»Ach! Immer?«

»Ja.« Seifenhaar blickte stur in die Gegend. »Sie wird immer um Sie sein.«

»Danke.«

Wegener wandte sich ab, ging zum Lift und fuhr hinauf in die Beletage Nummer 15. Die Suite überraschte ihn nicht, er hatte sich so etwas gedacht. Prunk wie für einen Renaissancefürsten, überladen, erdrückend, aber in seiner Art faszinierend. Nur eins störte ihn maßlos: der große Spiegel vor dem Bett.

Er sah sich wieder darin, dieses Mal angezogen, die Fülle von einem guten Schneider kaschiert. Aber später, wenn der Stoff fällt, wird diese fürchterliche fette Nacktheit wieder den Komplex heraufbeschwören, der ihn versagen läßt...

»Ich fresse nach Rom nichts mehr!« schrie er sein Spiegelbild an. »Vierzig Pfund müssen runter. Hörst du: vierzig Pfund!«

Er rannte ins Badezimmer, ließ Wasser in die Wanne laufen und hatte schon jetzt Angst vor dem Abend. Elietta Dagliatti... Er würde sich so zurückhaltend und steif wie möglich benehmen und allen gefährlichen Gesprächen ausweichen. Vor allem den Definitionen von Gefühlen, anscheinend Eliettas Lieblingsthema!

Pünktlich um 21 Uhr stand sie unten in der Halle in einem Kleid... Wegener verschlug es den Atem. Ihre Brüste, kleiner und spitzer als die von Irmi, lagen fast frei in Spitzenschalen. Und in das lange schwarze Haar hatte sie tatsächlich rote Rosen geflochten.

»Wie sehe ich aus?« fragte sie, als er sie begrüßte. »Sie haben auf der Fahrt wenig gesagt, aber was Sie gesagt haben, war zum Nachdenken. Gefalle ich Ihnen jetzt?«

Sein Vorsatz, ein sturer Bauer zu sein, ein deutscher, tumber Tor, schmolz dahin. »Ich bin kein Dichter, mir fehlen wirklich die Worte«, sagte er und nahm ihre Hand. Er spürte, wie sie mit leichtem Druck antwortete, wie sie sich ihm gleichsam schon mit den Fingerspitzen hingab. »Wenn ich jetzt schweige, bedeutet das mehr als tausend Worte!«

»Danke, Hellmuth. Fahren wir?«

Beim Hinausgehen streifte sein Blick noch einmal sein Spiegelbild. Ein stattlicher Mann im weißen Smoking. Man muß den Schneider loben! Du bist immer noch ein Mann, der auf Frauen wirkt, sagte er zu sich. Verdammt noch mal, dein Bauch, ja, dein runder Hintern, dein Doppelkinn, das alles sind Schönheitsfehler, da wirft dich jeder halbwegs gut gebaute Jüngling aus dem Rennen. Aber ist ein ebenmäßiger Körper alles? Hat ein Mann nicht mehr zu bieten als seine Muskeln?!

Elietta, schon an der Drehtür, wandte sich um.

»Wo bleiben Sie, Hellmuth?«

»Ich bin eitel, Elietta!« sagte er und betrat mit ihr die Straße. »Ich habe mich noch einmal im Spiegel besehen.«

»Und waren unzufrieden mit sich?«

»Wieso?« Er hielt den Atem an.

»Stimmt es?«

»Woher wissen Sie das?«

»Ich kann in Ihren schönen, treuen Augen lesen wie in einem offenen Buch. Sie haben überhaupt kein Talent zur Lüge!«

Wegener schwieg. O wenn ihr alles wüßtet, dachte er nur. Menschenkenntnis ist eine seltene Wissenschaft. Er war dankbar, daß Elietta davon offenbar nicht viel verstand.

Sie fanden ein kleines Lokal, in der Nähe der Via Veneto, etwas abseits, wo sich die promenierende Eitelkeit weniger blicken ließ, setzten sich in eine Nische und bestellten eine ganz gewöhnliche Pizza mit Tomaten und Artischockenherzen. Dazu einen goldgelben offenen Landwein, in einer Karaffe. Sie saßen da wie der personifizierte Reichtum und aßen wie die Bauern.

»Ich war gespannt auf Sie«, sagte die Gräfin.

»Und nun? Vor Ihnen sitzen fast zwei Zentner.«

»Warum kokettieren Sie mit Ihrem Gewicht? Ich sehe Ihre Augen, ich höre Ihre Stimme, ich genieße Ihre Worte, ich spüre Ihre Überlegenheit, ich ruhe mich aus in Ihrer Ruhe. Die zwei Zentner sind doch nur Anhängsel. Die können Sie ja, wenn Sie unbedingt wollen, gelegentlich ein bißchen abbauen.«

»Sie wollen mich trösten, Elietta! Aber ich schwöre Ihnen: Ich lasse mich abspecken. Sofort nach Rom gehe ich in eine Klinik und hungere mich schlank.«

»Und dann stehen Sie herum mit zerknittertem Gesicht, jeder bedauert Sie im stillen. Sie sind stolz auf die verlorenen Pfunde, aber die Nerven sind kaputt! Warum, Hellmuth? Komplexe?«

Er nickte unsicher. »Ja«, sagte er leise. »Auch jetzt.«

»Vor mir?«

»Sie sind die schönste Frau, man kann sich keine schönere erträumen. Und ich...«

»Warum sitze ich hier mit Ihnen, Hellmuth?«

»Weil Sie für mich in Rom den Dolmetscher spielen werden.«

»Hellmuth, Sie fliehen vor sich selbst! Sie wissen genau, daß das, was Sie jetzt sagen, eine Lüge ist.«

»Ich weiß es nicht.«

»Dann sage ich es Ihnen.« Sie stießen mit den Weingläsern an, sahen sich über den Rand der Gläser schweigend und lange an und tranken erst dann. Und nach diesem Blick wußten sie, daß etwas Neues zwischen ihnen geschehen war, worüber man wirklich nicht mehr zu sprechen brauchte.

»Gehen wir«, sagte sie.

Er bezahlte, sie nahmen ein Taxi, Elietta nannte eine Adresse, und er fragte nicht danach. Während sie fuhren, legte sie den Kopf gegen seine Schulter, er schob den Arm um sie, und ihre Wärme, ihr Körper, der Duft aus ihrem Haar verzauberten ihn. Sie schwiegen während der ganzen Fahrt, sahen aus dem Fenster, fühlten sich nur, und als sie etwas tiefer rutschte und ihr Kopf sich in seine Halsbeuge schmiegte, lag seine Hand auf ihrer rechten Brust. Er ließ die Hand nicht fallen, er drückte aber auch nicht zu. Er spürte nur ihre glatte Haut, die Wölbung, spitz auslaufend, die Härte der Warze, das Gefühl wie Samt.

»Wir hätten uns viel früher kennenlernen müssen«, sagte sie plötzlich leise. »Es ist furchtbar, was man alles im Leben versäumt, wieviel Zeit man verschenkt, unwiederbringliche Zeit.«

Der Wagen hielt außerhalb Roms, in der Nähe der Via Appia antiqua, vor einem mit einer hohen Mauer umgebenen Palais. Wegener sah es mit Herzklopfen, als sie ausstiegen.

»Unser Familienbesitz«, sagte sie. »*Meiner*. Von meinen Eltern!«

»Ach so...«

»Hättest du mich für so geschmacklos gehalten, dich in das Haus meines geschiedenen Mannes zu führen? Es gehört mir auch.«

Er folgte ihr, während das Taxi wieder abfuhr. Sie gingen durch einen Park zu dem kleinen Palais, und ehe sie noch die schwere Gittertür aufschloß, warf sie sich an ihn, umklammerte seinen Nacken und küßte ihn. Ihr Kuß war so wild, ihre Lippen waren so weit geöffnet, daß ihre Zähne über seine Lippen kratzten und er den Geschmack von Blut spürte. Es war ein Kuß, wie er ihn noch nie bekommen hatte.

»Ich liebe dich!« sagte sie mit atemloser, seltsam kindlicher Stimme. »Ich weiß nicht, warum, ich kann nichts dafür... aber ich liebe dich...«

»Ich bin auch ein anderer Mensch in deiner Nähe«, antwortete er. »Alles ist so anders, so wunderbar, so wahr geträumt. Ich bin gar nicht mehr Hellmuth Wegener.«

Irmi, dachte er, als sie die Tür aufgeschlossen hatte, das Licht anknipste und ihn der Prunk großer Vergangenheit umgab. So etwas kann auch Fritzchen Leber nicht nachbauen, dachte er plötzlich – völlig sinnlos. Und dann wieder: Irmi! Irmi, ich bin dabei, dich zu betrügen. Zum erstenmal gibt es eine andere Frau als dich! Vielleicht ist es gut so, ist es eine Prüfung des Schicksals. Versage ich auch bei Elietta, weiß ich, was ich zu tun habe. Es gibt nur wenige Gründe, die einen Mann sich selbst so hassen lassen, daß er Schluß mit sich macht.

Später, gegen Morgen, lag Elietta atemlos, in allen Nerven zitternd neben ihm. Sie sah wie zerstört aus, mit verschwitzten, zerwühlten Haaren, schweißglänzendem Körper, kleinen roten Bißwunden an Brüsten und Schenkeln, und neben ihr lag Wegener mit jagendem Herzen, mit der Angst, einen Kollaps zu bekommen, mit einem Rücken, der brannte, als habe man ihn mit Peitschen geschlagen, mit einer blutenden Wunde am Hals, wo sie sich im Orgasmus festgesaugt und zugebissen hatte.

»So etwas habe ich noch nie erlebt...« sagte sie mit der merkwürdigen kindlichen Stimme, die sie immer hatte, wenn sie ganz Gefühl war. »Noch nie. Welch ein Liebhaber bist du! Welch ein Mann!« Sie wälzte sich auf die Seite, küßte seinen Körper von oben bis unten und küßte auch die Narbe am rechten Oberschenkel, dieses Andenken an Rußland.

»Krieg?« fragte sie.

»Ja. Rußland.«

»Ich zaubere die Narbe weg.« Sie küßte die Narbe und saugte an seiner Haut, und er spürte mit einem Seligkeitsgefühl ohne Beispiel, wie neues Leben in seine Männlichkeit kam. »Nicht jetzt schon wieder«, flüsterte sie und kroch an ihm hoch. »Ich muß Atem holen! Du machst mich kaputt! Total kaputt...«

Später tranken Sie Champagner, saßen nackt nebeneinander auf der Bettkante und küßten sich nach jedem Schluck. »Wie alt bist du?« fragte sie.

»Sechsundvierzig.«

»Unmöglich!«

Er beugte sich vor, holte seinen Paß aus der Anzugjacke und gab ihn ihr. Sie las das Geburtsdatum und alles andere und sah ihn plötzlich erstaunt an. »Komm her, komm schnell her! Ich muß noch eine Narbe wegküssen...«

»Eine Narbe? Welche?« Wegener spürte, wie wieder das Gefühl der Gefahr in ihm hochstieg. »Wieso?«

»Hier steht: Schußnarbe am linken Oberarm. Gib den linken Arm her.«

Wegener saß wie versteinert. Elietta nahm seinen Arm und suchte die Narbe, aber er wußte ja... es gab sie nicht. Wieder eine Kleinigkeit, die einen Menschen zerstören kann. Eine Winzigkeit, die alles vernichtet. Eine Narbe am linken Oberarm.

»Wo ist sie?« fragte sie und tastete mit den Lippen seinen linken Arm ab.

»Ich habe sie vor Jahren schon wegmachen lassen«, sagte er rauh. »Eine kosmetische Operation. Du weißt doch: Ich bin eitel! Die Narbe störte mich, wenn ich in der Badehose...«

»Die am Oberschenkel nicht?«

»Merkwürdigerweise nicht.«

Die Narbe! Hat Irmi das nie bemerkt? Sie hat nie darüber gesprochen. Mein Gott, sie weiß doch, daß Hellmuth Wegener am linken Oberarm verwundet war. Und es gibt keine Wunde ohne Narbe!

Er stellte das Champagnerglas weg, legte sich auf den Rücken, und während Elietta sich über ihn legte, katzengleich, mit einer tierhaften Geschmeidigkeit, ihn mit den Beinen umklammerte und wieder begann, an seiner Halsbeuge zu saugen und ihn mit ihren kleinen spitzen Zähnen zu kratzen, dachte er ganz nüchtern: Die Narbe muß her! Ich werde mir, noch hier in Rom, die Narbe beibringen lassen. Alles, was mit Wegener sein könnte, kann man überspielen – eine im Paß eingetragene Narbe aber nicht. Das ist unauslöschlich. Das ist ein Erkennungszeichen. Ich muß mir diese Narbe in den linken Oberarm hineinoperieren lassen! Für Geld und in Rom ist das möglich.

Er legte die Arme über Eliettas geschmeidigen, samthautigen Rücken und drückte sie auf sich. Ihr Haar überdeckte sein Gesicht wie ein Schleier. Er hörte ihren jagenden Atem an seinem Hals und spürte wieder das Zittern, das durch ihren herrlichen Körper flimmerte. Sie war nur noch Lust, nur noch Empfinden, nur noch Erwartung, Hingabe und Erfüllung.

»Ich werde verrückt –« sagte sie ganz leise und biß in seinen Hals wie ein Vampir. »Du bist es, der mich verrückt macht...«

9

Nicht nur die Nacht verbrachten sie in dem breiten Bett, in dem, wie Elietta sagte, einmal der Kardinal Sampieri geschlafen hatte, der für Wegener kein Begriff war – auch den ganzen folgenden Tag und wiederum in der Nacht war das Bett der einzige Platz in dem Palais, an dem sie sich aufhielten.

Die Gräfin Dagliatti, unersättlich in ihrer Leidenschaft und begabt für die phantasievollsten Variationen, verlegte das Leben in diesen einen Raum. Das junge Hausmädchen brachte Kaffee, Gebäck, Schinken und Eier bis an die Tür, wo Elietta das Tablett ohne Scham, nackt, wie sie war, und mit zerwühlten Haaren, in Empfang nahm. Das gleiche geschah zu Mittag, am Nachmittag, am Abend: ein Tablett mit den Köstlichkeiten einer römischen Adelsküche, immer gebracht von dem jungen Mädchen in schwarzem Kleid und weißer Schürze, das große Kulleraugen machte, aber so diskret war, nie einen Blick auf das Bett zu werfen.

Hellmuth Wegener überstand die beiden Nächte und den langen

Tag der Liebe erstaunlich gut. Er wunderte sich selbst über seine Kondition und fand seine Hoffnung bestätigt, daß auch ein älterer Mann bestimmte Höhepunkte seines Lebens unter extremen Bedingungen wiederholen kann. Elietta – das war eine extreme Situation, und Wegener gestand sich schamlos ein, während er, im Bett sitzend, Eliettas Kopf in seinem Schoß, eisgekühlten Kaviar mit Toast verzehrte, daß ihn das mit eitlem Stolz erfüllte. Nein, das schreckliche Versagen bei Irmis Umarmungen hatte sich nicht wiederholt. Im Gegenteil... Zwar spürte er sein Gewicht, sein Bauch war manchmal im Weg, und nach wilden heißen Rhythmen war er naß von Schweiß, als käme er aus einer Sauna – und doch fand er sich nach einer seiner Ansicht nach erstaunlich kurzen Verschnaufpause immer wieder bereit, Eliettas tigerhaften Körper zu umarmen und sich überraschen zu lassen von ihrer erotischen Phantasie.

Dreimal stellte man ein Telefongespräch in das Schlafzimmer durch. Einmal rief Signor Betrucci an und faselte etwas vom schönen Wetter, und Wegener solle sich in Rom richtig zu Hause fühlen, und zweimal war es René Seifenhaar, der geschäfliche Dinge durchgab, rücksichtslos und kühl, obwohl er wissen mußte, in welcher Lage – buchstäblich – sich Wegener gerade befand.

»Ab jetzt lecken Sie mich am Arsch!« sagte Wegener beim dritten Anruf grob. »Es ist aber nur bildlich gemeint!«

Seifenhaar beendete darauf das Gespräch und rief nicht mehr an. Dieses Mal war er beleidigt.

»Du bist ein herrlicher Mann!« flüsterte Elietta zum wiederholten Male an seinem Körper. »Zärtlich, grob, stark und samtig, schwer wie ein Felsklotz und leicht wie eine Feder, wenn ich dich in mir fühle. Ich liebe dich! Ich liebe dich...«

Am übernächsten Morgen betrachtete sich Wegener in den großen Spiegeln im Marmorbad der Dagliattis und begriff nicht ganz, wie eine so wunderbare Frau wie Elietta ihn lieben konnte. Sein Geld konnte es nicht sein – sie hatte selbst genug davon. Sein Name als Fabrikant war es auch nicht. Die Grafen Dagliatti hatten schon an den Kreuzzügen teilgenommen und hatten einen Namen, der durch die Jahrhunderte klang. Von männlicher Schönheit war bei Wegener auch nicht mehr viel vorhanden... Und trotzdem liebte sie ihn. Es waren keine Phrasen, diese gestammelten Bekenntnisse – sie kamen aus ihrer Tiefe, es waren Urlaute, es war eine hemmungslose Hingabe. Wenn ihr schlanker, leicht gebräunter Körper erschöpft und ausgestreckt neben ihm lag, wenn ihr Haar über ihrem schmalen Gesicht hing wie ein zerfetzter Schleier, wenn in ihren Schenkeln und Lenden und in den schwarzen Krauslocken ihres Geschlechts noch die völlige Auflösung nachzitterte, dann sah er sie manchmal stumm an, dachte an Irmi und begriff nicht, daß er keine Spur von Reue oder Gewissen in sich entdeckte.

Ich liebe Irmi, dachte er völlig nüchtern, während Elietta mit den Zehen an seinem Schenkel kratzte, noch in der völligen Erschöpfung die Lust seiner Berührung suchend. Das klingt in diesem Augenblick widersinnig, das kann man sogar verrückt nennen. Aber ich liebe sie! Und ich liebe auch Elietta! Verdammt ja... nicht nur als Körper, sondern auch als Mensch. Ist so etwas möglich? Kann man zwei Frauen gleichzeitig mit der gleichen seelischen Bereitschaft lieben? Darüber muß ich mich mit einem Psychologen oder Psychiater unterhalten, wie immer kollegial, als Musterfall aus der Praxis... Ich werde zu ihm sagen müssen: Lieber Kollege, ich kenne da einen Mann, so in den guten Vierzigern, glücklich verheiratet, zwei Kinder, sorgenfreies Leben, ihm fehlt gar nichts, er hat die beste Frau der Welt, die mit ihm durch die Hölle gehen würde – und es auch schon getan hat –, und trotzdem hält er sich jetzt eine Geliebte und entdeckt, daß er diese Geliebte mit seiner Frau austauschen könnte. Beide Frauen sind eine Frau, sie verschmelzen, sie sind ein Begriff, wenn er liebt: Frau! Ist das normal? Reden wir nicht von der Polygamie des Mannes! Das ist zu allgemein! Erklären Sie mir logisch, wie man zwei Frauen gleichzeitig mit der ganzen Innigkeit des Herzens lieben kann! Nicht besitzen – das ist etwas anderes. Lieben! – Er badete sich, zog sich nach so langen Stunden des Nacktseins wieder an und brauchte eine Stunde, um Elietta daran zu erinnern, daß er in Rom sei, um Verträge abzuschließen, und nicht etwa, um Nächte und Tage in einem Renaissancebett zu verbringen. Sie sah es endlich ein, nahm ihm aber das Versprechen ab, sie immer zu lieben, worauf er sich mit gutem Gewissen einließ. Dann rief sie ein Taxi.

Aber Wegener fuhr nicht nur zu Betrucci, um den Vertrag auszuhandeln – das dauerte nicht länger als eine Stunde – und neue Geschäftspartner kennenzulernen, sondern er ließ sich eine Adresse geben und fuhr hinaus in die Gegend der Villa Doria Bamphili. Dort, in einem großen Park, lag ein zweistöckiges weißes Gebäude, das von außen wie ein Industriellenbesitz aussah, jedoch eine moderne kosmetische Klinik beherbergte. Der Chefarzt, Dr. Mario Salieri, ließ ihn durch seine Oberschwester bitten, sich etwas zu gedulden; er mache gerade eine Brustplastik. Wegener setzte sich in einen vollklimatisierten, nüchternen Raum und blätterte in Illustrierten. Nach zwanzig Minuten erschien ein überschlanker, großer Mann in einem weißen, im Mao-Stil geschnittenen Kittel.

»Salieri«, sagte der Mann. Er sprach ein gutes Deutsch und musterte schnell und unauffällig seinen Gast. Keine krumme, zu lange oder zu kurze Nase. Keine abstehenden Ohren. Auch ein Lifting war nicht nötig, auch keine Haartransplantation. Vielleicht der Bauch? Eine Entspeckung, wie der Chirurg respektlos sagt? Sonstige Schäden waren nicht sichtbar. Aber unter gutgeschnittenen Anzügen kann man allerhand verbergen.

»Ich habe ein Problem –«, sagte Wegener, als er Dr. Salieri gegenübersaß. Salieri lächelte milde.

»Darum kommt man ja zu mir. Was ist es?«

»Eine Narbe.«

»Wir schleifen sie ab, wenn sie häßlich aufgeworfen ist. Kein Problem. Sonst noch etwas? Vielleicht weg mit dem Bauch und dem dicken Gesäß? Aber wenn Sie weiter gut essen, kommt alles wieder. Es gibt da eine Methode, die wurde, wie alles Verrückte, in Amerika entwickelt, ist in Fachkreisen sehr umstritten, garantiert aber immerwährende Schlankheit: Man nimmt ein Stück Dünndarm heraus, die Passage wird dadurch schneller, die Speisen werden nicht mehr voll in den chemischen Vorgang... Nun, wie auch immer: diese Operation wird in meinem Haus *nicht* gemacht! Ich korrigiere die launische Natur, aber ich verstümmele sie nicht.«

»Ich brauche eine Narbe«, sagte Wegener und stand auf, als es heraus war. Dr. Salieri sah ihn an, als habe sein Besucher einen Platzbauch bekommen.

»*Was* brauchen Sie?«

»Eine Narbe am linken Oberarm! Sie muß so aussehen, als sei es eine Schußnarbe und zweiundzwanzig Jahre alt!« Wegener beugte sich vor. »Können Sie das, Doktor?«

»Ich kann mit dem Messer alles. Aber – pardon – sollten Sie nicht vorher zu einem Psychiater gehen?«

»Diese Reaktion habe ich erwartet, sie ist mir begreiflich; ich habe ebenfalls Medizin studiert, wenn auch nicht bis zum Abschluß.« Wegener legte sein Scheckbuch auf den Tisch, eine immer überzeugende Geste. »Ich brauche eine Narbe am linken Oberarm. Dringend!«

»Als Alibi?«

»Sie haben es in etwa erkannt, Kollege.«

»Nach deutscher Währung macht das 4000 DM.«

»Eine verdammt teure Narbe. In Rußland hätte ich sie umsonst bekommen!«

»Freiwillige Verrücktheiten kosten immer Geld«, sagte Dr. Salieri mit höflichem Lächeln. »Wann wollen Sie auf den Tisch? Sofort?«

»Am 29. September.«

»So präzise?«

»An diesem Tag fliege ich nach Hongkong.«

»Aha! Und Hongkong bin ich?«

»Ja. Wie lange brauchen Sie, Herr Kollege?«

»Um Ihre Narbe einzuritzen? Das dauert eine Sekunde. Aber sie auf ein Alter von zweiundzwanzig Jahren zu trimmen ist schon schwieriger. Sagen wir zwei Wochen.«

»Und dann glaubt jeder, es sei eine alte Schußnarbe?«

»Wenn Ihr eigener Körper mitspielt und keine Komplikationen ausbrütet, könnte es möglich sein. Ich muß aber vorher noch einige Hauttests mit Ihnen machen. Sie wissen ja selbst, wie viele Möglichkeiten der Narbenbildung es gibt...«

Wegener nickte. Er wußte gar nichts davon, aber er vertraute Dr. Salieri.

»Also dann bis September!« sagte er und stand auf. Auch Salieri erhob sich.

»Nein! Die Tests mache ich sofort. Und dann mache ich mir Gedanken über Sie und Ihre dämliche Narbe. Wer hat Sie an mich verwiesen?«

»Signor Betrucci.«

»Oh! Sie kennen Betrucci...«

»Wir sind Geschäftspartner, weiter nichts.« Wegener grinste, und Salieri grinste zurück.

»Kommen Sie bitte mit«, sagte Salieri.

Der kleine OP, in dem Salieri seine Voruntersuchungen oder Gewebeproben vornahm, war blitzsauber, klimatisiert und nach dem neuesten Stand eingerichtet. Dr. Salieri zog weder eine Schwester noch einen Assistenten hinzu. »Das machen wir allein!« sagte er. »Bitte ziehen Sie sich aus.«

Er wartete, bis sich Wegener entkleidet hatte, und betrachtete dann verblüfft den massigen Körper. »Spielen Sie gern mit Raubtieren?« fragte er. Wegener spürte, wie er rot wurde.

»Fangen Sie an, Kollege«, sagte er durch die Zähne.

Salieri ging um ihn herum und besichtigte ihn genau, als wolle er einen Sklaven kaufen. »Ziemlich viele Flecke... Sieht ja fast aus wie Bisse. Ist sie wirklich so temperamentvoll...?«

»Ist das Ihr Test?!« knurrte Wegener und ärgerte sich, daß er noch röter wurde.

»Madonna, muß das eine Frau sein!« sagte Salieri und setzte sich vor Wegener auf einen Drehstuhl. »Haben Sie keine Angst wegen Ihres Herzens? Diese Frau ist ja ein Panther!« Er strich über Wegeners Körper, betrachtete fachmännisch die Kratzwunden von Eliettas langen Fingernägeln und schien zufrieden zu sein. »Die Wunden ziehen sich über sechsunddreißig Stunden hin«, sagte er. »Die ersten Kratzer verheilen bereits. Sie haben ein gutes Heilfleisch, Kollege.«

»Ich glaube, Sie sind ein Genie, Dr. Salieri«, sagte Wegener und zog sich wieder an. »Ihre Berechnungen stimmen genau.«

»Meine Rechnungen auch!« Salieri grinste freundschaftlich. »Also dann am 29. September. Ich mache Ihnen ein Einzelzimmer frei im Privathaus. Ihre Narbe kann ich ja bei Visiten nicht zeigen. Das machen wir unter uns.«

»Ich danke Ihnen, Herr Salieri –« sagte Wegener erlöst. »Und weiter fragen Sie nicht?«

»Nein! Sie sind kein Gangster, den ich verändern soll! Die meisten, alle kann man sagen, kommen, um Narben verschwinden zu lassen. Sie wollen eine! So etwas dürfte was Einmaliges für einen kosmetischen Chirurgen sein. Ich nehme an, Sie werden mir im September freiwillig mehr über diese Narbe erzählen...«

»Vielleicht.« Wegener sah sich um. »Alles erledigt?«

»Alles!« Salieri begleitete ihn bis vor das Haus, wo das Taxi wartete. Er gab Wegener die Hand und hielt sie fest. »Werden Sie dünner«, sagte er freundschaftlich. »Nehmen Sie ab, Kollege. Radikal! Ich habe Sorge, daß Ihr Fettherz auf die Dauer den Angriffen des weiblichen Tigers nicht gewachsen sein wird. Ihr Körper hält die Krallen aus, aber da es Prankenschläge der Liebe sind, zucken sie bis ins Herz, und da kann es zum Kurzschluß kommen!«

»Ich gehe in vierzehn Tagen zur Kur. Nulldiät! Ich erschrecke ja schon vor meinem Spiegelbild.«

»Sie sind verheiratet?«
»Ja. Glücklich sogar!«
»Eine liebende Ehefrau und ein Raubtier als Geliebte... Sie sind zu beneiden. Sie müssen an Frauen geraten sein, die bedingungslos den Menschen in Ihnen lieben und sonst blind sind. Das ist sehr selten. Trotzdem sollten Sie das nicht einfach hinnehmen! Tun Sie etwas für sich – und Ihre Frauen...«

Hellmuth Wegener blieb noch vier Tage in Rom... vier Tage länger also, als geplant war. Irmi sagte er, daß sich die Verhandlungen mit den neuen Geschäftspartnern aus Tunesien und Ägypten in die Länge zögen, es seien alles knallharte Burschen, die man erst aufbrechen müsse, wie man Blöcke aus einem Marmorbruch heraussprengt. Zu Dr. Schwangler sagte er: »Rom bekommt mir gut. Ich habe Irmi erzählt, daß...«
»Ich weiß, ich weiß«, antwortete Schwangler und lachte ins Telefon. »Irmi bedauert dich. Soviel Arbeit im heißen Rom! Sie rief eben an und fragte, ob sie nicht nachkommen solle...«
»*Was* will sie?« rief Wegener. »Edi, ich bitte dich...«
»Für was hältst du mich?« fragte Schwangler fast beleidigt. »Natürlich habe ich das abgebogen. Sie hat eingesehen, daß sie doch nur im Hotel herumsitzen würde, während du arbeitest. Übrigens: Wie klappt es?«
»Ende!« sagte Wegener ins Telefon, aber er legte nicht auf.
»René hat mir berichtet. Anscheinend bist du damit beschäftigt, das Goldene Bockabzeichen zu machen...«
Dieses Mal legte Wegener wortlos auf und lächelte doch dabei. Ich habe mich verwandelt, dachte er. Die schönste Frau Roms beißt sich an mir fest... Wenn das einem Mann nicht Auftrieb gibt wie zehn Tornados! Ich bin noch nicht alt, aber ich bin auf keinen Fall mehr jung genug, und trotzdem ist es, als flösse in meinen Adern nicht Blut, sondern Rosenöl. Es ist ein verrückter, beseligender, ins Schwerelose hinübergleitender Zustand, eine paradiesische Maßlosigkeit in einem Menschenkörper. Die ganze Welt verändert sich. Man lebt weiter, und ist doch gestorben im Schoß dieser Frau. Jeder sieht mich, jeder kann mit mir sprechen, ich bin vorhanden... und doch bin ich so völlig in ihr, in dieser Frau, daß ich plötzlich begreife: ein Mensch kann in verschiedene Teile zerfallen, ohne daß es jemand merkt.

Am Abend ging er zurück in das Palais der Dagliattis an der Via Appia antiqua. Im Grünen Salon erwartete ihn Elietta bereits in einem engen, goldenen Hosenanzug, der ahnen ließ, daß sie darunter wieder nackt war. Sie hatte den ganzen Tag geschlafen, sich erholt, war jetzt sehr munter, biß beim Begrüßungskuß Wegener in die Oberlippe und grub ihre Fingernägel durch den Anzugstoff in seinen Rücken. Bei diesem Kuß drängte sich ihr Leib gegen ihn, und wieder spürte er das Zittern, das jeden Nerv zur Schwingung brachte.

»Ein ganzer Tag ohne dich... ich halte das nicht mehr aus!« sagte sie. Ihre Schenkel vibrierten, als durchjagten sie elektrische Stöße. »Du kannst mich nie wieder einen ganzen Tag allein lassen! Du mußt mich mitnehmen. Es genügt schon, wenn ich dich anfassen kann. Dich mit den Fingerspitzen berühren. Deine Stimme höre. In deine Augen sehe. O Gott, wie verrückt sind wir...«

In diesen vier Tagen ließ ihre paradiesische Urkraft nicht nach. Sie liebten sich, als erwarteten sie beim Morgendämmern den Weltuntergang. Aber sie waren weniger tierhaft als in den ersten Stunden ihrer Begegnung. Sie biß und kratzte nicht mehr, saugte sich nicht mehr an ihm fest, sie ließ sich willenlos verströmen, ausrasen im Zucken ihres Körpers.

»Sie wird es sehen, wenn du nach Hause kommst«, sagte sie einmal. »So irrsinnig schwer es mir auch fällt: Wir müssen uns an die Zügel nehmen. Was willst du ihr sagen, wenn sie die Flecken und Kratzer sieht?«

Sie... das war Irmi. Wegener hatte schon darüber nachgedacht, welche Erklärungen glaubhaft klingen würden. Es war selbstverständlich, daß Irmi sofort erkennen würde, welcher Art diese Verletzungen waren; sie war ja selber nicht, auch heute noch nicht, eine Liebende, die nur duldete, nur zu sanften Zärtlichkeiten fähig war. Auch für Irmi und Hellmuth Wegener gab es Nächte, in denen ihre Leiber explodierten, aber sie wurden immer seltener, ohne daß sie sagen konnten, warum. Völlig erstorben war die Leidenschaft der früheren Jahre; wie oft war es damals vorgekommen, daß er aus der Apotheke oder von der Fabrik kam, Irmi zitternd vor Leidenschaft entkleidete und mit ihr auf die Couch im Wohnzimmer sank. Aber so wie jetzt, bei Elietta, wo Tage und Nächte ineinanderglitten und voller Purpur waren, hatte er es noch nie erlebt. Er versuchte sich zu erinnern und dachte an die blamablen Stunden, in denen er Sehnsucht nach Irmi spürte, von der Fabrik nach Hause fuhr, dort nur herumstand, irgend etwas sagte, so tat, als suche er etwas Bestimmtes – und wieder wegfuhr. Beim Betreten des Hauses schon hatte er gespürt, daß nichts möglich war, und als er Irmi küßte, mit einer wirklichen Verzweiflung, um sich zu zwingen, durch die Berührung ihrer Körper wieder diese treibende Sehnsucht zu wecken, ließ ihn sein Leib im Stich. Damals erwachte in ihm eine Art Panik, bis zu jener schrecklichen Szene vor ein paar Tagen, wo er weinend neben Irmi lag, vernichtet durch sein Versagen.

Um so herrlicher war sein neues Erwachen, war das Bewußtsein, immer noch eine Frau besiegen zu können, sie zur völligen Aufgabe zu zwingen, ja, sie für eine gewisse Zeit zu zerstören.

Nach diesen vier Tagen brachten René Seifenhaar, Signor Betrucci und Elietta Dagliatti gemeinsam Hellmuth Wegener zum Flugplatz. Betrucci und Seifenhaar hielten sich beim Abschied diskret zurück. Hier konnten sie mitempfinden; das Abschiednehmen löst Gefühle aus, die an hormonale Verschiebungen nicht gebunden sind.

»Wann kommst du wieder?« fragte Elietta. Sie hing an Wegeners Hals und kümmerte sich nicht einen Wimpernschlag darum, daß man sie von allen Seiten anstarrte. Viele kannten sie, vor allem die Flughafenangestellten, denn die Gräfin Dagliatti gehörte zu den Personen, die in einer Flughafenhalle fast wie zu Hause sind.

»Bald«, sagte Wegener und schielte zur Seite. »Sehr bald. Ich werde zwischen Köln und Rom hin- und herpendeln.«

»Ich liebe dich! Ich liebe dich!«

»Elietta! Die Leute...«

»Mir ist jetzt alles egal! Und wenn uns Tausende zusehen – sollen sie doch! Ich liebe dich! Eigentlich dürftest du nicht wegfliegen. Morgen werde ich wahnsinnig ohne dich...«

»Es ist unmöglich!«

»Ja. Ich weiß, weiß, weiß... Deine Werke, dein Beruf, deine Frau, deine Kinder, deine Welt, die du dir aufgebaut hast!«

»So ist es!«

»Und ich weiß auch, daß du dich nie scheiden lassen würdest...«

Er sah sie betroffen an. Daran hatte er noch nie gedacht.

»Nein!« sagte er rauh. »Nein! *Ich* würde mich nie von Irmi scheiden lassen. Wenn *sie* es will – ich müßte es hinnehmen. Sie hätte jetzt jedes Recht dazu! Aber ich? Von mir aus? Nein! Ich liebe meine Frau. Außerdem: Was bräche dann alles auseinander, außer der

Ehe!«

»Aber ich liebe dich! Ich kenne mich selbst nicht mehr! Mein ganzes Leben ist verändert durch dich. In diesen paar Tagen! Ich denke mit deinen Gedanken, ich sehe die Welt mit deinen Augen, ich weiß schon, wie du den Kopf hältst beim Zuhören, wie du reagierst, wenn du verlegen bist, weiß, daß du leise vor dich hinpfeifst, wenn du erregt bist oder dich etwas belastet, ich kenne deine Lieblingsfarbe und weiß, daß du regungslos dasitzen kannst, wenn ein Klavierkonzert von Beethoven oder Tschaikowski gespielt wird... Ich weiß schon so viel von dir, ich bin so ganz in dir... Wann kommst du wieder?«

»In drei Wochen«, versprach er, nur, um sie zu beruhigen. Er löste ihre Arme von seinem Hals und blickte auf die große Uhr in der Halle. Daneben war die Tafel der Flugabfertigung. Die Lämpchen für den Flug nach Köln zuckten. Der letzte Aufruf. »Ich muß gehen«, sagte er. »Das Flugzeug wartet nicht. Mein Gott, ich reiße ein Stück von mir heraus!«

Er küßte sie noch einmal, schob sie dann sanft von sich, ergriff seinen Bordcase und rannte durch die Sperre. Lauf, lauf, lauf, blick nicht zurück... du kehrst sonst um zu ihr, und das große Drama nimmt seinen Anfang. Du weißt, sie steht da und winkt, sie läuft an der Absperrung hin und her, um dich bis zuletzt zu sehen... Sieh nicht zurück, du hättest nicht mehr die Kraft, zum Flugzeug zu gehen. Du mußt nach Köln! Zu Irmi, zu Peter, zu Vanessa Nina, zu deinen Werken, zu deiner Arbeit, zum Riesenerfolg deiner riesigen, nie auslöschbaren Lüge! Du mußt! Du warst immer ein Mensch der Vernunft – das allein hat dich immer gerettet! Rette dich auch jetzt! Sei nur noch Vernunft! Sie ändert nichts daran, daß du die Frau, die hinter dir an der Flugsteigsperre steht, liebst. Bis zum Wahnsinn liebst. Denn alles, was in diesen Tagen in Rom mit Elietta geschehen ist, ist eine Abart von Wahnsinn. Lauf, Junge, lauf! Und blick dich bloß nicht um!

Er ging durch die Paßkontrolle, passierte den Zoll, und sein Herz schlug erst wieder langsamer, als er im Flugzeug saß, auf einem Fensterplatz, von dem aus er hinüberblicken konnte auf die offene Besuchertribüne. Sie war ein breitgezogener Farbfleck, Hunderte von Menschen standen dort. Und sie auch, dachte er. Sie steht dort und wird winken, wenn das Flugzeug anrollt. Aber ich sehe sie nicht aus dieser Entfernung, ihr Winken geht unter im Winken der vielen anderen Arme. Aber ich weiß es, ich weiß, daß sie dort drüben steht und denkt: Ich liebe dich! Ich liebe dich!

Er drehte sich vom Fenster weg. Die Stewardess verteilte Zeitungen. Er nahm eine, eine englische, die er gar nicht lesen konnte, und starrte hinein. Wie soll das alles werden, dachte er, Rom hat mich auseinandergerissen. Ich bin ein doppelter Mensch geworden. Genau genommen sogar ein dreifacher.

Irmi, ich liebe dich. Elietta, ich liebe dich.

Wann werde ich wahnsinnig?

Er war etwas eingenickt bei dem eintönigen Motorengedröhn, als ihn jemand an der Schulter schüttelte. Er fuhr hoch, starrte in ein etwas aufgedunsenes Gesicht und hatte das Empfinden, dieses Gesicht schon einmal gesehen zu haben.

»Ist das möglich?!« sagte der Mann ungeniert. Er setzte sich neben Wegener auf den freien Platz und klopfte ihm auf die Schulter. »Mensch! Peter! Nach so langen Jahren! Und dann noch über den Wolken! Ich gehe zum Pinkeln, sehe dich und denke: Den kennst du doch! Zwar nicht so fett – hahaha – aber immerhin! Und dann, beim Pinkeln, fällt's mir ein: Das kann nur der Peter sein! 3. Kompanie. Baranowitschi. Mensch, du bist doch Peter Hasslick?! Wir haben doch zusammen im Dreck gelegen! Erkennst du mich nicht mehr? Rudi Velbert... Obergefreiter Velbert! Alter Junge!« Er schien sich zu freuen, als habe er eine Million in der Lotterie gewonnen.

In Wegeners Adern erstarrte das Blut. Über zwanzig Jahre waren weggewischt. Hier saß jemand neben ihm, der genau wußte, daß er Peter Hasslick war. Immer hatte er damit gerechnet, daß eine solche Situation eintreten könnte. Man lebt ja nicht allein auf der Welt, und es gab genug Überlebende der 3. Kompanie. Aber zwanzig Jahre lang war alles gut gegangen, sein Bild war in den Zeitungen erschienen, und keiner hatte sich gemeldet: Das ist gar nicht Wegener, das ist Hasslick. Und jetzt, auf dem Flug von Rom nach Köln hatte ihn die Vergangenheit wieder im Griff.

»Ich – ich kann mich nicht erinnern«, sagte Wegener lahm. Alles, was er sich für einen solchen Fall vorgenommen hatte, war weggewischt. Rudi Velbert lachte gemütlich. Sein gedunsenes Gesicht war gerötet.

»Aber du warst doch bei der 3. Kompanie in Baranowitschi! Mensch, wir haben doch zusammen die Gans geklaut, weißt du das nicht mehr? Da hatte ein russischer Bauer eine Gans versteckt, aber wir haben sie gehört, und in der Nacht... Peter, wie geht's dir?! Siehst blendend aus! Warst du nicht Schlosser? Hast wohl jetzt eine Fabrik, was? Wirtschaftswunder! Was stellst du denn her? Schrauben, Federn, Zubehör?« Er lehnte sich zurück und schlug die Beine übereinander. »Ich wohne übrigens in Hamburg. Habe eine Praxis in St. Pauli. Bin Rechtsanwalt. Habe sogar nach dem Krieg noch meinen Dr. jur. gebaut. Aber irgendwie hänge ich schief. Bin nie ans große Geld gekommen. Jetzt verteidigte ich Huren und Zuhälter... kein gutes Geschäft. Aber man schlägt sich so durch. Für Whisky und Weiber reicht es immer, hahaha! Wohnst du noch in... na, wie hieß der Ort. Irgendwo dort bei Westfalen.«

»Osnabrück...« sagte Wegener stumpf.

»Stimmt! Mensch, Peter! Daß wir uns so wiedertreffen! Schade, daß ich in Köln umsteigen muß in die Maschine nach Hamburg. Was hätten wir uns alles zu erzählen! Fährst du mit der Bahn nach Osnabrück?«

»Nein, ich werde abgeholt.«

»Ist auch bequemer.« Dr. Velbert nahm von der Stewardess eine Tasse Kaffee entgegen, Wegener lehnte ab. Ihm war die Kehle zugeschnürt.

»Darf ich Ihnen etwas anderes bringen, Herr Wegener?« fragte die Stewardess.

»Nein, danke!« antwortete Wegener heiser.

Die Gräber brachen auf. Dr. Velbert starrte Wegener verblüfft an.

»Was hat sie gesagt? Wegener?«

»Sie verwechselt mich.«

»Wegener! Wir hatten doch einen Fähnrich Wegener in der Kompanie. Richtig, Hellmuth Wegener. Feiner Kerl! Ihr wart Freunde. War der Wegener nicht Medizinstudent?! Bei dem Scheißrückzug ging ja dann alles durcheinander, und ihr wurdet versprengt, wie das damals hieß. Sag mal – wieso sagt die zu dir Wegener?« Dr. Velbert beugte sich zu Wegener hinüber. »Du bist doch Peter Hasslick! Dafür laß ich mich kastrieren! Wegener sah ganz anders aus...« Er legte den Arm um Wegeners Schulter und zog ihn näher an sich. »Junge, alter Kumpel, was ist da los? Erzähl mal! Was wird hier gespielt? Ich bin doch kein Schwachhirn! Ich sehe doch, daß ihr zwei einen Trick gemacht habt. Los, laß den guten Rudi mitmischen!«

Er hat mich, dachte Wegener kalt. Jetzt hat er mich ganz und gar.

Es gibt kein Entrinnen! Jetzt heißt es: du oder ich... Oder – wir beide?

»Was machst du, Hellmuth Wegener?« fragte Dr. Velbert gehässig freundlich. »Bist du irgendwo Chefarzt?! Wo ist Peter Hasslick geblieben?!«

»Hellmuth ist auf dem Flur einer Schule in Orscha krepiert, weil eine sowjetische Ärztin keine Zeit für ihn hatte«, sagte Wegener leise. Dr. Velbert verstand ihn kaum.

»Und da hast du seine Papiere genommen, und gestorben ist Hasslick!« sagte Velbert mit der Logik eines Anwalts. »Alles ganz schön. Aber warum? Was hattest du davon? Wolltest du Fähnrich sein? Als russischer Plenny?! So doof warst du nie!«

»Danke.« Es hat keinen Sinn, auszuweichen, dachte Wegener. Für ihn ist es ein Leichtes, herauszufinden, was Wegener macht. »Ich war schon Hellmuth, als er starb.«

»Ihr habt vorher getauscht?«

»Ja.«

»In Gottes Namen, warum?! Das hat doch keinen Sinn!«

»Ich habe jetzt eine Apotheke, einen pharmazeutischen Großhandel und drei pharmazeutische Fabriken.«

»Aha!« sagte Dr. Velbert, sah Wegener groß an und blickte dann geradeaus. »Das ist allerdings ein Superding! Gratuliere, Peter! Oder soll ich Hellmuth sagen?«

»Wenn du dich an Hellmuth gewöhnen kannst...«

»Aber sofort! Ich bin der flexibelste Mensch, den ich kenne! Und bei mir – Diskretion! Als Anwalt, Hellmuth! Es gibt drei Beichtväter: den Priester, den Arzt und den Rechtsanwalt.« Dr. Velbert gab seine leergetrunkene Kaffeetasse zurück. Dann trommelte er mit den Fingern gegen die Lehne des Vordersitzes, in dem keiner saß. »Wie ich schon sagte: Ich bin Anwalt in St. Pauli. Hurenanwalt! Das habe ich mir nie träumen lassen. Aber die einen fallen auf einen goldenen Arsch, die anderen mit der Nase in die Scheiße. Ich bin nicht ganz schuldlos, Hellmuth. Weiber, harte Drinks, ein paar dunkle Zuhältergeschichten... Man gleitet schneller abwärts, als man aufwärts klettert. Aber das ist nicht mein Stil. Ich hatte andere Pläne mit mir!« Er schwieg und trommelte weiter. Plötzlich sah er Wegener voll an. »Hast du in deinen drei Werken nicht ein Justitiar nötig?«

»Nein!« sagte Wegener rauh.

»Irgendeinen Posten, der einen Juristen verträgt?«
»Nichts.«
»Das ist doch unmöglich! Bei drei Fabriken!«
»Frage meinen Personalchef.«
»Du hast wohl 'ne Meise unterm Wirbel? Personalchef! Wer ist der Chef vom Ganzen? Du! Und da soll ich? Hellmuth, überleg mal scharf, ob nicht irgendwo ein Platz frei ist!«
»Ich habe darauf gar keinen Einfluß.«
»Na ja!« Dr. Velbert lehnte sich zurück. »Man merkt, daß der Krieg schon seit zwanzig Jahren vorbei ist! Die Kameraden sind alle gefallen!«
»Red keinen Blödsinn!«
»Ich schwimme in der Jauche, Hellmuth. Du könntest mich rausziehen!«
»Und fliegst nach Rom, wenn es dir so dreckig geht?«
»Ich habe versucht, hier für einen Klienten etwas aufzureißen... Ich bin nur ein Bote. Stell dir das vor: Jurist, alle Examina mit sehr gut. Und was ist daraus geworden? Ein Bote! Mit einem Pfund Heroin, eingenäht im Jackenfutter...«
»Rudi, das hättest du nicht sagen dürfen!« sagte Wegener heiser. Dr. Velbert sah in fast belustigt an.
»Wieso nicht? Willst du mich anzeigen? Will der Peter Hasslick, der Hellmuth Wegener heißt, den Heroinboten Dr. Velbert in die Pfanne hauen! *Das* gibt einen Saftbraten!«
»Heroin! Weißt du, wieviel teuflische Schicksale daran hängen?«
»Das ist mir wurscht. Ich bekomme mein Geld dafür! Ich habe selbst ein teuflisches Schicksal.«
»Dann hau dich raus, Rudi!«
»Will ich ja! Mit deiner Hilfe! Dich hat mir der Himmel geschickt, Hellmuth. Im wahrsten Sinne. Wir schweben am Himmel! Mit 3000 DM netto wäre ich zufrieden. Das ist doch für deinen Konzern ein Klacks. Und ich verspreche dir: Ich arbeite! Ich tu was für mein Geld! Wir sind doch Kameraden, Peter-Hellmuth...«
Wegener schwieg. Peter-Hellmuth, das war die Drohung, auf die er gewartet hatte. Das war ein Wink: Tu etwas, sonst gehst du hoch! Ich habe nichts zu verlieren...
»Ruf diese Nummer an«, sagte er und schrieb auf die Rückseite der Spucktüte die Telefonnummer von Dr. Schwangler. »Beruf dich auf mich.«

»Wer meldet sich?«
»Mein Generalbevollmächtigter.«
»Klingt gut! Name?«
»Dr. Schwangler.«
»Jurist?«
»Ja.«
»Danke, Hellmuth.« Dr. Velbert klopfte ihm wieder auf die Schulter. »Danke.«

In Köln holten Irmi, Peter, Vanessa Nina und der Chauffeur Hellmuth Wegener ab. Dr. Velbert, der ja nach Hamburg umstieg, verabschiedete sich bewußt überschwenglich von Wegener. Jeder sollte sehen, wie gut man einander war. Außerdem würde die schöne blonde Frau fragen, und er mußte eine Antwort geben. Die Brücke war nicht nur geschlagen, sie würde auch standhalten.

Irmi! Wie hübsch sie aussah! Ein neues Kleid, eine neue Frisur... alles, um ihn zu überraschen. Und in seinen Kleidern hing noch der Duft von Elietta...

Sie küßten sich, er sagte ihr, wie süß sie aussah, und plötzlich spürte er auch Verlangen nach ihr. Peter und der Chauffeur holten die Koffer ab, Vanessa Nina ging an seiner Hand und knabberte bereits an römischer Schokolade.

»Du siehst müde aus«, sagte Irmi. »Abgespannt! Ganz blau unter den Augen. Hast du was mit dem Kreislauf?«

»Mir geht es blendend!« Er lachte rauh, steckte die Hände in die Hosentaschen und ging zum Ausgang. »Rom war anstrengend, natürlich«, sagte er. »Konferenz um Konferenz. Nächstens schicke ich doch Edi hin! Ich bin kein Typ, der stundenlang am Verhandlungstisch hocken kann!«

Er pfiff leise vor sich hin und ging weiter. Nachdenklich sah ihm Irmi in den Nacken und folgte ihm mit drei Schritt Abstand. Was ist schief gegangen, dachte sie. Er pfeift vor sich hin! Er ist nervös, gereizt, innerlich wund. Er pfeift! Und spielt den starken Mann! Was ist in Rom passiert? Er kann doch nicht lügen – seine Augen verraten alles! Man muß ihn jetzt ganz vorsichtig behandeln.

In der Nacht schlief Wegener wie ein Bär, ohne Irmi berührt zu haben. Aber sie blieb wach, sah ihn stumm an und versuchte, in seinem Gesicht zu lesen. Obwohl es eine warme Nacht war, trug er einen hochgeschlossenen Schlafanzug. Aber das fiel ihr nicht auf.

Rom, dachte sie nur. Rom. Irgend etwas war in Rom...

Schließlich schlief sie übermüdet ein. Als sie am Morgen aufwachte, war Wegener schon angezogen und las die erste Zeitung unten im Frühstückszimmer. Das Glück war dieses Mal auf seiner Seite; Irmi hatte seinen zerkratzten Rücken nicht gesehen.

Drei Tage später sagte Dr. Schwangler: »Da hat einer angerufen, der sich auf dich berief. Ein Dr. Velbert aus Hamburg. Du habest ihm eine Stellung bei uns versprochen.«

»Und?«

»Ich habe ihn abgefeuert. Entweder war der Kerl besoffen oder hatte Rauschgift im Leib. So etwas Dämliches habe ich selten gehört. Kennst du ihn wirklich?«

»Ja«, sagte Wegener leichthin. »Er war Obergefreiter in meiner Kompanie, in Rußland. Wir trafen uns zufällig auf dem Flug von Rom nach Köln.«

»Jedenfalls ist das kein Mann für uns!« Dr. Schwangler klappte die erste Aktenseite eines Vorganges auf. Die morgendliche Berichterstattung. Chefbesprechung, wie es im Konzern hieß. »Wenn man sich schon besoffen vorstellt! Hätte er wenigstens gesagt: Herr Kollege, ich rufe aus einem Puff an...«

»Vielleicht war er wirklich dort!« antwortete Wegener. »Was gibt es Neues?«

Dr. Schwangler starrte ihn entgeistert an. Zum erstenmal hatte Wegener nicht gesagt: »Noch ein Wort, du Sau, und du fliegst aus dem Zimmer!«

Irgend etwas stimmte hier nicht.

Zwei Tage später bekam Wegener einen Brief aus Hamburg. Privat.

»Ich sitze wieder in der Scheiße«, schrieb Dr. Velbert. »Kamerad auf der ganzen Linie: Ich brauche sofort 10000 DM!«

Und Hellmuth Wegener zahlte.

Signor Betrucci mußte in letzter Zeit ein harter, ein geradezu perfider Verhandlungspartner geworden sein: Hellmuth Wegener fuhr in den nächsten Monaten mehrmals für einige Tage nach Rom, um dort ›Ordnung zu schaffen‹, wie er sagte. Selbst von seiner vierwöchigen Abmagerungskur mit Nulldiät in einem Sanatorium am Tegernsee zweigte er fünf Tage Rom ab und lag in den Armen Eliettas. Er fühlte sich wie ein junger Gott, er liebte geradezu dionysisch, und mehrmals war es die Gräfin Dagliatti, die kapitulierte und ihn anflehte, ihr den Atem wiederzugeben.

Immerhin hatte er mühelos über dreißig Pfund abgenommen, sein Bauch verschwand bis auf einen Ansatz. »Den kriegen wir nie weg!« sagte der Chefarzt. Sein Blutdruck, immer labil und trotz seines Übergewichts erstaunlicherweise eher zu niedrig als zu hoch, normalisierte sich, und wenn er jetzt in den Spiegel schaute, erblickte er zwar ein für seinen Geschmack zu eingefallenes Gesicht, aber einen Körper, der wieder auf Taille geschnittene Anzüge tragen konnte. Es war nicht mehr die Figur eines Mittzwanzigers, das war unmöglich, aber als guter Vierziger konnte er schon gelten. Auch Elietta bestätigte das. Nach ihren Biß- und Saugorgien lag sie auf ihm, umklammerte ihn mit Armen und Beinen und flüsterte ihm ins Ohr: »Du bist ein schönes, schönes Tier! Ich könnte sterben, wenn du mich umarmst!«

Rom! Hellmuth Wegener dachte an den neunundzwanzigsten September, an dem ihm Dr. Salieri die Schußnarbe in den linken Oberarm operieren sollte. Und je näher das Datum kam, um so sicherer wußte er, daß dieser Tag auch das Ende seiner Liebe zu Elietta bedeutete. Ihr konnte er nicht erklären, weshalb er sich die Wunde beibringen ließ, sie hatte seinen Paß gesehen, hatte entdeckt, daß die Narbe fehlte – nun wurde die Wunde in den Arm geschnitten, und es gab nur noch die Möglichkeit der Flucht. Irmi hatte sich nie um die Narbe gekümmert, vielleicht wußte sie gar nicht, daß er eine haben mußte, welche Ehefrau liest schon den Paß ihres Mannes, sie kannte nur die große Narbe am rechten Schenkel, wußte wohl von einer Verwundung Hellmuth Wegeners, aber ob Arm oder Oberschenkel, das hatten die zwanzig Jahre verwischt. Nur Elietta hatte es bemerkt, und seine lahme Erklärung war untergegangen in den vulkanischen Zärtlichkeiten dieser Stunde. Sie hatte auch nie wieder danach gefragt, aber sie würde es tun, wenn er plötzlich mit einer – alt aussehenden – Narbe ankam.

Am 10. September fuhr Wegener zum letzenmal nach Rom zu Elietta. Er wußte nicht, was er sagen sollte, er hatte keinen Grund, ihr den Abschied zu geben, sie war ihm sogar treu, wie René Seifenhaar berichtete, sie ignorierte alle Versuche, sie zu erobern, sie lebte in ihrem Palais oder in den Modesalons von Rom wie eine glückliche Ehefrau, es gab nichts, was er ihr vorwerfen konnte, was eine Trennung leichter gemacht hätte. Außerdem liebte er sie und mußte sie nur opfern, weil die Vergangenheit ihn eingeholt hatte, doppelt sogar. Mit Dr. Velbert konnte man fertig werden, das war ein finanzielles Problem ... die Narbe aber war unabdingbar, ohne sie konnte Hellmuth Wegener nicht sein! Für das Unvermeidliche ist kein Opfer zu groß – auch wenn es Elietta heißt.

Wegener sagte sich diesen dummen Satz immer wieder vor, bis er ihn selbst glaubte. Aber als er am 10. September, mittags um 11 Uhr 39, Elietta am Flugplatz stehen sah, wußte er, daß er an diesem Tag einen Teil seines Ichs vernichten mußte.

Es war einfacher und ging schneller, als Wegener befürchtet hatte. Schon daß sie nicht, kaum im Palais angelangt, wie bisher übereinander herfielen wie brünstige Raubtiere, sondern ruhig in den tiefen Damastsesseln sitzen konnten, war ein Zeichen, daß beide wußten oder doch ahnten, was die Stunde geschlagen hatte. Das Hausmädchen servierte Kaffee und Gebäck, aber im Salon, nicht vor der Tür des Schlafzimmers ... Sie tranken eine Weile wortlos, starrten auf den Seidenteppich – und vergingen doch schon wieder in Sehnsucht nach einander.

»Warum sagst du es nicht?« fragte sie endlich. Ihre Stimme klang kindlich, so hatte sie immer geklungen, wenn Elietta in der Erschöpfung der Liebe neben ihm lag und zu ihm sagte: »Gib mir eine Zigarette, du verdammter Bär ...«

»Was soll ich sagen?« fragte Wegener zurück. Er spürte sein Herz, es schmerzte, stach gegen die Rippen. Kündigt sich so ein Herzinfarkt an? dachte er. Mein Gott, ich halte das nicht aus! Ich kann sie doch nicht wegwerfen wie einen Fetzen Papier. Soll ich sie jetzt behandeln wie eine Hure? Und keiner hilft mir. Keiner!

»Sag, was du denkst«, erwiderte sie leise.

»Ich habe keine Argumente.«

»Deine Frau?«

»Es hat sich nichts geändert. Ich liebe sie, ich liebe dich!«

»Aber ich will dich für mich allein! Ist das ein Argument?!«

Er starrte sie an und begriff sie nicht. »Du weißt doch ...« sagte er lahm.

»Ich will es nicht mehr wissen! Hast du jetzt einen Grund?!«

»Warum? Willst du mir einen Grund liefern?«

»Dein Freund hat mich angerufen. Dieser Dr. Schwangler ...« Ihre Stimme wurde ganz kindlich, fast weinerlich, aber sie beherrschte sich. »Er ist ein Meister der Argumentation.«

»Das ist er.«

»Ich konnte ihm folgen.« Sie lehnte sich zurück und schloß die Augen. Wie immer war sie unter dem goldenen Hosenanzug nackt. Er sah die Spitzen ihrer Brüste und die leichte Wölbung ihres Schoßes. Ich kenne jede Stelle dieses Körpers, dachte er. Jeden verborgenen Winkel. Jedes Zittern der Nerven. Kann man sich davon lösen?

»Ich wußte es von Anfang an«, sagte sie und faltete die Hände. »Einmal kommt diese Stunde. Liebe ist das Egoistischste, was es gibt. Aber du mußt anders denken. Bei dir hängt zuviel an deiner Person, deiner Stellung, deinen Aufgaben, deiner Zukunft...«

»Hat Schwangler gesagt.«

»So ähnlich. Ich mußte es einsehen. Zuerst habe ich gedacht, ich überlebe es nicht. Ich wollte mich im Tiber ertränken, vom Kolosseum stürzen, im Bad die Pulsadern durchschneiden, Gift trinken... ich wollte diese Stunde nicht erleben! Aber du siehst: Ich sitze hier, ich bin ganz ruhig und spreche mit dir darüber. Warum ich das kann – ich begreife es selber nicht. Vielleicht liebe ich dich so sehr, daß auch Trennung zu einem Akt der Liebe wird. Der größte Liebesbeweis, den ich dir geben kann...«

»Elietta, ich bin ein Schwein«, sagte Wegener. Sein Gesicht zuckte, es war unmöglich, sich jetzt noch in der Gewalt zu haben. »Ich bin ein ganz erbärmliches Schwein... Wirf mich raus! Tritt mich in den Hintern! Behandle mich so, wie ich es verdiene! Mach es mir leicht zu gehen!«

»Du bleibst mein großer, starker Bär...« Sie sprang auf, lief zur Tür und riß sie auf. Wegener starrte ihr nach. Sie war wie ein Tiger, der sich gegen die Gitterstäbe seines Käfigs wirft. »Ich kann nicht mehr!« schrie sie. »Geh hinaus, Bär! Geh! Geh! Geh! Ich bringe uns beide um, wenn du bleibst, ich schwöre es dir, hier in der Schublade liegt eine geladene Pistole. Mein Gott, o Madonna... ich *wollte* dich erschießen!«

»Das wäre vielleicht das beste!« sagte er tonlos.

»Und deine *Euromedica-Werke?* Deine Frau, deine Kinder? Bin ich so viel wert?«

»Ja.«

»Hinaus!« Sie zeigte mit ausgestrecktem Arm auf die offene Tür. »Geh hinaus, du Idiot! Du wirst es überleben!«

Er stand auf, ging wie ein müder Greis durch den Raum und blieb in der offenen Tür vor ihr stehen. »Und du?«

»Ich auch! Es gibt Liebhaber genug!«

»Elietta!«

Sie gab ihm einen Stoß vor die Brust, er taumelte in die große Halle, sie warf die Tür zu und verriegelte sie von innen.

»Elietta!« schrie er und hämmerte mit den Fäusten gegen die Tür. »Wenn du die Pistole nimmst...«

Sie antwortete nicht. Er wartete über eine halbe Stunde vor dem Zimmer wie ein Hund, und da er bis dahin noch keinen Schuß gehört hatte, ging er weg. Niemand verabschiedete ihn. Nur das Taxi stand draußen vor der Palaismauer, und der Chauffeur sagte: »O Signor, das gibt eine Rechnung. Ich warte hier schon zwei Stunden...«

»Fahren Sie!« schrie Wegener und warf sich in den Sitz. »Und wenn Sie mich mit hundertvierzig gegen einen Baum fahren und sich vorher retten können, schenke ich Ihnen eine Million Lire!«

Der Taxifahrer schielte zu ihm hin, lächelte schweigend und fuhr manierlich weiter. Ein Italiener kann verzweifelte Männer immer verstehen.

Am 29. September operierte Dr. Salieri eine herrliche Schußnarbe in Wegeners linken Oberarm und trimmte sie auf alt.

Die Operation hatte Salieri nach der allgemeinen Arbeitszeit, nach der abendlichen Visite, angesetzt. Nur eine junge Assistentin, eine Anästhesistin, war im OP. Ein schwarzgelocktes, langbeiniges Mädchen, das Wegener nach der Begrüßung verstohlen fragend beobachtete. Dr. Salieri saß vor Wegener auf einem weißlackierten Stuhl, als dieser sich den Oberkörper freimachte, wie die Ärzte es ausdrücken, und tippte Wegener auf den noch immer vorgewölbten Bauch.

»Sie hatten doch versprochen abzunehmen«, sagte er.

»Das habe ich auch! Fast dreißig Kilo! Dann sah ich mich im Spiegel und blickte in ein Greisengesicht. Ein Kopf, so klein wie eine Rübe. Der Schreck saß, lieber Kollege. Da habe ich wieder angefangen zu fressen. Mäßig, damit es langsamer aufwärtsgeht – aber immerhin! Ich bin anscheinend kein Typ, den klassische Bildhauer als Modell genommen hätten.«

»Ihr Fett macht mir Sorge! Wie reagieren Sie auf eine Narkose? Ihren Blutdruck messen wir gleich.«

»Zuletzt einhundertachtzig.«

»Na also! Und wenn er noch höher geht, jetzt, durch die Aufregung, laden Sie sich wie eine Bombe auf!«

»Ich bin nicht aufgeregt, Dr. Salieri.«

»Natürlich sind Sie das. Jeder, der in einem OP steht oder hereingerollt wird, ist aufgeregt. Man greift in Ihren Körper ein, und wenn's nur eine dämliche Narbe ist – aber es ist ein Eingriff! Und darauf reagiert jeder Mensch nervös. Lieber Kollege, ich habe Muskelprotze und Schönlinge erlebt, die sprangen auf den OP-Tisch, als läge kein Gummituch drauf, sondern eine nackte Frau, und sie legten sich hin, um ein Fältchen unter den Augen glattziehen zu lassen. Und dann kommt die erste Injektion, und was passiert? Verdrehte Augen, kalter Schweiß, fahle Blässe, ein saftiger Kreislaufkollaps. Da sollten Sie eine Ausnahme sein?«

»Ich habe anderes durchgestanden.« Wegener sah sich um. Die Assistentin rollte einen kleinen Instrumententisch an den OP-Tisch. Es lag nicht viel darauf: ein paar Tupfer, eine Venenstaubinde, zwei Skalpelle, blutstillende Watte, drei Ampullen mit wasserhellen Flüssigkeiten, drei Einwegspritzen, zwei kleine, dünnbackige Klemmen, eine gebogene Schere und Verbandmaterial. »Wollen Sie mir wegen des kleinen Ritzers eine Vollnarkose verpassen, Herr Kollege?« fragte Wegener.

»Das wollte ich Sie gerade fragen! So einen Schnitt mache ich Ihnen, nachdem ich Ihnen auf den Arm geboxt habe! Aber bei Kollegen bin ich vorsichtig geworden. Wer selbst ganze Mägen resektiert, zittert, wenn man ihm selbst einen Pickel ausdrückt. Ich dachte, ich mache Ihnen eine Lokalanästhesie, und wenn ich merke, daß Sie mit den Zähnen klappern, haue ich in die vollen. Einverstanden?«

»Sie haben in Deutschland ein verflucht gutes Deutsch gelernt.« Wegener grinste breit. Er wollte sich vor der schönen Assistentin keine Blöße geben, stand auf, ging zum OP-Tisch und zeigte auf ihn. »Kann ich drauf?«

»Bitte.« Dr. Salieri ging zum Waschbecken, begann, seine Hände zu schrubben und in eine blaugrüne antiseptische Flüssigkeit zu tauchen. Er bereitete sich so gründlich vor, als müsse er an eine schwierige Brustverkleinerung gehen. »Auf den Rücken. Franca schnallt Sie fest.«

»Muß das sein? Für so eine kleine Narbe?«

»Das fragen Sie als Arzt?«

Wegener wälzte sich auf den schmalen OP-Tisch und lächelte etwas schief die Assistentin an, die seine Arme und Beine mit Lederbändern geschickt und schnell fesselte. Sein Bauch wölbte sich in dieser flachen Lage tatsächlich noch wie aufgeblasen empor, und er schämte sich, daß er der jungen hübschen Franca einen solchen Anblick bot. Dr. Salieri, als kosmetischer Chirurg auch ein guter Psychologe, eine Kombination, die fast immer zufriedene Patienten hinterläßt, kam an den Tisch und wußte sofort, was Wegener dachte.

»Hier haben schon menschliche Elefanten gelegen«, sagte er. »Ihr Bauch ist zwar nicht sexy, aber Franca kennt andere Formate.« Er nahm einen Wattebausch, rieb den Oberarm mit Alkohol sauber, zog in einer Einwegspritze eine Ampulle auf und drückte die Luft aus dem Kolben. Dann stach er schnell zu und injizierte das lokale Betäubungsmittel. »Gleich wird's eiskalt in Ihrem Arm«, meinte er dabei. »Und wenn Sie merken, daß Ihr Magen rotieren will, sagen Sie's rechtzeitig.«

»Quatsch! Nehmen Sie das Messer und schneiden Sie endlich!« Wegener starrte an die weiße Decke. Dr. Salieri hatte noch nicht einmal die großen OP-Scheinwerfer eingeschaltet, sondern nur ein einfaches Arbeitslicht, so unbedeutend war der Eingriff.

»In fünf Minuten geht's los!« Der Arzt lehnte sich gegen das Chromgestänge des OP-Tisches. »Sie sind also in Hongkong?«

»Ja. Warum?«

»Ich bewundere Ihre Kaltblütigkeit! Wenn Sie nun jemand aus Ihren Werken in Hongkong erreichen will?«

»Ich habe angeordnet, daß ich nicht belästigt werde. Mein Syndikus Dr. Schwangler leitet die Fabriken in meiner Abwesenheit.«

»Und Ihre Frau?«

»Was wollen Sie von meiner Frau?« Wegener spürte, wie der Arm vereiste. Ein komisches Gefühl: von der Schulter bis zum Ellenbogen lähmte ihn die Kälte, aber der ganze übrige Körper mißachtete das und fror nicht einmal.

»Ich könnte mir denken, daß Ihre Frau aus Honkong mindestens eine Ansichtskarte haben will.«

»Irmi? Nein!« Wegener schloß für einen Moment die Augen. Wann habe ich ihr die letzte Ansichtskarte geschrieben, grübelte er. Das war aus Rom. Bei meinem ersten Rombesuch. Zwei Tage nach der ersten Begegnung mit Elietta Dagliatti.

Er hatte die Karte geschrieben – eine Ansicht der Engelsburg –, und von seinen Fingern wehte noch das Parfüm Eliettas. Und während er schrieb: »Irmikind, Rom ist eine Reise wert, ich muß da dem alten Goethe recht geben. Im nächsten Frühjahr machen wir hier mal Urlaub und werden uns wie die Gammler auf die riesige Spanische Treppe setzen, so jung, wie wir noch sind« – während er das schrieb, brannte sein ganzer Körper von Eliettas Kratz- und Bißwunden und spürte er in seinen Lenden noch das stechende Ziehen der Überanstrengung.

»Wenn ich sage, ich bin in Hongkong, dann glaubt sie das. Meine Frau glaubt alles, was ich sage.«

»Erstaunlich.«

»Wieso? Wir führen eine glückliche Ehe, auf der Basis gegenseitigen Vertrauens.«

»Wenn ich nicht Ihre treublickenden Augen sehen würde, hielte ich Sie für einen wüsten Sarkastiker! Sie meinen wirklich ehrlich, was Sie da sagen?«

»Natürlich.«

»Hat Ihre Gattin auch ein Gegenstück zu Elietta Dagliatti?«

»Woher wissen Sie den Namen?«

»Lieber Kollege, als Sie damals so von Leidenschaft und Fingernägeln, spitzen Zähnen und saugenden Lippen zerfetzt zu mir kamen, packte mich die Neugier. Eine rein männliche Neugier. Über Betrucci erfuhr ich dann, wer das herrliche Raubtier ist. Gratuliere nochmals!«

»Die Sache ist erledigt«, sagte Wegener steif. Sein Arm war jetzt ein Eisblock. »Endgültig! Der Absprung war schwer, aber ich sage Ihnen ja: Ich bin hart im Nehmen!« Er zögerte, fragte sich, ob er es riskieren sollte, und sagte es dann doch: »Hat Ihnen Betrucci gesagt, was aus Elietta geworden ist?«

»Ich glaube, sie hat einen Südamerika-Trip angetreten. Sucht Vergessen. Bei ihr saß es anscheinend tiefer als bei Ihnen.«

»Das stimmt nicht. Ich habe sie geliebt bis zur Selbstaufgabe. Es war ein Naturereignis. Ist es jemals gelungen, den Vesuv zuzuschütten?«

»Und trotzdem sind Sie am Ende weggelaufen?«

»Ich liebe auch meine Frau. Ich habe zwei prächtige Kinder!«

»Ihre glückliche Ehe ...«

»Sie sprechen es aus, Dr. Salieri, als sei das eine witzige Pointe. Ich habe lange darüber nachgedacht, Sie müßten das auch verstehen: Wenn Männer in unserem Alter noch einmal lieben, ist das angewandte Schizophrenie! Die große Liebe im verbotenen Land – und auf der anderen Seite die unlöschbare Liebe von fünfundzwanzig gemeinsamen Jahren mit einer Frau, die ein Wunder an Treue, Glauben, Vertrauen und Geduld ist. Eine Situation, in der man sich selbst zerreißen möchte.« Wegener zuckte mit den Schultern und dem gefühllosen Arm. »Kollege, ist es noch immer nicht soweit?«

»Jetzt gleich. Drehen Sie den Kopf zur Seite. Bitte.«

»Warum?«

»Können Sie Ihr eigenes Blut sehen?«

»Ich war im Krieg.«

»Wie lange ist das her, Kollege! Aber bitte. Der Schnitt ist das unwichtigste. Die Kunst fängt erst an, wenn's darum geht, diese Narbe künstlich zu altern. Ich werde sie pigmentieren. Aber das sage ich Ihnen gleich: es ist ein Experiment. Ich weiß nicht, wie die Wunde darauf reagiert.«

Es ging dann alles sehr schnell. Salieri war ein Genie auf dem Gebiet kosmetischer Operationen. Betrucci hatte nicht übertrieben. Wegener spürte nichts, aber er drehte doch den Kopf zur anderen Seite und lauschte auf das Klappern der Instrumente und die leise Verständigung zwischen der Assistentin und Dr. Salieri.

»Was war das für ein Geschoß?« fragte Salieri einmal. Wegener, mit den Gedanken bei Elietta und Irmi, schrak zusammen.

»Eine russische Gewehrkugel.«

»Dumdumgeschoß?«

»Dann wäre der Oberarmknochen kaputt.«

»Deshalb frage ich. Ich kann Ihnen auch der Vollständigkeit halber den Knochen zertrümmern und wieder zurechtflicken.«

»Danke! Wir hatten 4000 DM ausgemacht, keine 40000!«

»Es wird eine herrliche Narbe, Kollege!« Salieri schien etwas zu unterspritzen. »Ein wenig aufgetrieben; wer hat sich damals um saubere Wundversorgung gekümmert?! Sie werden mit der Narbe Furore machen. Eine am Oberschenkel, eine am Oberarm! Geradezu heldisch.«

Die ganze Operation dauerte nur zwanzig Minuten. Franca schnallte Wegener wieder los, er schob sich vom OP-Tisch und saß auf der Kante. Vom Nabel zog sich nach oben der Haarpelz, der auf Brust und Rücken äußerst männlich aussah. Aber der Bauch wölbte sich weißlich über den Hosenbund. Dr. Salieri wusch sich die Hände. Franca hatte den OP bereits verlassen.

»War ich tapfer?« fragte Wegener spöttisch. »Sagen Sie bloß noch, ich müßte jetzt ins Bett!«

»In drei Tagen ziehen wir die Fäden. Solange müssen Sie bei mir bleiben.« Dr. Salieri trocknete sich die Hände ab und warf das Handtuch in einen verchromten Behälter. »Ich habe Ihnen ein kleines Zimmer im neuen Anbau gegeben. Mit Radio, Fernsehen, Telefon. Nur eine Frau habe ich noch nicht für Sie. Kommen Sie drei Tage ohne aus?«

»Sie halten mich wohl für einen Bullen, was?« Wegener rutschte vom OP-Tisch und machte ein paar unsichere Schritte. Die Wirkung der Lokalanästhesie im Arm machte sich nun in den Beinen bemerkbar. Während er auftrat, fühlten sie sich taub an. »Ich werde drei Tage schlafen. Wissen Sie, wie wenig Zeit ich normalerweise dafür erübrigen kann?«

Es waren drei Tage der herrlichsten Ruhe. Am vierten Tag wurde Hellmuth Wegener von Dr. Salieri mit einem Schulterklopfen entlassen, so wie man einen lieben Freund verabschiedet. »Ich bin hoch zufrieden. In drei Wochen glaubt jeder, daß Sie mit diesem Oberarmschuß auf irgendeinem Hauptverbandsplatz in Rußland gelegen haben und daß die Wunde von einem Zahnarzt behandelt worden ist...«

Wegener fuhr nach Rom, wohnte unauffällig in einem kleinen Hotel und wartete die Maschine aus Hongkong ab, die in Rom zwischenlandete. Fröhlich traf er dann in Köln ein, aber es ließ sich nicht vermeiden, daß er noch zehn Tage lang ein Pflaster tragen mußte, weil die Narbe ein wenig näßte.

Für Irmi hatte er die Erklärung bereit, daß er im Hotel in Hongkong an einem herausragenden Schlüssel hängengeblieben sei. Er zeigte sogar das Smokingjackett mit dem eingerissenen Ärmel. »Ich hatte einen getrunken«, sagte er noch mit schuldbewußter Miene. »Du kennst das ja. Geschäftsgespräche ohne Essen und Alkohol haben keine Würze! Die Herrschaften fühlen sich immer auf den Schlips getreten, wenn man sagt: Danke, nein, ich trinke nichts. Und essen? Ich lebe diät, nur eine Salatplatte. Das ist für die fast eine Beleidigung.« Er seufzte, betrachtete das Pflaster auf der neuen, alten Narbe und zog sich den Schlafanzug an. »Man kommt aus dem Sündigen nicht heraus.«

»Wenn es nur Essen und Trinken ist«, sagte Irmi leichthin.

Er blickte ihr nach, als sie ins Badezimmer ging, und schob die Unterlippe vor. Wie hat sie das gemeint, dachte er. Nur so als Redensart, oder ahnte sie etwas?

Später schliefen sie wie immer zusammen, sie atmete tief im Schlaf. Er konnte lange nicht einschlafen, betrachtete sie und war zufrieden, daß alles so gutgegangen war. Der Kreis hatte sich wieder geschlossen, das Leben nahm wieder seinen normalen Lauf.

Es blieb, als Fossil aus vergangenen Jahren, nur noch Dr. Velbert. Und Dr. Velbert machte Schwierigkeiten.

Zunächst schrieb er ab und zu liebe Briefe, mit denen er Geld anforderte. Dann tauchte er in Köln auf, im Konzern, ließ sich bei Wegener melden und klagte sein Leid. St. Pauli fresse ihn auf. Er war noch aufgedunsener, hatte glänzende Augen, seine Hände zitterten.

»Laß das Fixen sein!« sagte Wegener. »Und wenn du glaubst, das mit dem Geld geht immer so weiter, dann irrst du dich!«

»Kamerad, wir sitzen im gleichen Boot!« Dr. Velbert lächelte unverschämt. »Was willst du machen? Ein Konzernherr, der in sich zusammenfällt wie ein Ballon, wenn man hineinsticht! Das bist du doch! Weiter nichts. Und ich habe die Nadel in der Hand!«

»Dr. jur. Velbert, ein gemeiner Erpresser?!«

»Das beleidigt mich gar nicht. Ich habe schon andere Dinge gemacht, um nicht zu ersaufen!« Er beugte sich über den breiten Schreibtisch. »Nimmt man es ganz genau, Hellmuth – oder bist du Peter?! – dann bin ich dein Teilhaber. Indem ich den Mund halte, pumpe ich den Konzern immer größer. Logisch gesehen müßte das eine Partnerschaft fünfzig zu fünfzig sein!«

»Du bist total verrückt!« sagte Wegener eiskalt.

»Wenn du bleibst, was du bist, bleibst du es nur durch mich – das ist doch keine Frage! Was ich für diese Glanzleistung bekomme, von dir bisher bekommen habe, ist schäbig genug. Auch das muß man einsehen.«

»Was willst du?«

»Eine größere Summe, Hellmuth. Sagen wir hunderttausend. Ein Haus an der Côte d'Azur. Da wollte ich schon immer leben!« Dr. Velbert lehnte sich genüßlich zurück. »Du mußt dich daran gewöhnen, eine Made in deinem Speck zu haben. Ich verspreche dir, eine zahme Made zu sein. Nur: Ich will leben!«

»Ich überlege es mir«, sagte Wegener dumpf. »Ich gebe dir einen Scheck über zwanzigtausend mit, und dann verschwinde!«

Dr. Velbert reiste ab. Nach Cannes. Dort mietete er zunächst eine Villa und schickte Mietvertrag und Rechnungen schamlos an Wegener. Da es Privatbriefe waren, liefen sie nicht durch das Sekretariat.

Wegener zerriß sie oder schloß sie in seinen Tresor ein.

So geht es nicht, grübelte er. Rudi Velbert wird immer unverschämter werden, und ich werde zahlen müssen, zahlen, immer nur zahlen, bis er tatsächlich die Hälfte alles dessen an sich gerissen hat, was ich geschaffen habe. Soll man jetzt die Wahrheit sagen? Zunächst zu Irmi, dann zu Dr. Schwangler? Kann man das überhaupt noch? Bricht dann nicht alles zusammen?!

Er wälzte das Problem so lange vor sich her, bis Dr. Velbert aus Cannes telefonierte und verlangte, die Villa zu kaufen. Er habe jetzt eine tolle Geliebte, sagte er, eine Fünfundzwanzigjährige, die ein Wirbelwind im Bett sei, und das alles koste nun viel mehr Geld als bisher. »Jetzt weiß ich endlich, was Leben ist!« jubelte Dr. Velbert ins Telefon. »Ist alles klar, Hellmuth?«

»Nein!« sagte Wegener rauh. »Ich zahle nicht mehr!«

»Bist du verrückt?!« schrie Dr. Velbert. »Peter Hasslick, überlege mal...«

»Ich habe überlegt! Du gehst vor die Hunde, ich gehe vor die Hunde! Na wenn schon!«

»Und deine Werke?! Deine Frau? Deine Kinder?!«

»Ihnen gehört alles nach meinem Tod! Was ich geschaffen habe, kann man mir nicht mehr wegnehmen. Nur mich selbst werden sie bekommen! Aber das ist mir jetzt gleichgültig. Ich habe gute Nachfolger herangezogen, meine Fabriken werden weiterlaufen! Aber du, du verdammtes Schwein, kannst dich in Cannes im Meer ersäufen! Nicht eine müde Mark mehr, ist das klar?!«

»Laß uns verhandeln, Hellmuth...«

»Nein!« Er legte auf und starrte das Telefon an.

Was kommt jetzt? Wie wird Velbert reagieren?! Irmi und die Kinder waren versorgt, Dr. Schwangler würde alles weiterführen. Nur er, der Peter Hasslick, der sich Wegener nannte, würde von der Bühne verschwinden. War das ein so großer Verlust?! Ist ein einzelner Mensch so wertvoll? Alles ist ersetzbar, auch ein Hellmuth Wegener.

Warten wir es ab, dachte er. Es waren zwanzig schöne Jahre. Nur wenigen schenkt das Schicksal so viel Glück. Man sollte dankbar sein und jetzt, wenn es sein muß, dafür zahlen!

Feiertage sind etwas Schreckliches für den, der gefeiert wird, sofern es sich um Anerkennungen handelt, die mit dem Alter zusammenhängen. So sah es Dr. Schwangler.

Im Jahre 1969 trafen gleich zwei Ereignisse zusammen: Wegeners Silberhochzeit und sein fünfzigster Geburtstag.

»Daraus machen wir ein Volksfest!« sagte Schwangler. »Wir legen die Tage zusammen, sie sind ja sowieso beide im Mai – und hauen einmal auf die Pauke! Junge, Hellmuth, auf welch ein Leben kannst du zurückblicken! Nach fünfundzwanzig Jahren eine Frau, die dir heute noch jeder entführen würde – mit fünfzig ein Kerl, den die halbe Welt ob seiner Erfolge beneidet: diese Lebensbilanz solltest du einmal vor dir hertragen wie eine Fahne. Ich weiß, das ist nicht dein Stil, aber für diese beiden Tage bist du entmündigt. Das arrangiere ich!«

Es wurde ein großartiges Fest. Man errichtete ein riesiges Zelt im Park der Villa Fedeltà, erbaute ringsum einen Jahrmarkt, auf dem sich Karussells drehten und Schießbuden standen, und das Glanzstück war ein Riesenrad, das sich in den wolkenlosen, sonnigen Maihimmel erhob. Den Abschluß sollte ein Feuerwerk bilden, die Nachbarn waren verständigt oder eingeladen, Polizei und Ordnungsamt hatten die Genehmigung erteilt, Presse, Rundfunk und Fernsehen waren zu Gast... und inmitten dieses Trubels stand Wegener an Irmis Seite, breit und kräftig, lächelte in die Kameras, sprach stereotype Sätze, drückte Hunderte von Händen, absolvierte den Ehrenwalzer im Zelt und dachte zum erstenmal in seinem Leben an Mord.

Dr. Velbert war erschienen. Korrekt im weißen Smoking, erstaunlich gut aussehend, an seiner Seite eine langmähnige Blonde, die immerzu lächelte, nur französisch sprach, ein verwegen ausgeschnittenes Kleid trug und gegen 23 Uhr bereits betrunken war. Man legte sie in Wegeners Haus in ein Gästezimmer; Dr. Velbert schloß es ab und steckte den Schlüssel ein. »Damit mir keiner die Kleine aufknackt!« sagte er fröhlich. »Das Biest ist scharf wie Negerpfeffer.«

Er war allein mit Wegener, sie setzten sich in zwei Sessel und starrten sich an.

»Nun, was ist?« fragte Dr. Velbert. »Soll ich im Zelt einen Tusch blasen lassen und verkünden, wer Hellmuth Wegener ist?«

»Bitte!«

»Das gäbe ein Feuerwerk *vor* dem Feuerwerk!«

»Mir ist's egal!« sagte Wegener. Aber er dachte: Jetzt sollte man ihn umbringen! Zum erstenmal in meinem Leben denke ich daran. Töte! Töte! Mit den eigenen Händen! Erwürge diesen Saukerl und wirf ihn aus dem Fenster! Man kann später sagen: Ein Unfall! Dr. Velbert war sturzbesoffen!

Aber er tat es nicht. Er blieb sitzen und sah Dr. Velbert ruhig an.

»Na los!« sagte er sogar. Velbert griff in die Smokingjacke und holte ein Foto hervor. Ein uraltes, zerknittertes Bild.

»Das habe ich noch gefunden«, sagte er und reichte es Wegener hin. »Ein Foto aus dem Stammlager in Posen. Da bist du, Peter Hasslick, neben dir Hellmuth Wegener, damals Unteroffizier, dahinter ich als Gefreiter. Die anderen interessieren nicht. Na, *ist* das ein gutes Foto? Die Männer von der Propaganda-Kompanie konnten knipsen! Was ist es dir wert: Foto und das Negativ des Repros. Beides liegt in einem Banksafe in Cannes.«

»300000 DM! Zum letztenmal!«

»Hui! Das ist ein Wort! Wann?« Dr. Velbert steckte das Foto wieder ein.

»In zehn Tagen. Ich komme nach Cannes und hole das Negativ ab.«

»Es gibt doch noch Kameraden!« sagte Dr. Velbert süßlich und klatschte in die Hände. »Ich sage es immer und zu jedem: Der Krieg war unser großes Erlebnis!«

Wegener ließ ihn einfach sitzen und ging zurück zu seinen Gästen. Man tanzte unter Führung von Dr. Schwangler und Irmi eine Polonäse durch den Park.

Irgend jemand hat den Zufall eine Hure des Schicksals genannt.

Hellmuth Wegener fand das bestätigt.

Fünf Tage nach dem Doppelfest überreichte Dr. Schwangler ihm ein Telegramm aus Cannes. Es war diesmal nicht als ›persönlich‹ deklariert, sondern hatte den Firmenlauf genommen, das heißt: über Schwangler. Es stammte von einer Mademoiselle Sylvie Charreau und berichtete in französischer Sprache, daß Dr. Velbert bei einer Bootsfahrt vor der Côte d'Azur über Bord gefallen war und – es sei ein stürmischer Tag gewesen – nicht mehr gerettet werden konnte. Seine Leiche war später zwischen den Klippen gefunden worden. Er war also einwandfrei tot.

»Was hast du damit zu tun?« fragte Dr. Schwangler. »Besteht denn die Verbindung immer noch?!«

»Es war ein Kriegskamerad«, sagte Wegener nachdenklich. Diese plötzliche Befreiung belastete ihn merkwürdigerweise, dieses Glück wurde ihm unheimlich. Er hatte gesehen, wie dünn die Mauer war, die er zwischen sich und die Vergangenheit gezogen hatte. Ein Mensch, ein Foto, eine Narbe, eine andere Schrift – und schon fiel alles in sich zusammen. Was gab es noch im Hintergrund? Bisher hatte er alles überstanden, jetzt kam sogar der Zufall zu Hilfe. Aber irgendwo lauerte in der Vergangenheit noch eine Gefahr, der er dann hilflos ausgeliefert sein würde. Er spürte das, wie er einen kommenden Regen in seiner Oberschenkelnarbe spürte.

»Er war ein versoffenes Schwein!« sagte Dr. Schwangler.

»Er hatte kein Glück, das war alles.« Wegener legte das Telegramm in den Ablagekorb. »Veranlasse bitte, daß man Dr. Velbert anständig begräbt und daß diese Sylvie Charreau das nächste Jahr sorgenfrei leben kann.«

»Wie du willst!« Dr. Schwangler hob die Schultern. »Wie stark war deine Kompanie?«

»Hundertdreiundvierzig Mann.«

»Wenn du nach diesem Muster hundertdreiundvierzig Familien ernähren willst...«

»Es sind nur noch sieben übriggeblieben!« sagte Wegener. »Und von diesen war Velbert vielleicht der vorletzte. Ich könnte der letzte sein.«

»Hoffentlich!«

»Ja. Hoffentlich.«

Später saß er allein in seinem riesigen Chefzimmer und las noch einmal alle Gratulationen durch. Man hatte ihn überhäuft mit Titeln und Ehrungen. Am meisten freute ihn der Dr. med. e. h.; der würde ihm noch feierlich zugesprochen werden. Auch in das Präsidium des Deutschen Roten Kreuzes hatte man ihn ehrenhalber berufen, und vertraulich hatte man ihm mitgeteilt, daß er das Große Bundesverdienstkreuz am Bande erhalten werde.

Vor ihm lag auch die Jahresliste des Deutschen Roten Kreuzes, in der noch immer Angehörige ihre vermißten Söhne oder Männer suchten. Bilder, Bilder, Namen, Namen. Er überflog die langen Listen, mehr aus Neugier, und stutzte plötzlich. Und dann verkrampfte sich sein Herz.

Es war nur eine einzige dünne Zeile in der langen Liste.

›Ihren Sohn Peter sucht Berta Hasslick, Lübeck, Kesselstraße 15

(Altersheim).‹

Wegener lehnte sich zurück und stützte den Kopf gegen die lederne Sessellehne. Dann schloß er die Augen und faltete die Hände vor dem Mund.

Sie lebt. Sie ist nicht unter die Bomben gekommen, die über Osnabrück regneten. Sie lebt – und ich habe es dreiundzwanzig Jahre lang nicht gewußt. Ich wußte nichts anderes, als daß sie in einem Keller erstickt war, begraben unter den Trümmern des Hauses.

Mutter lebt! Meine Mutter lebt! Mutter...

Und plötzlich, als brächen seine Augen auf, begann er zu weinen.

10

Vier Tage schleppte er es mit sich herum, vier fürchterliche Tage, in denen er ›ungenießbar‹ war, wie Irmi es nannte. Sogar Dr. Schwangler ging ihm aus dem Weg. »Das haben wir davon, daß er so abgenommen hat!« meinte Schwangler zu Irmi. »Früher war er der gemütliche Dicke, jetzt ist er der nervöse Vollschlanke! Wenn das so weitergeht, verführe ich ihn zum Fressen, bis er wieder seinen Bauch hat!«

»Bloß das nicht!« sagte Irmi. Sie ging mit Schwangler durch den Park der Villa Fedeltà, riß ab und zu einen Zweig ab, der über dem Weg mit den weißen Kieselsteinen hing. Auch sie ist nervös, dachte Schwangler. Aber sie überspielt es. Sie sind nun fünfundzwanzig Jahre miteinander verheiratet, sie haben ein Leben aufgebaut, das beispielhaft dafür ist, was Fleiß, Sachverstand – und die Liebe des Partners aus einem Menschen machen können. Jeder kennt den anderen bis in die letzte Faser, wie man so sagt, und doch gibt es plötzlich Augenblicke, wo er betroffen feststellen muß, daß der Geliebte fremd und unerreichbar ist. Man kann das nicht erklären, man spürt es bloß... aber es ist nicht zu überspielen. Und in diesen Tagen war es wieder so: Hellmuth Wegener wirkte irgendwie fremd. Er sprach kaum, saß im Kreise seiner Familie herum, starrte auf das Fernsehbild, gab knurrige Antworten, hockte in seinem riesigen Büro auf der Chefetage der *Euromedica-Werke* vor dem Telefon und starrte es an, als wollte er es hypnotisieren. Oder er lief wie ein gefangenes Tier herum, die Hände auf dem Rücken, den Kopf in die Schultern gezogen, das Kinn angedrückt, und wer sich ihm näherte, wurde angebellt und tat gut daran, sofort aus seinem Blickfeld zu verschwinden.

Einen erkennbaren Grund gab es nicht. Schwangler hatte in seiner gründlichen Art alles durchforstet. Die Produktion lief hervorragend, der Absatz hatte sich um 21,5% gesteigert, eine neue Geliebte war nirgends zu sehen, mit Irmi gab es keinerlei Sorgen; nie hatte sie Wegener in den vergangenen fünfundzwanzig Jahren Anlaß gegeben, sich in einen eifersüchtigen Othello zu verwandeln. Die Gräfin Dagliatti lebte jetzt in Rio de Janeiro, wie René Seifenhaar aus Rom meldete, sie war geflüchtet aus ihrem Palais, das voller Erinnerungen an Hellmuth Wegener war. Was also war es, das Wegener so plötzlich verändert hatte?

Schwangler fragte ihn danach, das schien ihm der beste Weg zu sein. »Brauchst du eine neue Elietta?«

»Du kannst mich kreuzweise!« antwortete Wegener grob.

»Ich weiß, ich weiß, du wirfst mich gleich wieder raus, aber – lassen wir einmal beiseite, daß Irmi die beste Frau der Welt ist! – es kann ja immerhin möglich sein, daß du trotzdem erotisch ausgehungert bist...«

»Was anderes fällt dir wohl nie ein, wie?«

»Du bist seit vier Tagen wie ausgewechselt. Du schleppst was mit dir herum.«

»Ich habe nichts!«

»Hellmuth...«

»Laß mich in Ruhe!«

Es war nicht an ihn heranzukommen. Vielleicht hatte Sohn Peter recht, wenn er sagte: »Papa kann die fünfzig nicht verkraften. Mit fünfzig beginnt das Alter, und Paps ist ein Mann, der nie alt werden will! Paßt auf, nächstens kommt er mit Pophemden und in Jeans! Alles nur Panik vor dem Alter! Mama, du solltest mit ihm mal vier oder sechs Wochen an die Côte d'Azur fahren und dort topless mit ihm herumspringen...«

»Was ist topless?« fragte Irmi.

»Oben ohne!«

»Peter!« Sie sah ihren Sohn strafend an. Er war jetzt einundzwanzig, studierte Chemie in Köln, fuhr einen englischen Sportwagen, brachte eine Menge bärtiger junger Männer und langmähniger Mädchen ins Haus und rauchte Pfeife. Er war hochaufgeschossen, dürr und blond wie seine Mutter.

»Sei nicht entsetzt, Mama«, sagte er, »sondern stelle dich um! Männer in Pa's Alter haben eine zu ihren Möglichkeiten völlig konträre Lebensauffassung.«

»Du mußt es ja wissen!«

»Wenn man sich etwas mit Psychologie beschäftigt...«

»Ich kenne deinen Vater seit über fünfundzwanzig Jahren!«

»Das ist es ja! Seit fünfundzwanzig Jahren klebt ihr aneinander wie zwei verleimte Sperrholzplatten! Unverziehbar, hitze- und kältefest, im Wasser unlöslich, unempfindlich gegen Dampf. Chemisch gesehen die perfekte Verbindung! Aber jeder von euch ist doch ein Individuum! Ist ein eigener Mensch! Hat ein besonderes Ich!«

»Dein Vater und ich, wir haben immer...«

»Wir! Wir! Warum sagst du nicht einmal Ich?! Warum gibst du dem Alten nicht mal ein Rätsel auf, bringst ihn mal auf Trab, damit er kapiert, daß du nicht sein Eigentum bist wie der Picasso, den er in der Bibliothek hängen hat, sondern eine ihrer Persönlichkeit völlig bewußte Frau!«

»Das kann ich nicht, Peter.«

»Du kannst es! Wenn du für den großen Erfolgsmann Wegener auf Bällen und Empfängen repräsentieren kannst, bist du auch in der Lage, dich selber ins Licht zu setzen. Für Pa ist alles zu selbstverständlich geworden! Und jetzt ist er über fünfzig, und das Selbstverständliche wird ihm wie ein Gewicht um den Hals. Er braucht etwas Neues, was ihn in Spannung hält. Mama, er dreht die Zeit zurück, wenn er plötzlich sieht, daß er eine ganz andere Frau an seiner Seite hat! Männer in seinem Alter beginnen, einen Hauch Verwerflichkeit zu lieben. Der Gedanke peinigt sie, etwas verpaßt zu haben, was man aber noch nachholen könnte. In zehn Jahren wäre es vielleicht zu spät!«

»Ihr jungen Theoretiker!« sagte Irmi und lächelte nachdenklich. »Mit Worten jonglieren, das könnt ihr! Ich kenne Pa besser als ihr alle zusammen.«

Am fünften Tag hatte Wegener sich besiegt. So lange hatte er gebraucht, um alle Bedenken in sich niederzuknüppeln und nur noch der Sohn zu sein, nach dem seine Mutter rief. Der fürchterliche Gedanke: Tue nichts! Sage dir weiter, sie ist beim Bombenangriff auf Osnabrück gestorben! Vergiß, was du gelesen hast! Du bist Hellmuth Wegener und nicht Peter Hasslick! Wenn du nicht zufällig das

Suchblatt vom Roten Kreuz gelesen hättest, du hättest es nie erfahren. Vergiß! Vergiß! – Dieser bestialische Gedanke lähmte ihn vier Tage lang, bis er ihn zertrümmert hatte.

In der Mittagszeit, als er sicher war, nicht gestört zu werden, rief er vom Büro aus im Altersheim in Lübeck an. Er wurde mit der Verwaltung verbunden, wo eine Frauenstimme – man hörte ihr an, daß die Dame beim Sprechen an irgend etwas kaute – ihm bestätigte, daß in der Kartei eine Berta Hasslick aufgeführt sei. »Sie wohnt in Block V, Zimmer vierunddreißig«, sagte die Stimme. »Sind Sie ein Verwandter?«

»Nein! Aber ich kannte ihren Sohn. Ich möchte ihr etwas schikken.«

»Das kann sie gebrauchen«, sagte die kauende Dame. Sie schien von der Karteikarte abzulesen: »Frau Hasslick ist von der Fürsorge eingewiesen worden. Keine Verwandten mehr, nichts. Mit zweiundachtzig Jahren...«

»Ja, sie muß jetzt zweiundachtzig sein...« sagte Wegener heiser. »Wie wohnt sie?«

»Bei dem Pflegesatz, den die Fürsorge zahlt...«

»Ich verstehe. Danke.«

Wegener ließ das Telefon auf die Gabel fallen. Die Fürsorge. Ein Armenzimmer. Meine Mutter...

Er legte das Gesicht in beide Hände und weinte wieder.

Am nächsten Tag fuhr er zu ›geschäftlichen Besprechungen‹ nach Hamburg. Um es offiziell zu machen, ließ er sich von dem großen Chefwagen mit Chauffeur abholen, und Irmi, an plötzliche Abreisen seit Jahren gewöhnt, hatte keinen Anlaß zum Nachdenken. Um so mehr dachte Dr. Schwangler nach. »Er hat in Hamburg überhaupt nichts zu suchen«, sagte er zu René Seifenhaar, der zufällig von Rom herübergekommen war und so enge weiße Hosen trug, daß man ihm auf der Straße nachpfiff, was ihn überhaupt nicht berührte. »Weißt du irgend etwas in Hamburg, das ihn dort hinziehen könnte?«

»Nein!«

»Überleg, du heißer Ofen!«

»Vielleicht die Reeperbahn?« sagte René Seifenhaar, nun doch getroffen. Er sah Dr. Schwangler böse-hochmütig an.

»Aber doch Wegener nicht!« rief Schwangler. »Der klemmt sich nicht in einen Sexschuppen und starrt rotierende Hintern an! Da muß etwas anderes sein!«

»Wir werden es vom Chauffeur erfahren.«

»Hinterher! Da kann es schon zu spät sein! Wegener ist seit fünf Tagen wie auf den Hinterkopf geschlagen! Und jetzt diese plötzliche, völlig sinnlose Fahrt nach Hamburg! René, ich habe da ein Gespür, ich bin mit Wegener durch Dutzende von kritischen Situationen marschiert: Da braut sich was Unbekanntes zusammen, etwas Gefährliches! – Ich hätte hinterherfahren sollen!«

Da dies nicht mehr möglich war, kam Dr. Schwangler um den Genuß einer Überraschung.

Wegener fuhr tatsächlich nach Hamburg, aber er ließ sich vor dem Hauptbahnhof absetzen. »Sie bleiben hier«, sagte er zu seinem Chauffeur. Er hieß Emil Zyllik, fuhr meistens Dr. Schwangler und hatte es längst aufgegeben, sich über seine Chefs zu wundern. »Holen Sie mich morgen abend im Hotel Atlantic ab. Und rufen Sie meine Frau an, daß wir gut in Hamburg angekommen sind. Halt! Nein! Das tue ich! Sie können jetzt zum Hotel fahren, Emil.«

Emil Zyllik sagte sein »Jawoll, Herr Wegener!«, stieg in den Wagen und fuhr davon. Wegener wartete vor dem Bahnhof, bis er Zyllik aus den Augen verloren hatte, ging dann zum Bahnpostamt und rief bei sich zu Hause an. Vanessa Nina war am Telefon.

»Wo ist die Mami?« fragte Wegener.

»Beim Friseur.«

»Sag ihr, ich bin in Hamburg gut gelandet. Ich rufe später noch einmal an.«

»Ist okay, Papi!«

Der zweite Anruf galt dem Hotel. Dort war er bekannt, und der Chefportier teilte ihm mit, daß gerade der Chauffeur angekommen sei. Außerdem habe Dr. Schwangler angerufen, er habe Herrn Wegener sprechen wollen.

Aha, dachte Wegener ein wenig spöttisch, weil es ihm gelungen war, selbst Schwangler zu täuschen. Er hat etwas gewittert und weiß nun nicht, woher der Geruch weht. Daß in Hamburg wirklich mein Zimmer bestellt ist, muß ihn ratlos machen.

»Wenn Herr Dr. Schwangler noch einmal anruft, bestellen Sie ihm bitte, ich sei außer Haus und auf der Konferenz. Er weiß dann Bescheid. Und das sagen Sie jedem Anrufer: Ich bin außer Haus.«

»Wie Sie wünschen, Herr Wegener.«

Das Alibi stimmt, dachte Wegener zufrieden. Und morgen bin ich wieder für jeden erreichbar. Für Schwangler wird das ein absolutes Rätsel sein.

Er verließ das Bahnpostamt, ging zum Fahrkartenschalter und kaufte sich eine Rückfahrkarte I. Klasse nach Lübeck. Der Zug fuhr in zwanzig Minuten. Er hatte Zeit genug, im Süßwarenkiosk eine große Schachtel Pralinen zu kaufen.

Pralinen hat Mutter immer so gern gegessen, dachte er. Wenn sie Geburtstag hatte, oder zu Weihnachten oder zu Ostern... immer haben wir ihr eine große Schachtel Pralinen geschenkt. Vater und ich. Als dann Vater starb und ich in der Lehre war, habe ich es genauso gehalten. Sie hat immer ihre Pralinen bekommen und ein Stück nach dem anderen aus der Schachtel gepickt – bis auf die Marzipanpralinen, die sie merkwürdigerweise nicht mochte. Die bekamen dann wir. Und jetzt lebt sie in Lübeck, der Marzipanstadt...

Er ließ die große Schachtel, die größte, die Berta Hasslick je in ihrem Leben bekommen haben dürfte, besonders festlich einpacken, mit Schleife und so, und wartete dann auf dem Bahnsteig, bis der Zug nach Lübeck einlief. Als er einstieg, spürte er sein Herz klopfen, als sei er ein Verbrecher auf der Flucht.

Dr. Schwangler in Köln war fassungslos. Er hatte wieder angerufen und vom Chefportier des Hotels die Auskunft bekommen, die Wegener hinterlassen hatte. Emil Zyllik, den Schwangler auch sprechen wollte, war nicht greifbar. Auch er war vor ein paar Minuten aus dem Hotel gegangen.

»Er ist tatsächlich da!« sagte Schwangler zu René Seifenhaar. »Er hat eine Konferenz! Was zum Teufel ist das?! Seit einundzwanzig Jahren sind wir Freunde, und plötzlich spielt er den großen Geheimnisvollen! Ich fliege morgen früh mit der ersten Maschine nach Hamburg. Der Sache muß ich auf den Grund gehen!«

»Und wenn es sich doch um eine Frau handelt?« fragte Seifenhaar.

»Dann muß es sich um eine Art Wunderfrau handeln, weil er sie mir verschweigt. Dann wird es gefährlich, gefährlicher als bei Elietta, wo er auch schon bereit war, alles hinzuwerfen und nur noch im Sündenpfuhl zu leben! Ein Hüpfer hier, ein Stößerchen da... machen wir die Augen zu! Aber wenn er anfängt, Irmi und die Kinder in die Pfanne zu hauen, muß man ihm die Vernunft ins Hirn zurückklopfen! Und das werde ich. Darauf kannst du einen lassen...«

Dr. Schwangler rief noch siebenmal an. Immer das gleiche: Herr Wegener ist außer Haus. Auch Zyllik war nicht da. Er hockte in einer kleinen Bar in der Nähe des Hans-Albers-Platzes, hatte ein Mädchen auf dem Schoß und war bereit, sich diesen Abend bis zu hundert Mark kosten zu lassen. Einen solchen Schein hatte ihm Wegener während der Fahrt in die Tasche gesteckt. Wortlos. Gratifikation für Hamburg. Es gibt noch Chefs mit menschlicher Anteilnahme.

Das Altersheim in der Kesselstraße bestand aus mehreren Gebäudekomplexen und glich einem Krankenhaus oder einer Kaserne. Zwischen den einzelnen Wohnblocks hatte man Rasenflächen und Buschgruppen gepflanzt, Wege gezogen und Bänke aufgestellt: eine kleine Welt für sich, ein Warteplatz mit Blumen – Abstellgleis des Lebens.

Wegener ließ sich mit dem Taxi bis vor das Verwaltungsgebäude fahren. Er bezahlte, klemmte das Paket mit der großen Pralinenschachtel unter den Arm und machte sich auf die Suche nach Block V. An den Hausecken standen die Ziffern mit weißer Ölfarbe, große Zahlen, die niemand übersehen konnte.

Block V, Zimmer 34. Berta Hasslick. Zweiundachtzig Jahre alt. Mutter.

Vor Block V blieb er stehen und sah die Fensterreihe entlang. Dahinter, hinter einem dieser Fenster, lebt sie noch! In einem Zimmerchen, von der Fürsorge bezahlt. Ein Leben, das ein geduldiges Warten auf den Tod ist. Und eine winzige Hoffnung: die Zeile im Suchblatt des Roten Kreuzes. Ihren Sohn Peter sucht Berta Hasslick...

Verschollen in Rußland. Vermißt beim großen Rückzug im Mittelabschnitt. An der Rollbahn.

Hellmuth Wegener preßte die Pralinenschachtel an sich. Warum zögerst du? dachte er. Du widerliches feiges Schwein, da oben wohnt deine Mutter! Aber du stehst hier unten und bist Hellmuth Wegener, und die Angst hängt dir wie Blei am Hals, daß dieses Wiedersehen zerstören könnte, was du in all den Jahren geschaffen hast. Du hast, was du jetzt an Bildung besitzt, systematisch in dich hineingefressen, du hast die Klassentreffen überstanden, du hast dir eine neue Schrift zugelegt, sogar eine Narbe, du hättest auch Dr. Velbert geschafft, du hast sie alle besiegt, belogen, getäuscht, geblendet: Das ist Hellmuth Wegener. Aber da oben, diese zweiundachtzig Jahre alte Frau, ist deine Mutter. Sie kannst du nicht täuschen... Und damit ist Hellmuth Wegener tot, und Peter Hasslick lebt weiter. Los, geh hinauf, du feiger Hund!

Er ging um das Haus herum und wurde in seinen Bewegungen immer langsamer, je näher er dem Eingang kam. Vor der Tür blieb er stehen und holte tief Atem.

Mein Herz, dachte er erschrocken. Mein Herz hält das nicht aus. Ich bekomme keine Luft mehr! Aber – du verdammter Schuft! – das ist nicht die Freude darüber, daß du deine Mutter wiedergefunden hast! Das ist die nackte Angst.

Er leckte sich über die Lippen und spürte, wie ausgedörrt sie waren. Er sah ganz klar, was passieren mußte, wenn bekanntgeworden sein würde, daß Peter Hasslick noch lebte. Zuerst würden die Behörden eingreifen: Die Fürsorge würde das für die alleinstehende Berta Hasslick verauslagte Geld zurückfordern, und damit würde eine Lawine ins Rollen kommen, die niemand mehr aufhielt. Sie würde alles niederreißen, was sich hinter der Mauer, die Hellmuth Wegener hieß, verschanzt hatte.

Ein Skandal von unübersehbarem Ausmaß: Der große Wegener ist gar nicht Wegener. Der Ehrensenator, der Präsident so vieler Vereine, der Dr. h. c., der Aufsichtsratsvorsitzende bedeutender Firmen, der geehrte Geschäftspartner mit Freunden in der ganzen Welt, dieser korrekte, gescheite Musterknabe – nur ein kleiner Schlosser aus Osnabrück!

Wegener öffnete die Tür zu Block V und trat in einen Vorraum, der durch eine Pendeltür vom Treppenhaus getrennt war. Links war die Pförtnerloge, eine Schwester saß hinter der Glasscheibe und betrachtete ihn kritisch. Anscheinend bekamen die Bewohner von Block V nicht oft Besuch.

»Ich möchte zu Zimmer vierunddreißig«, sagte er. Die Schwester blickte auf einen Hausplan.

»Frau Hasslick?«

»Ja.«

»Erwartet Frau Hasslick Sie?«

»Nein. Warum?«

Die Schwester stand auf und öffnete die durchlöcherte Sprechklappe in der Scheibe. »Ich frage nur, weil Sie der erste Besucher sind.«

»Der erste? Wieso?«

»Frau Hasslick hat noch nie Besuch bekommen. In den letzten

zehn Jahren nicht ein einziges Mal.«

»In den letzten zehn Jahren – kein Besuch?« Wegener preßte die große Pralinenschachtel an sich. Der Krampf, der sein Herz durchzog, war so quälend, daß er sich wunderte, wieso er nicht umfiel. »Nun – nun ist aber Besuch da!« sagte er mit größter Anstrengung. »Kann ich nun ins Zimmer vierunddreißig...?«

»Selbstverständlich! Erste Etage, vom Aufzug links.« Die Schwester betrachtete das Paket unter Wegeners Arm, das Geschenkpapier, die große Satinschleife. »Melden Sie sich bitte auf der Etage erst bei Schwester Else. Es ist besser so.«

»Ist Frau Hasslick krank?«

»Nein. Aber wenn plötzlich nach zehn Jahren... Sie verstehen...«

»Ich verstehe.«

»Mit zweiundachtzig sind auch freudige Überraschungen gefährlich. Sie kennen Frau Hasslick?«

»Nein«, sagte Wegener rauh.

Wie steht es in der Bibel, dachte er. Ehe der Hahn kräht, wirst du mich dreimal verleugnen! Damals verriet Petrus seinen Herrn Jesus. Aber du verrätst deine Mutter, du erbärmliches Schwein!

»Wieso...« Die Pfortenschwester sah ihn noch kritischer an. »Wieso besuchen Sie dann Frau Hasslick?«

»Ich bin Mitglied des Roten Kreuzes«, sagte Wegener heiser. »Wir suchen uns jedes Jahr Namen heraus und besuchen einsame Menschen.«

Die Schwester nickte befriedigt. »Erste Etage, links vom Aufzug. Die alte Frau wird sich freuen.«

Wegener stieß die Glaspendeltür auf. Ein sauberes, nach Putzmittel riechendes Treppenhaus. Flure, Türen, Nummern. In der Mitte der Lift. Breit genug, um auch Betten zu transportieren. Zwei alte Männer in viel zu weit gewordenen Anzügen standen an einem Flurfenster und unterhielten sich. Durch einen anderen Flur fuhr in einem Selbstfahrrollstuhl eine alte Frau, rollte an Wegener vorbei, grüßte ihn mit einem Nicken und fuhr in einen anderen Flur hinein.

Sie kommen hier alle zusammen, die Flure, dachte Wegener. Sternförmig, wie die großen Avenuen in Paris auf die Place de l'Etoile münden. Aber hier sind es Straßen der Einsamkeit. Altwerden kann auch eine Strafe sein, nicht nur eine Gnade Gottes.

Er benutzte den Aufzug nicht, sondern stieg die Treppe hinauf in die erste Etage. Flur links, Zimmer vierunddreißig, das war Berta Hasslick. Schwester Else, von der Pforte bereits alarmiert, wartete vor dem Aufzug, als Wegener um die Ecke bog.

»Sie sind der Herr, der zu Frau Hasslick möchte?« fragte sie. »Vom Roten Kreuz?«

»Ja...«

»Haben Sie einen Ausweis?«

»Natürlich.« Wegener wollte in seine Rocktasche greifen, aber Schwester Else, ein junges, rothaariges Mädchen mit Sommersprossen, winkte ab.

»Schon gut. Muß ich mitkommen?«

»Nicht unbedingt, Schwester Else.«

»Sie haben schon öfter einsame Alte besucht?«

»Das gehört zu meinem Beruf.«

»Dann kennen Sie sich ja aus. Es freut mich riesig, daß Frau Hasslick mal Besuch bekommt.«

Schwester Else ließ ihn stehen und lief in ihre Teeküche. Er starrte ihr nach, ihr Röckchen wehte um die schlanken Beine, und er mußte in dieser Situation, völlig sinnlos und hundsgemein, an Dr. Schwangler denken, der einmal gesagt hatte: »Wenn du an eine Rothaarige gerätst, gibt es nur eine Alternative: Entweder du oder ich. Einer muß erledigt liegenbleiben. Eher hören die nicht auf...«

Wegener ging den Flur entlang, es sah aus, als klammere er sich an der Pralinenschachtel fest. Vor der Tür mit der Nummer 34 blieb er stehen und blickte zurück. Schwester Else stand vor der Teeküche und beobachtete ihn. Er lächelte ihr zu und schwenkte die große Pralinenschachtel. Sie lachte hell und verschwand wieder in ihrem Zimmer.

Das habe ich geübt, dachte er: Menschen zu überzeugen, daß Lügen Wahrheiten sind. Aber hier ist meine Endstation. Wenn ich jetzt die Tür öffne, diese Tür mit dem Schildchen 34, ist Peter Hasslick nach fünfundzwanzig Jahren zu seiner Mutter zurückgekommen.

Er klopfte, wartete keine Antwort ab und stieß die Tür auf.

Berta Hasslick saß am Fenster, das auf ein Stück Wiese blicken ließ, und legte gerade Karten, als der Mann die Tür öffnete und ins Zimmer kam. Sie beugte sich vor, holte vom Tisch ihre Brille und setzte sie auf. Die Karten stimmen, dachte sie. Dreimal hintereinander war's gekommen: Besuch steht ins Haus. Das hatte sie schon oft gelegt in den vergangenen zehn Jahren. Aber es waren immer nur die Schwestern erschienen, der Arzt, der Chefarzt, ein Verwaltungsbeamter, der Mann von der Fürsorge. Das sind keine Besuche, hatte sie sich gesagt. Auch die Zimmernachbarin zählte nicht, die manchmal herüberkam und über ihre Gicht klagte. Besuch – das ist etwas Unverhofftes. Das ist ein Ereignis!

Wegener ließ die Tür zufallen und lehnte sich neben sie an die Wand.

Sie legt Karten, sie legt immer noch Karten... ich kenne es gar nicht anders von ihr. Wie man heute täglich in den Zeitungen die Horoskope liest, so legte sie täglich ihre Karten. Ein Fremder kommt über den Weg, oder: Eine Überraschung steht ins Haus. Oder: Psst, sag es nicht Vati, er hört das nicht gern, aber in der Nachbarschaft wird einer sterben. Oder: Ein wichtiger Brief wird kommen. – Und er war als Kind tief beeindruckt; wie oft das alles eintraf, was sie aus den Karten lesen konnte! Erst viel später begriff er, daß Deutungen und Erwartungen beliebig anwendbar sind, so ziemlich auf alles, was tagtäglich geschieht.

O Mutter... Mutter...

Sie hatte die Brille aufgesetzt, sah ihn jetzt ganz klar, starrte ihn stumm an. Auch er sagte nichts, blieb an der Wand neben der Tür stehen und spürte, wie ein unbändiges Schluchzen in ihm hochzog und völlig von ihm Besitz ergriff.

Sie hatte die Hände sinken lassen, auf ihre Knie gelegt, und diese Hände, kleine, faltige Hände, die immer nur gearbeitet, die nie Ruhe gekannt hatten, bis das Alter sie von dem Zwang, ständig etwas zu tun, befreit hatte, diese gelbblassen, mit braunen Pigmentpunkten besprenkelten Hände begannen nervös das Kleid über den Knien zu streicheln.

»Ja?« sagte sie. »Bitte?«

Es ist noch ihre Stimme... Etwas brüchig – aber ihr Klang. Vor sechsundzwanzig Jahren, als er auf Urlaub gewesen war, hatte er diese Stimme zum letztenmal gehört. Und in diesem Augenblick war es ihm, als habe er sie immer im Ohr gehabt; es war ein Klang, so vertraut wie seit eh und je, eine Stimme, in die er eingebettet war vom Anbeginn seines Gefühls, seines Denkens, seines Erkennens. Mutter...

»Ich bin Hellmuth Wegener«, sagte er. O du Schwein, du veränderst deine Stimme. Du sprichst bewußt zu tief. Und du sagst zu deiner Mutter ›Ich bin Hellmuth Wegener‹! Du feiger Hund!

Warum fällst du nicht auf die Knie und kriechst zu ihr hin...

»Sie sind Hellmuth Wegener?...« sagte sie langsam. Ihre Augen musterten ihn durch die Brille. Nickelgestell. Im Rahmen des Krankenkassensatzes. Ihre Hände streichelten wieder das Kleid. Dann, plötzlich, sanken ihre Arme zur Seite, der kleine Körper fiel in sich zusammen, nur der Kopf blieb erhoben, und über die Augen hinter den Brillengläsern fiel, wie Regen über eine Scheibe, ihr lautloses Weinen.

Wegener ließ die Pralinenschachtel fallen, er stieß sich von der Wand ab und tappte wie ein Blinder auf das Fenster zu. »Mutter«, sagte er, »Mutter... Ich bin es ja! Ich bin es, Mutter!«

Er umfaßte ihren Kopf, die kleine Gestalt, hob sie aus dem Sessel, drückte sie an sich und begann laut zu schluchzen. Und während er diesen winzigen, knochigen, faltigen Körper, der ihn geboren hatte, an sich preßte, legte sie ihre Arme um seinen Nacken und flüsterte, so zärtlich, wie es nur eine Mutter kann: »Mein Junge, mein lieber Junge! Ich habe es gewußt, ich habe es die ganze Zeit gewußt, ich habe es aus den Karten gesehen...«

»Die Karten...« schluchzte er. »O Mutter, deine Karten...«

Er setzte sie in den Sessel zurück, hockte sich vor sie und sah sie an, und sie hob ihre runzeligen Hände und wischte ihm die Tränen von den Wangen, und dann mußte sie ihre Brille abnehmen und putzte sie mit einem Zipfel des Kleides, und er nahm sein Taschentuch und tupfte ihr die Tränen aus den Falten und Runzeln und strich über ihr weißes, lockiges Haar, bis sie die Brille wieder aufgesetzt hatte.

»Du bist dick geworden«, sagte sie und hielt seine Hände fest. »Viel zu dick! Aber ich habe dich sofort erkannt, gleich als du hereinkamst und ich dich sehen konnte. Mein Junge! Nennst einen anderen Namen?! Hast Angst gehabt, mich trifft der Schlag?« Sie versuchte zu lächeln und weinte doch wieder. »Ich habe gewußt, daß du zurückkommst. Ich habe doch auf dich gewartet. Ich wußte es doch!«

»Deine Karten, Mutter...«

»Sie haben mich noch nie belogen. Dreimal heute, hintereinander: Es kommt unverhoffter Besuch...«

»O Mutter, Mutter!« Wieder nahm er ihr die Brille von der Nase, putzte ihr die Tränen ab und setzte sich auf die Sessellehne. Sie ließ den Kopf an seine Brust sinken und umklammerte seine Hände. »Du bist jetzt fünfzig, mein Junge.«

»Du weißt es ja ganz genau!«

»Ich habe doch all die Jahre mit dir gelebt. Ich habe gespürt, wie du mit mir älter wurdest. Fünfzig! Damals, als du das letzte Mal auf Urlaub kamst, warst du vierundzwanzig.«

»Ja, Mutter.«

»Wo bist du so lange geblieben?« Sie hob den kleinen Greisinnenkopf und sah ihm in das volle runde Gesicht. »Dir geht es doch gut, nicht wahr?«

»Mutter, ich hole dich sofort hier raus!«

»Warum? Mir gefällt es hier.« Sie rückte die verrutschte Brille zurecht und schüttelte den Kopf. »Man pflanzt keine alten Bäume um.«

»Das ist ein dummes Sprichwort, Mutter.« Er legte den Arm um ihre schmale Schulter und schielte zur Tür. Nach der Erschütterung des Wiedersehens meldete sich sein Verstand. Noch war er allein mit seiner Mutter, aber was passierte, wenn Schwester Else hereinkam und Mutter ihn als ihren Sohn vorstellte? Den fremden Mann vom Roten Kreuz. Noch hatte er, vielleicht nur Minuten lang, die Möglichkeit, Mutter alles zu erklären. Ob sie es verstand, war nicht vorauszusehen, aber er würde sie so weit bringen, daß sie ihn nicht als ihren Sohn bezeichnete. Noch nicht...

Wegener streichelte wieder die weißen Haare der Greisin. »Ich muß dir etwas erzählen, Mutter –« sagte er stockend. »Und ich brauche deine Hilfe.«

»*Ich* kann dir helfen, mein Junge?« Sie musterte ihn aufmerksam. »Geht es dir nicht so gut, wie du aussiehst? Der verfluchte Krieg...«

»Der Krieg ist lang vorbei, Mutter. Die meisten wollen nichts mehr von ihm wissen, eben weil es ihnen zu gut geht. Aber mit dem Krieg hängt es schon zusammen.«

»Sag' ich doch!« Sie tastete nach seinen Händen. »Aber wenn ich dir helfen kann, mein Junge...«

»Du kannst es, Mutter.« Er beugte sich über sie und küßte sie auf die faltige Stirn. »Ich weiß nur nicht, ob du mich verstehst...«

Eine Stunde später klopfte es. Die Tür sprang auf, ein mittelgroßer dicklicher Mann in einem weißen Arztkittel kam herein. Hinter ihm erschien Schwester Else mit einem Tablett. Frau Hasslick gehörte zu den Alten, die nicht mehr zu den gemeinsamen Mahlzeiten in den

Speisesaal zu kommen brauchten, seit man sie ein paarmal mit Kreislaufstörungen wieder auf ihr Zimmer hatte bringen müssen.

Der Mann im weißen Kittel winkte freundlich schon an der Tür und nickte auch Wegener zu, der sich von seinem Stuhl erhob. Zwischen ihm und seiner Mutter lag aufgeklappt die große Pralinenschachtel. Säuberlich waren die Marzipanpralinen heraussortiert und auf das Einwickelpapier gelegt worden. Wie früher. Für dich, mein Junge...

»Uns geht's aber gut!« sagte der Mann im weißen Kittel. »Morgen haben wir die schönste Verstopfung.«

»Der Herr Chefarzt!« Berta Hasslick lächelte ihn fast ehrfürchtig an. »Sehen Sie nur, ich habe Besuch! Ein Herr vom Roten Kreuz, der meinen Sohn Peter noch gekannt hat. Sie waren zusammen an der Front. Herr Dr. h. c. Wegener... ist es so richtig?«

Sie sah ihren Sohn an. Wegener nickte und schluckte. »Wegener«, wiederholte er steif.

»Methusius.« Der Chefarzt gab Wegener die Hand. »Schwester Else berichtete mir von dem epochalen Ereignis. Frau Hasslick hat Besuch! Und dann noch so einen! Ein Kriegskamerad...«

»Mein Sohn Peter ist tot...« sagte Berta Hasslick leise. »Gefallen. Ich – ich weiß es jetzt...«

Dr. Methusius sah Wegener forschend an. »Sie haben es ihr gesagt?«

»Ich erfuhr erst jetzt, daß – daß Frau Hasslick noch lebt. Und ich bin sofort nach Lübeck gekommen. Ich war dabei, als ihr Sohn starb... Ich war sein bester Freund.«

»Tja, so ist das!« Dr. Methusius steckte die Hände in die Kitteltaschen. »Ich glaube, Sie haben es immer geahnt, Frau Hasslick«, sagte er, um das Schweigen zu brechen.

»Ich wußte genau, daß der heutige Tag kommen würde«, antwortete sie, und nur sie und Wegener wußten um den Doppelsinn dieser Worte.

»Kann ich Sie nachher noch sprechen, Doktor?« fragte Wegener.

»Ich bin bis 20 Uhr im Haus. Parterre, Zimmer neun.« Er wandte sich wieder Berta Hasslick zu und beugte sich über sie. »Und wie geht es uns heute? Das Herz?«

»Ich bin ganz ruhig, Herr Chefarzt. Sie sehen es ja.«

Methusius griff nach ihrem Puls, zu kurz, um zählen zu können, und nickte zufrieden. »Vor dem Schlafengehen eine Librium«, sagte er zu Schwester Else. »Die Reaktionen kommen noch!« Und, zu Wegener gewandt, sehr forsch: »Das ist eine tapfere Frau! Immer gute Laune, immer dankbar dem Leben gegenüber, nie eine Klage. Unsere Frau Hasslick lieben wir alle.«

»Man muß sie auch lieben«, sagte Wegener heiser. »In einer halben Stunde, Doktor?«

»Ich bin in meinem Zimmer.«

Er klopfte Berta Hasslick auf den schmalen Rücken, wünschte guten Appetit für das Abendessen und verließ mit Schwester Else das kleine Zimmer.

»War es gut so, mein Junge?« fragte Berta Hasslick, als sie hörten, wie sich die Schritte im Flur entfernten.

»Du warst wunderbar, Mutter!« Er lief zu ihr, setzte sich wieder auf die Sessellehne und legte den Arm um ihre Schulter. »Jetzt kann mir nichts mehr passieren.«

Sie nickte und senkte den Kopf. Ihre Finger glitten wieder nervös über ihr Kleid. »Wann mußt du zurück zu deinen Fabriken, mein Junge?«

»Morgen, Mutter.«

»Ich hätte so gern deine Frau kennengelernt. Und meine Enkel. Aber das geht ja nicht.«

»Warum geht das nicht? Ich lasse dich von meinem Fahrer abholen. Du bist die Mutter meines gefallenen Freundes Peter Hasslick, und ich lade dich ein«, sagte er. »Dann kannst du sie alle sehen.«

»So stark bin ich nicht.« Sie lehnte den kleinen Kopf wieder an seine Brust und faltete die Hände. »Und eine so weite Reise... Wenn du mir ab und zu schreibst, mein Junge – oder anrufst... Auf dem Flur haben wir ein Telefon, da können wir sprechen. Das wäre schön.«

»Mutter! Ich werde, wann immer es möglich ist, dich besuchen.«

»Ich weiß.« Sie lächelte vor sich hin. »Die Hauptsache ist, daß du lebst. Ich habe es gewußt, ich habe es gewußt. Und keiner wollte mir das glauben!«

Eine halbe Stunde später saß er Dr. Methusius gegenüber. Wegener hatte große Mühe, die Zerrissenheit zu verbergen, die der Abschied von seiner Mutter in ihm verursacht hatte. Und als er sagte: »Ich komme bald wieder!« hätte er sich am liebsten den Schädel an der Mauer eingerannt, weil er genau wußte, daß auch das eine Lüge war.

»Ich möchte, daß Frau Hasslick sofort verlegt wird«, sagte er zu Dr. Methusius. »Das beste Zimmer im Heim, Vollbetreuung, man soll ihr jeden Wunsch erfüllen. Was es kostet, spielt keine Rolle. Ich werde Ihrer Verwaltung einen Scheck über 20000 DM schicken. Alle Unkosten können von meinem Konto abgebucht werden.«

»Das ist großzügig!« Dr. Methusius klopfte mit einem Kugelschreiber auf die Schreibtischplatte. »Aber ob es sich noch lohnt?«

»Wie meinen Sie das?« fragte Wegener tonlos.

»Frau Hasslick ist ein medizinisches Wunder, wenn man es so laienhaft ausdrücken darf. Sie lebte bisher nur durch den Glauben, daß ihr Sohn noch lebt und eines Tages bei ihr auftaucht. Nun sind Sie gekommen und haben ihr die Wahrheit überbracht.« Dr. Methusius unterbrach sein Klopfen. »Für die alte Frau ist damit ihr Leben erfüllt.«

»Sie glauben...« Wegener mußte sich an der Schreibtischkante festhalten. Methusius bemerkte es nicht, er blickte gegen die Wand.

»Es würde mich auf keinen Fall wundern.«

»Und wenn mein Besuch ihr doch noch neuen Lebensmut gegeben hat?«

»Gut! Seien wir so optimistisch. Sobald ein gutes Zimmer frei ist, verlegen wir sie.«

»Es ist keins frei?«

»Wir haben lange Wartezeiten und Anwartlisten.«

»Dann bauen Sie in irgendeinem Block ein Zimmer aus! Ich sagte schon... die Kosten spielen keine Rolle! Ich wollte – Frau Hasslick herausnehmen, aber sie weigert sich. Sie will hierbleiben. Es gibt wundervolle private Altersheime im Schwarzwald und im Harz, aber sie will nicht. Aber in diesem Zimmer kann sie auch nicht bleiben!«

»Sie wohnt seit zehn Jahren in diesem Zimmer, Herr Wegener.«

»Aber nicht mehr im elften!« Wegener sprang auf. »Es muß doch in diesem großen Heim eine Möglichkeit geben, Frau Hasslick besser unterzubringen!«

»Nur, wenn ein Zimmer frei wird.«

»Also, wenn jemand stirbt?«

Dr. Methusius hob die Schultern. »Und wenn Sie eine Million hinlegen und einen ganzen neuen Flügel anbauen wollten – das ist städtischer Besitz, und bis Sie mit allem klar sind, mit Stiftungsurkunde, Bauamt, Sozialamt, bis das alles die Instanzen durchlaufen hat und genehmigt ist, bis überhaupt der Bau beginnt, dürfte Frau Hasslick längst kein Luxuszimmer mehr benötigen. So einfach ist das Schenken nicht, wenn man einer Behörde etwas schenkt! Da kommt ein riesiger Beamtenapparat in Bewegung, und der wird Ihnen vorrechnen, daß Ihre Schenkung letzten Endes unrentabel ist im Hinblick auf die Dauerunterhaltung. Viel einfacher wäre es, Frau Hasslick doch noch zu überreden, das Heim zu wechseln. Das geht schneller, Herr Wegener!«

»Ich werde es versuchen.«

»Wie gesagt, falls es noch sinnvoll ist...«

»Sie wird jetzt hundert Jahre alt werden!« sagte Wegener laut und erhob sich. Auch Dr. Methusius stand auf.

»Das wäre gut. Dann könnte sie noch Ihren Neubau erleben, falls Sie wirklich einen stiften!« Methusius lächelte. »Ich glaube, wir sollten nichts überstürzen, auch nachgeholte Menschlichkeit nicht.«

Wie mit einem Hammer zerschlagen verließ Wegener das Altersheim und fuhr mit dem nächsten Zug nach Hamburg zurück. Am nächsten Morgen holte Dr. Schwangler ihn aus dem Bett. Wegener brauchte Zeit, um wach zu werden, er hatte eine Schlaftablette genommen, um Ruhe zu finden.

»Ich bin unten in der Halle«, sagte Schwangler am Telefon. »Gerade gelandet. Hellmuth, was soll der Blödsinn?! Wir müssen miteinander sprechen. Konferenz in Hamburg! Ich komme zu dir aufs Zimmer! Bist du allein im Bett?«

»Scher dich zum Teufel!« sagte Wegener wie in halber Betäubung. »Ich bin allein, will allein sein, und wenn du rauf kommst, trete ich dir gegen den Bauch. Ist das klar?«

»Ganz klar! Wann frühstücken wir?«

»Leck mich am Arsch!«

»Das ersetzt mir kein Frühstücksei!«

Wegener seufzte und warf den Hörer auf die Gabel. Aber er konnte nicht mehr weiterschlafen. Er stand auf, duschte sich und fuhr hinunter in den Frühstücksraum. Dick und breitbeinig saß Dr. Schwangler an einem Zweiertisch und winkte Wegener zu.

»Komm her, mein Engel!« sagte er, als Wegener mit verkniffenem Gesicht vor ihm stand. »Setz dich. Ich habe herumgehorcht, du bist tatsächlich allein! Wenigstens im Hotel. Sie hat also eine eigene Wohnung?«

»Ja!« Wegener setzte sich. »Bist du nun zufrieden?«

»Nur halb. Ist es ernst?«
»Was heißt ernst?«
»So wie mit Elietta?«
»Nein!«
»Keine Gefahr für Irmi?«
»Keine.«
Dr. Schwangler sah Wegener kurz an und nickte dann. »Erledigt! Aber, Junge – mußte das sein?!«
»Es mußte, Edi.«
»War der Dampfkessel wieder unter Druck?«
»Idiot! Es war ein Wiedersehen. Und vielleicht der Abschied!«
»Auf das letzte Wort trinken wir gleich einen Kognak.«
»Einverstanden.«
Mit der nächsten Maschine flogen sie nach Köln zurück. Fahrer Emil Zyllik folgte mit dem Wagen über die Autobahn. Er war froh, Wegener nicht fahren zu müssen. In seinem Schädel summten tausend Mücken. Er hatte in Hamburg sein eigenes Hotelbett nicht gesehen.

Dr. Methusius sollte recht behalten.
Neun Wochen später starb Berta Hasslick. Sie schlief zufrieden und mit einem kindhaften Lächeln ein, sie schlich sich einfach davon. Schwester Else fand sie am Morgen im Bett, die Hände gefaltet, als habe sie Gott vorher noch einmal für alles, was das Leben ihr gegeben hatte, gedankt.
Wegener erfuhr es erst, als sie schon längst begraben war. Er kam aus Tokio zurück, wo er sechs Wochen gewesen war, rief in Lübeck an, und Dr. Methusius erzählte von dem sanften Sterben der alten Frau.
»Halt!« sagte er am Telefon, als Wegener ansetzen wollte. »Sparen Sie sich alle Vorwürfe. Sie wollte, daß man Sie nicht benachrichtigt, bis sie unter der Erde ist. ›Er hat so viel anderes zu tun!‹ sagte sie ein paarmal zu mir und Schwester Else. ›Er ist ein so großer Mann, der Herr Dr. h. c. Wegener… ich will ihm gar keine Mühe machen…‹ So, und jetzt beschimpfen Sie mich.«
Wegener sagte nichts. Er legte stumm auf und bedeckte sein Gesicht mit beiden Händen.
Mutter, wie stark bist du gewesen, dachte er. Und wie erbärmlich bin ich gegen dich…

An diesem Tag betrank er sich. Irmi wußte keine Erklärung dafür. Er blieb an diesem Nachmittag zu Hause, saß in der Bibliothek und schüttete den Alkohol in sich hinein. Als Wegener auch seinem Sohn gegenüber stumm blieb, rief sie Dr. Bernharts an. Er kam sofort und setzte sich zu Wegener in einen der wertvollen Ledersessel. Wegener stierte ihn betrunken an.

»Mach so weiter!« sagte Bernharts. »Nur immer weiter so! Du hast ja ein Herz aus Stahl, nicht wahr?! Nirosta-Stahl! Da kommt nichts dran! Der Streß im Beruf genügt ja nicht, da muß man privat noch etwas nachhelfen!«

»Was redest du da für einen Quatsch?!« sagte Wegener mit schwerer Zunge. »Bist du nie besoffen?!«

»Als dein Arzt muß ich dir sagen, daß du so nicht länger durchhältst!«

»Und als dein armer Patient muß ich dir sagen, daß du meine Witwe nie bekommst. Nie!«

Dr. Bernharts stand auf und verließ die Bibliothek. In der Halle warteten Irmi, Peter und Vanessa Nina.

»Er ist unansprechbar«, sagte Dr. Bernharts und hütete sich, die Worte Wegeners zu wiederholen. »Eine depressive Phase! Das geht vorüber.«

»Aber warum spricht er sich nicht aus? Er kann mir doch alles sagen. Nach fünfundzwanzig Jahren Ehe kann man über alles reden!« sagte Irmi. »Aber er frißt es in sich hinein. Manchmal ist es, als stehe er hinter einer dicken Glaswand. Was sollen wir denn tun?«

»Pa in Ruhe lassen!« sagte Peter. Dr. Bernharts nickte ihm zu. In der Bibliothek polterte es. Stühle fielen um. Wegener schwankte durch den anderen Ausgang in den Schlaftrakt. Als Irmi ihm nachlaufen wollte, hielt Peter seine Mutter zurück. »Wenn er allein sein will, mach ihm das Vergnügen. Frag ihn bloß nicht, was ihn so niederwalzt. Er ist immer der starke Mann, auch jetzt! Zerstör ihm diesen Heiligenschein nicht, Mama!«

Am nächsten Morgen war alles vorüber. Wegener saß mit rotumrandeten Augen im Bett und sah Irmi zu, wie sie sich duschte. Die Tür zu dem großen Marmorbadezimmer stand offen. Nackt, das Badetuch in der Hand, kam sie zurück und drehte sich um. Wie schön sie ist, dachte Wegener. Sie ist jetzt siebenundvierzig, tatsächlich, aber keiner wird ihr das glauben! Sie ist jetzt schöner als damals, als junges Mädchen. Sie reift wie edler Wein.

»Trockne mir bitte den Rücken ab«, sagte sie.

Er nahm das Badetuch und rubbelte ihr über die Haut, ließ es fallen und küßte sie in das Grübchen über den beiden Gesäßbacken.

»War ich sehr betrunken?« fragte er.

»Ziemlich.«

»Ordinär ausgedrückt: total besoffen?«

»Ja.« Sie drehte sich um. Er griff nach ihren schönen Brüsten und sah sie an. Sein Gesicht mit den noch schwimmenden Alkoholaugen mußte kein schöner Anblick sein.

»Ich hatte Kummer«, sagte er. »Aber er ist vorbei.«

»Gott sei Dank!«

»Du bist ja da, Irmi. Wenn ich dich nicht hätte...«

Sie unterdrückte den Zwang, ihn zu fragen, was ihm Kummer gemacht hatte, aber sie befreite sich von seinem Griff. Es war lange her, daß er sie morgens an sich gezogen hatte, und wenn er es jetzt wollte, so hatte sie keine innere Einstellung dazu. Auch wenn Peter sagte: Zerstör ihm seinen Heiligenschein nicht...

»Was steht heute auf dem Programm?« fragte sie und schlang das Badetuch um ihren Körper.

»Nichts!«

»Nichts? Wieso?«

»Ich bleibe zu Hause.«

»Das wird aber eine allgemeine Überraschung geben.«

»Du Katze!« Er griff nach ihr, aber sie war schneller und wich zurück. Er verlor das Gleichgewicht, rollte aus dem Bett und lag wie ein Riesenfrosch auf dem Rücken. Der Anblick war so komisch, daß sie laut lachte, das Badetuch fallen ließ und nackt und lachend durch das Schlafzimmer lief. Er stand auf und setzte sich auf die Bettkante, wischte sich die brennenden Augen und schabte die Fußsohlen gegeneinander.

»So hast du lange nicht mehr gelacht, Irmi«, sagte er, als sie endlich Luft holte. »So richtig gelacht! Ich habe es vermißt. Komm her zu mir...«

»Nein. Jetzt nicht.«

»Ich will dich nur fragen, ob du glücklich bist.«

»Ich bin glücklich.«

»Mit mir?«

»Nur mit dir!« Sie streckte die Hand aus, eine kommandierende Venus. »Los! Ins Badezimmer! Oder ins Schwimmbecken! Wässere dir den Alkohol weg! Hier stinkt es ja wie in einer Schnapsbrennerei!« Sie schlang das Badetuch wieder um sich, aber unterhalb ihrer Brüste. Wegener sah sie an und folgte ihr mit dem Blick bis in das neben dem Schlafraum liegende Ankleidezimmer. Sie ist glücklich mit mir, dachte er. Ist das möglich? Kann man mit mir glücklich sein?

Er stand auf, ging ins Badezimmer, betrachtete sich in dem großen Spiegel und wandte sich angeekelt ab.

Den ganzen Tag waren sie dann in Köln, bummelten durch die Stadt, Hand in Hand, wie in jungen Jahren, kauften ein, tranken Kaffee, aßen ein Stück Kuchen und freuten sich über Kleinigkeiten wie die Kinder.

»Das Leben ist schön!« sagte er glücklich.

»Aber nur mit dir!« antwortete sie.

Sie standen vor dem Dom, küßten sich, und keiner nahm Notiz von ihnen. In Köln denkt man schon ein wenig pariserisch.

Sechs Jahre ging es gut, ging es weiter aufwärts. Bis zu jenem Januartag 1975, an dem das Gesundheitsministerium in Bonn Hellmuth Wegener bat, als Berater an der nächsten Arzneimittelkonferenz teilzunehmen und seinen Beitrag zum neuen Arzneimittelgesetz zu leisten.

»Die hohe Politik ruft!« sagte Dr. Schwangler. »Was sie mit den Parteien nicht erreicht haben, gelingt ihnen jetzt über deine fachliche Kapazität! Hellmuth Wegener mischt politisch mit.«

Er merkte es sofort. Automatisch geriet er in das Blickfeld des Verfassungsschutzamtes, das seine politische Integrität überprüfte. Hellmuth Wegener wurde ein Aktenvorgang. Man interessierte sich diskret für sein Vorleben.

Und ebenso diskret bat ihn eines Tages ein Oberregierungsrat zu einer Aussprache ins Amt. Man habe einige kleine, unwichtige Fragen zu klären. Es eile nicht, den Termin solle er selbst bestimmen.

Das ist nun das Ende, dachte Wegener. Das ist unabwendbar das Ende. Ich zerstöre mich durch meine eigene Größe. Ich gehe zugrunde durch meinen Erfolg. Jetzt wird ein Leben ausgebreitet werden, das viele phantastisch nennen werden. Man kann viel über mich sagen, nur eines muß man mir zugestehen: Ich habe meine Pflicht getan! Ich bin ein Hellmuth Wegener geworden, wie es keinen besseren geben kann.

Er sah in seinen Terminkalender, umrahmte ein Datum mit Rotstift und schrieb darunter: Amt für Verfassungsschutz. 11 Uhr.

Dann machte er quer durch den Terminkalender einen dicken roten Strich.

Es gab keine Termine mehr.

Vier Tage hatte er sich Zeit gelassen. Vier Tage für das Abschiednehmen.

Morgen fange ich an, dachte er. Wie es sein muß: Irmi soll es endlich wissen. Was dann folgen würde, war eigentlich gleichgültig. Das Abrollen technischer Vorgänge.

Er klappte das Terminbuch zu, trat an das riesige Fenster und blickte über seine chemischen Werke. Er war ganz ruhig, und das wunderte ihn. Er hatte nie geglaubt, daß man sein Ende so gelassen hinnehmen könnte.

11

Krankheiten kommen immer zum unrichtigen Zeitpunkt – das ist ein volkstümlicher Satz –, aber für Hellmuth Wegener kam eine Krankheit wie ein Geschenk des Himmels: Irmi legte sich mit hohem Fieber ins Bett, und Dr. Bernharts diagnostizierte eine Bronchitis und einen grippalen Infekt. Er gab Irmi eine Injektion und sagte dann zu Wegener: »Alles andere hast du ja im Hause!«

Sie ließen Irmi, die nach der Spritze müde wurde und einschlief, allein im Schlafzimmer und gingen in die Bibliothek. Sie war, wie auch die ganze Villa Fedeltà, seit 1953 mehrmals umgebaut worden, bis Fritzchen Leber nichts mehr einfiel. Außerdem hatte Wegener gesagt: »Jetzt ist Schluß! Das war der letzte Umbau! Seit zweiundzwanzig Jahren wird hier die Mischmaschine nicht kalt. Ich will ein Haus haben, aber keinen Kölner Dom, an dem ewig herumgebaut wird!« Bislang war die Villa Fedeltà ein Musterbeispiel für das gewesen, was möglich ist, wenn ein Architekt sich austoben darf. Fotos des Hauses waren wiederholt in Fachzeitschriften und Illustrierten erschienen, was zur Folge hatte, daß Einbrecher sich näher mit der Villa beschäftigten. Aber es erwies sich, daß Fritzchen Lebers Alarmanlagen, unsichtbar überall eingebaut und mit raffinierten Kreuz- und Querschaltungen versehen, auch den raffiniertesten Einfällen professioneller Einbrecher gewachsen waren. Nach sieben vergeblichen Versuchen, an die Picassos und Buffets, Monets und Chagalls heranzukommen, gaben die Einsteiger auf. In ihren Kreisen galt das Haus von Hellmut Wegener fortan als uneinnehmbar.

Dr. Bernharts setzte sich in einen der tiefen Sessel und wartete, bis Wegener aus der in die Wandtäfelung eingebauten Hausbar eine Flasche Kognak und zwei Gläser geholt hatte.

»Es stimmt also, du gehst in die Politik?« fragte Bernharts, während Wegener eingoß.

»Nein.«

»Politik ist auch falsch ausgedrückt. Du willst beratend ins Gesundheitsministerium?«

»Auch nicht.«

»Aber Irmi erzählte mir doch...«

»Das Ministerium hat die Absicht, mich dafür zu gewinnen. Aber ich will nicht. Ich kann nicht!«

Wegener blieb stehen, während sie sich zuprosteten.

»Es wäre der Glanzpunkt deiner Karriere!«

»Glanzpunkt! Du redest, als sei ich ein alter Mann, den man vor dem Vertrocknen noch einmal begießt. Ich habe im Leben genug erreicht. Was will ich noch mehr? Das einzige, was ich mir nie habe gönnen können, war Ruhe! Und die werde ich jetzt suchen!«

»Du hast sie wirklich nötig, Hellmuth! Das sage ich dir seit Jahren nicht nur als Arzt, sondern auch als Freund.«

»Ich fühle mich gesund wie hundert Bullenschwänze. Als Arzt könntest du bei mir verhungern.«

»Das redest du dir ein! Wann haben wir das letzte EKG gemacht? Wann den letzten Zuckertest? Dein roter Kopf gefällt mir gar nicht.«

»Mein Kopf gefällt vielen Leuten nicht! Ewald, hör auf, mich medizinisch anzuöden! Ich weiß am besten, was ich mir zumuten kann.«

Weiß ich das wirklich? überlegte er, während er erneut Kognak in die großen Glasschwenker goß. In drei Tagen sitze ich in einem Zimmer des Amts für Verfassungsschutz, und dieser Oberregierungsrat, der mich so freundlich zu einer kleinen Aussprache eingeladen hat, wird fragen: Wer sind Sie wirklich? Wir wissen, daß Sie nicht Hellmuth Wegener sein können...

Ein Tag ist schon vorbei, einer der vier Tage, in denen ich Irmi die Wahrheit sagen wollte. Jetzt liegt sie mit hohem Fieber im Bett, und es ist unmöglich, mich neben sie auf die Bettkante zu setzen und zu ihr zu sagen: »Sieh mich an. Wen siehst du? Deinen Mann! Ja, ich bin dein Mann. Und du bist meine Frau. Seit einunddreißig Jahren! Wir waren doch immer glücklich miteinander, stimmt es? Wir haben gemeinsam ein herrliches Leben aufgebaut. Wir sind Hand in Hand durch Höhen und Tiefen marschiert, und wir haben es nie bereut, daß unsere Leben so untrennbar miteinander verschmolzen sind. Es hat nur alles einen großen Fehler: Ich bin nicht Hellmuth Wegener...«

Kann man ihr das so sagen? Unmöglich! Aber wie sagt man es? Soll sie es durch ein amtliches Schreiben erfahren oder durch einen Beamten der Staatsanwaltschaft? »Ihr Mann, gnädige Frau, Ihr angeblicher Mann heißt in Wahrheit Peter Hasslick. Sie sind seit 1944 bereits Witwe. Ihr Mann, das heißt der Peter Hasslick, ist in vollem Maße geständig...«

»An was denkst du?« fragte Dr. Bernharts. »Fällt dir jetzt selbst auf, daß du zwar ein Klotz von Kerl bist, aber innen sehr viel Hohlraum hast?«

»Danke!« Wegener trank seinen Kognak wie aus Protest mit einem Schluck aus. Dr. Bernharts nickte.

»Genau das meine ich! Die Sturheit eines Kolosses! Zwei Zentner Lebendgewicht, die abhängig sind von einer kleinen Blutpumpe hinter den Rippen. Abhängig von Nerven, die revoltieren, wann es ihnen paßt, und dich nicht fragen, ob sie dürfen. Das alles weißt du, aber du frißt weiter, du säufst weiter – nur huren kannst du nicht mehr so wie früher, weil dir der Atem ausgeht nach vier Sekunden!«

»Man merkt deine Freundschaft mit Dr. Schwangler!« sagte Wegener böse. »Ich habe dich wegen Irmis Bronchitis geholt. Nicht, um mir deine uralten Lieder anzuhören.«

»Irmi tut mir leid.«

»Natürlich. Weil du sie liebst...«

»Idiot!«

»Du liebst sie seit zwanzig Jahren. Vom ersten Tage an, an dem du zu uns kamst, nachdem der alte Dr. Hampel im Puff starb... Ich mag in vielem unvollkommen sein, aber blind bin ich nicht! Es gab eine Zeit, da hätte ich dich am liebsten aus dem Fenster geworfen. Immer, wenn ich nach Hause kam – wer saß schon da? Dr. Bernharts! Freundlich, lächelnd, höflich, mit wäßrigen Kuhaugen Irmi beobachtend, wie sie ging, wie sie ihre Hände bewegte, wie ihre

Brüste wippten, wie ihre Hüften schwangen, wie sie die schlanken Beine setzte. Du hast sie aufgefressen mit deinen Augen!«

»Ich habe Irmi immer bewundert. Das stimmt. Ich habe sie bewundert, weil ich nicht begriff, wie sie es bei einem Mann wie dir aushalten konnte.«

»Bin ich ein Scheusal?!«

»Du bist ein Mann, der eigentlich gar nicht heiraten durfte. Du zertrümmerst jede Frau mit deinem Egoismus, deiner Selbsteinschätzung, deiner – wie du glaubst – Unwiderstehlichkeit, deiner dir selbst verliehenen Gottähnlichkeit. Und du bist ein Mann, der gar nicht merkt, daß er so zerstörend wirkt...«

Wegener stellte sein Kognakglas hart auf den Tisch zurück. Der Stiel brach ab, er nahm den Kelch und warf ihn gegen die getäfelte Wand.

»Habe ich Irmi zertrümmert?« fragte er heiser. »Hat sie dir das gesagt?! War unsere einunddreißigjährige Ehe für sie eine Hölle?! Habe ich eine Ruine aus ihr gemacht, die man nur nicht sieht, weil ich sie mit Schmuck und Pelzen behänge?!«

»Irmi hat nie etwas gesagt! Sie hat etwas von einer Heiligen. Sie kann dulden und ist auch noch glücklich, wenn ihr Peiniger sie streichelt. Hellmuth! Ich bin euer Leben zwanzig Jahre lang mitgegangen. Ich habe euch genau im Blick. Immer warst du der Befehlende, und Irmi war die Erleidende.«

»Du redest einen psychologischen Quatsch zusammen, der kaum noch anhörbar ist.«

»Ich sage es ja: ›Ich, der große Wegener‹! Nur ein paar Beispiele, ja?« Dr. Bernharts begann an den Fingern abzuzählen. »Du hast deine erste Fabrik für dein *Vitalan* gebaut, hinter der Apotheke...«

»Himmel, ich weiß, wo ich hingebaut habe!«

»Hast du Irmi einmal gefragt, was sie davon denkt? Hast du ihr einen Bauplan gezeigt? Oder: Dein Haus hier! Du kaufst das Grundstück, du setzt einen Palast darauf, du läßt deinen Freund Leber sich architektonisch austoben – und Irmi erfährt das alles an einem Heiligen Abend.«

»Es war mein Geschenk, du Affe! Meine große Überraschung!«

»Ist dir nie der Gedanke gekommen, wie herrlich es für eine Frau sein könnte, an dem gemeinsamen Leben mitzuplanen, miteinzurichten, Stück für Stück dieses Leben zusammenzutragen, Glück zu sammeln für dich, den Größten aller Großen?! Hast du nie begriffen, daß eine Frau mehr ist als nur Hausfrau, Mutter, Partner im Bett und Repräsentant deines Aufstiegs?! Hast du Irmi ein einziges Mal in einer kritischen Situation gefragt: ›Was soll ich tun?‹«

»Ich habe alles Aufregende von ihr fernhalten wollen.«

»Welche bequeme Umschreibung für deinen Egoismus! Sie sollte sich nicht aufregen, du edler Mensch, und dabei verging sie vor Aufregung, wenn sie sah, daß du Probleme hattest und sie für dich allein aufhobst!«

»Sie hat sich also doch beschwert?«

»Nicht eine Sekunde! Keine Andeutung! Aber machen wir weiter: Du wirst der Konzernherr. Du fliegst nach Honkong oder Tokio, nach New York oder Rio, nach Delhi oder Kapstadt. Und wo ist sie, deine Frau? Wo der gottähnliche Wegener sie hinverbannt hat: zu Hause! Ab und zu, ja, da darf sie mit, zu Kongressen, wo man sie herumzeigen kann: Seht, das ist sie! Mein Wesen! Mein Homunkulus! Das habe ich aus ihr gemacht. Geschmeide von Cartier, Pelze aus Rom, Abendkleider aus Paris. Nur noch Königinnen können da mithalten, mit Frau Irmi Wegener, und hier stehe ich, der Zweizentnerklotz, der das alles aus ihr gemacht hat! Bewundert sie, dann bewundert ihr auch mich!«

»Das ist nicht wahr!« sagte Wegener heiser vor Erregung. »Ich habe ihr alles gegeben, weil ich sie liebe. Hörst du, du Pillenkotzer – ich liebe sie! Sollte ich sie in meine Geschäfte hineinziehen? Sollte sie den ganzen Lug und Trug, diese ganze Bestialität unserer Erwerbsgesellschaft, diese ganze Skrupellosigkeit und Gemeinheit kennenlernen, durch die allein man nach oben kommt?!«

»In ein Glashaus setzen ist auch falsch.« Dr. Bernharts stand auf. »Warum geifern wir uns eigentlich an? Bei dir ändert sich doch nichts mehr.«

»Das könnte ein Irrtum sein«, sagte Wegener nachdenklich. »Vielleicht ändert sich vieles. So idiotisch auch alles war, was du gesagt hast – es war gut, daß es einmal ausgesprochen wurde. Ich stand vor einer Entscheidung, und vielleicht wäre sie falsch gewesen. Jetzt weiß ich den richtigen Weg! Ich werde wieder kämpfen!«

»Gegen wen?« fragte Dr. Bernharts erstaunt.

»Gegen einen Schatten!«

»Dabei verliert man meistens.«

»Das muß man riskieren. Aber man hat eine Chance… Eine Chance mehr als der, der gleich in die Knie geht! Ich werde euch allen beweisen, daß ihr mich falsch seht!«

»Du gehst also doch ins Ministerium?«

»Laß mich doch mit deinem Ministerium in Frieden!« Er stand vor Dr. Bernharts und schlug die Fäuste gegeneinander, dicke Fäuste voll Kraft. »Und wenn es dir hundertmal nicht paßt: Auch diesmal wird Irmi nichts davon erfahren! Gerade jetzt nicht!«

»Sie weiß mehr, als du ahnst, Hellmuth!«

»*Was* weiß sie!« Er sah Dr. Bernharts unter zusammengezogenen Brauen an.

»Zum Beispiel die Sache in Rom.«

»Rom?«

»Elietta Dagliatti.«

»Himmel, das ist doch ein längst verschimmelter Hut! Wer denkt denn noch daran?«

»Aber Irmi weiß es.«

»Wenn es weiter nichts ist...« Wegener lachte rauh. »Ewald, alter Klistierputzer, hau ab! Ich hab' genug von deinen Weisheiten! Aber ich danke dir.«

»Wofür?«

»Das wirst du nie erfahren! Eigentlich bist du ein nützlicher Freund.«

»Oha! Woher die Ehre?«

»Deine Tritte in den Hintern sind wie Schmieröl... der Motor dreht wieder runder. Auch jetzt! Und nun hau ab, ehe ich dich zwinge, die ganze Flasche leerzutrinken!«

Er brachte Dr. Bernharts bis zur Tür und ging zurück in das Schlafzimmer mit der Spiegelwand. Die Möbel hatte Fritzchen Leber dreimal erneuert, die Spiegelwand aber war geblieben. »Das ist das Optimale!« sagte er, als Wegener sie weghaben wollte. »Ich reiße sie nicht raus. Wenn du sie nicht mehr sehen kannst, schlag sie ein! Von mir kannst du das nicht verlangen.«

Wegener blieb so im Zimmer stehen, daß er sich nicht im Spiegel sah. Aber die schlafende Irmi sah er zweimal – rechts im Bett, links in der Spiegelwand – und ihm fiel ein, was Bernharts gesagt hatte: Hast du jemals Irmi gefragt, ob ihr dies oder jenes gefällt? Hast du nicht alles allein getan? Die berühmten ›einsamen Wegenerschen Entscheidungen‹!

Es stimmt, dachte Wegener. Auch dieses Zimmer habe ich ohne sie eingerichtet. Das alte kam raus, das neue rein... Es stand einfach da, und sie nahm es hin. Und dabei ist es *ihr* Raum, ihr intimster Bereich, ihr kleines Paradies, in dem alle Verkleidung, die Maske des Alltags abfällt, wo sie nur noch ein Mensch ist, der Ruhe sucht, Geborgenheit, Liebe, Glück...

Warum hat sie nie gesagt: Mir gefällt das nicht!? Vielleicht hat sie es sogar gesagt, nur weniger deutlich ausgedrückt, behutsam, duldender... und ich habe es nicht gemerkt.

Er ging zu dem Bett, kam dabei vor die Spiegelwand und sah sich zu, wie er sich neben der schlafenden Irmi aufs Bett setzte. Eine Masse Mensch, rundschädelig, graumelierte Haare, breite Schultern, ein Brustkasten wie ein Gorilla, Beine wie Säulen.

Er beugte sich über Irmi, legte vorsichtig die Hand auf ihre heiße Stirn und lauschte auf ihren pfeifenden Atem. Dann griff er in die Hosentasche, holte sein Taschentuch heraus und tupfte ihr den Schweiß vom Gesicht.

»Ich weiß, daß du jetzt meckern würdest«, sagte er leise. »›Nicht mit dem Taschentuch! Hol ein Handtuch aus dem Bad!‹ O Irmi, wie wenig kennen uns die anderen, auch wenn sie zwanzig Jahre um uns sind! Was verstehen sie von unserer Liebe! Du bist doch nicht unglücklich, nicht wahr? Ich habe immer nur gewollt, daß du glücklich bist! Wenn du wüßtest, wieviel Kraft mir das gibt...«

Er fuhr wieder mit dem Taschentuch über ihr Gesicht, löschte das Licht der Nachttischlampe – sie war eine venezianische Arbeit: ein kleiner Mohr, der eine leuchtende Kugel auf seinem Kopf davontrug – und schlich sich aus dem Zimmer.

In der riesigen Wohnhalle saßen Peter und Vanessa Nina, jetzt dreiundzwanzig Jahre alt, angehende Medizinerin, die heimlich an der Kölner Musikhochschule Operngesang studierte und glaubte, ihr Vater merke das nicht. Er ließ sie in dem Glauben, weil sie wirklich eine gute Stimme hatte, und war nur gespannt darauf, wie und wann sie ihn aufklärte, daß sie lieber auf der Bühne als am Seziertisch stand. Peter, jetzt siebenundzwanzig, hatte seine Examina als Chemiker mit der geistigen Präsenz bestanden, die ihn sein ganzes bisheriges Leben begleitet hatte. Er hatte in der immunbiologischen Gruppe der Forschungsabteilung der *Euromedica-Werke* bereits seinen Arbeitsplatz und schlug sich mit dem Problem der Transplantatabstoßung herum.

»Wie geht es Mama?« fragte Peter. Er rauchte immer noch Pfeife, wie als Primaner; damals hatte er es aus Protest getan.

»Hat sie noch Fieber?« fragte Vanessa Nina. Sie las in einem musikgeschichtlichen Buch und versteckte es nicht.

Ich soll auf diese Weise dahinterkommen, dachte Wegener und lächelte. Ich soll fragen: Wieso kein medizinisches Buch?! Aber den Gefallen, mein Töchterchen, tue ich dir nicht. Zum ersten Schritt gehört Mut, und ich habe euch immer gepredigt, mutig zu sein!

Mut! Was ist Mut? Im Krieg war Mut oft nur Selbsterhaltung. Im täglichen Leben war Mut oft Verzweiflung. Bei mir war Mut nichts als geballte Angst.

»Sie schläft«, sagte er und setzte sich zwischen seine Kinder an den von griechischen Marmorsäulen gestützten offenen Kamin. »Sie hat eine gesalzene Grippe und ihre übliche Bronchitis. Was gibt es Neues?«

»Ich werde Opernsängerin, Pa...« sagte Vanessa Nina etwas zu laut und zu schnell. Aber sie sagte es. Peter paffte dicke Wolken aus seiner Pfeife.

Meine schöne, mutige Tochter, dachte Wegener. Gratuliere!

»Ich weiß«, sagte er leichthin. »Deine Professorin auf der Musikhochschule hält dich für ein wirkliches Talent. Sagte sie mir jedenfalls.«

Vanessa Nina stieß einen kleinen Schrei aus und warf sich auf Wegener. Sie küßte ihn und schüttelte dann seinen Kopf hin und her, indem sie mit beiden Händen in seine Haare griff.

»Pa... du Gauner!« sagte sie. »Du großer Gauner! Und dafür habe ich ein halbes Jahr lang gezittert...«

Dann lachten sie alle drei, und ihr Gelächter brach sich an den hohen Hallenwänden. Eine glückliche Familie.

Das gebe ich nie her, dachte Wegener und drückte Vanessa Nina an sich. Nie! Nie! Nie!

Gott im Himmel, von dem ich sonst wenig halte, hilf mir ein bißchen dabei...

Der Oberregierungsrat hieß Dr. Pfifferling und war sehr höflich und nett. Man sah ihm nicht an, daß er unter seinem Namen litt, auch nicht, daß seine Abteilung für Überprüfung im Haus nur das Pilzgewächshaus hieß. Er bot Wegener Platz an einem kleinen runden Tisch an, nicht vor dem Schreibtisch – es sollte ja kein Verhör, sondern eine Unterhaltung sein, und da gibt es bereits in der Sitzordnung feine Unterschiede! Einem Aktenstapel entnahm er ein ziemlich umfangreiches Schriftstück und legte es auf die Tischplatte. Wegener sah das Aktenbündel verblüfft an.

»Das bin ich in amtlicher Form?« fragte er.

»Ja –« antwortete Pfifferling zuvorkommend.

»Ein ziemlich dickes Dossier.«

»Sie haben ja auch ein reiches Leben hinter sich, Herr Wegener. Und hoffentlich auch noch vor sich.« Dr. Pfifferling setzte sich Wegener gegenüber in den Holzsessel mit Stoffpolster, Ausstattungsstufe für Oberregierungsräte. Ein Polstersessel im Amtszimmer eines Obersekretärs wäre so etwas wie Insubordination...

»Das Gesundheitsministerium plant – das ist Ihnen ja bekannt –, Sie nicht nur in die Arzneimittelkommission zu berufen, sondern Ihnen auch einen beratenden Posten anzubieten. Für einen Parteilosen, auch in Ansehung seiner hervorragenden fachlichen Qualifikation, ein äußerst seltenes und deshalb besonders ehrenvolles Angebot.«

»Ich habe diese ehrenvolle Berufung leider ablehnen müssen. Mein Sektretariat ist gerade dabei, die Begründung zu schreiben.«

»Sie lehnen ab?«

Dr. Pfifferling klappte die Akte auf und zog die Lesebrille aus der obersten Jackentasche. Es schien ihm offenbar unerklärlich, wie man solch eine Ehrung abschlagen konnte.

»Darf ich Ihnen etwas bringen lassen? Einen Kaffee? Kognak? Zigaretten? Zigarren?«

»Danke, nichts.«

Wegener blickte mit den Augen eines Tieres, das den Feind erkennt, aber noch nicht weiß, wie es sich verhalten soll, auf den Aktenordner. Da haben sie alles gesammelt, heimlich, hamsterähnlich. Das Leben eines Menschen wird zusammengekratzt, weil dieser Mensch mehr geworden ist als ein Eisenbieger oder Federnstanzer. Oder gibt es für den Malergesellen Franz Schulte auch ein Dossier beim Verfassungsschutz, wenn er nicht gerade an gewissen Demonstrationen teilgenommen hat?

»Die Beamten waren fleißig«, sagte er sarkastisch.

»Daß Sie die Akte sehen, Herr Wegener, soll Ihnen beweisen, welches Vertrauen in Sie gesetzt wird. Auch daß wir uns hier allein unterhalten...«

»Ohne Tonband im Rücken! Mikrofon in der Lampe oder im Blumentopf?«

»Sie haben 007-Filme gesehen?« fragte Pfifferling fröhlich. »Bei uns ist alles anders.« Er schlug die Beine übereinander und legte die Akte auf seine Knie. Mit flinken Fingern blätterte er sie durch. »Geboren in Hannover, dort zur Grundschule gegangen, Gymnasium pipapo... Vater verhältnismäßig früh verstorben, aber gerade noch Mitglied der NSDAP geworden...«

»Dafür kann ich nichts.«

»Medizinstudium. Dann Wehrmacht mit der Verpflichtung zum Reserveoffizier in der Sanitätslaufbahn...« Pfifferling blickte kurz auf. »Sie waren im Jungvolk und in der Hitlerjugend?«

»Ja. Das waren von unseren Jahrgängen so gut wie alle. Wer studieren wollte, mußte in der HJ oder im Studentenbund sein. Mit den Pimpfen – so nannte man uns damals – fing es an.«

»Sie waren aber auch HJ-*Führer.*«

»Mag sein.« Die erste Klippe. Hellmuth hatte darüber nie gesprochen, sicherlich weil es unwichtig war. »Ein niedriger Dienstgrad...«

»Sie wissen es nicht mehr?«

»Nach vierzig Jahren Beschäftigung mit anderen Dingen verlernt man die Terminologie der ›Tausend Jahre‹.«

»Sie wurden 1938 von der HJ zurücküberwiesen zu den Pimpfen und wurden Fähnleinführer.«

Wegener lächelte mild. »Wissen Sie, welch ungeheure politische Funktionen ein Pimpfen-Fähnlein hatte?« fragte er spöttisch. Heimabende mit weltanschaulicher Schulung, Zeltlager mit vormilitärischer Ausbildung – wir lernten sogar das Anschleichen an den Gegner, stellen Sie sich das vor! Aufmärsche bei Maifeiern, am 9. November oder zu Führers Geburtstag... Die Welt mußte ja Angst vor uns zehnjährigen Pimpfen haben!«

Pfifferling lächelte verbindlich zurück. »Auf Fundamente baut man Mauern«, sagte er weise. »Und Sie wissen ja: Wer die Jugend auf seiner Seite hat, der besitzt die Zukunft.«

»Danach hätten wir in Deutschland keine Zukunft mehr! Oder eine wirre Zukunft, so wirr wie die Schlagworte, die unsere heutige Jugend kritiklos speichert. Ich habe darin Erfahrung, ich bin Vater zweier moderner Kinder.«

»Darauf kommen wir noch.« Dr. Pfifferling blätterte weiter in den Aktenseiten. »Ihr Sohn Peter, geboren 1948, nahm viermal an Demonstrationen der radikalen Studentenbewegung teil. In den wilden sechziger Jahren...«

»Das stimmt. Er nannte mich einen Kapitalisten, begründete, warum man meine Werke enteignen müsse, hatte herrliche Tiraden für die Verteidigung des Anarchismus parat. Ich habe ihn quatschen lassen, oft stundenlang, bis es ihm anscheinend selbst zu viel wurde. Heute ist er Chemiker in einer meiner Forschungsgruppen und wird voraussichtlich im nächsten Jahr eine wunderhübsche Kapitalistentochter heiraten, Erbin einer Kaffeedynastie in Bremen. Meine Tochter Vanessa Nina hatte ein Phase, in der sie nur Jeans trug, weite schmuddelige Pullover und ausgelatschte Boots. Die Haare lang und offen bis zum Arschansatz! Aber herrliche Haare! Für sie war ich ein Ignorant. Jetzt? In drei, vier Jahren wird sie vielleicht auf einer Opernbühne stehen und das Ännchen aus dem ›Freischütz‹ singen. Oder meinetwegen auch die Konstanze...«

»Sie sind nie einer Partei beigetreten? Warum nicht?«

»Parteien leben von Ideologien und Programmen. Ich sehe nicht ein, warum ich mich einem Programm unterordnen soll! Wir Deutschen sind oft genug an Parteiprogrammen zerbrochen.«

»Wie soll dann – nach Ihrer Auffassung – ein Volk als Gesellschaftsform existent sein können? Ohne Politik, wenn ich Sie recht verstehe?«

»Durch ein Wechselspiel von angewandten Moralbegriffen.«

»Das ist eine Utopie, Herr Wegener!«

»Sicherlich. Aber warum soll ich nicht Anhänger einer Utopie sein, wenn in der Politik so viele utopische Ideen ernst genommen und von der Gesellschaft wie Zuckerbonbons geschluckt werden?!« Wegener lehnte sich zurück. Jetzt hätte er doch gern eine Tasse starken Kaffees gehabt, aber er sprach den Wunsch nicht aus. In diesem Stadium des Gesprächs wäre es nur ein Hinweis auf seine innere Erregung gewesen. »Ich bin ein völlig unpolitischer Mensch. Das ist auch der Grund, warum ich eine Berufung ins Ministerium ablehne. Alle Parteien standen schon Schlange bei mir, um mich zu gewinnen. Bis auf ein gemütliches Gespräch bei einer guten Flasche Wein ist nichts dabei herausgekommen.«

»Sie sind Träger des Großen Bundesverdienstkreuzes.«

»Warum man es mir verliehen hat, steht zwar in der Laudatio, aber letzten Endes weiß es nur der Verleiher selbst.«

»Der Herr Bundespräsident.«

»Ich hatte noch keine Gelegenheit, ihn danach zu fragen.«

»Sie waren Gast bei sieben Sommerfesten des Bundeskanzlers?«

»Mag sein.«

»Sie wissen es nicht mehr?«

»Wir haben so viele Einladungen, denen wir nachkommen müssen, daß es unmöglich ist, zu behalten, wie oft und wo überall wir gewesen sind.«

»Aber eine Einladung des Bundeskanzlers...« Dr. Pfifferling war gewiß noch nie zu einem Kanzler-Sommerfest eingeladen worden; sicher war es sein unerfüllter Traum. Er begriff einfach nicht, daß man eine solche Auszeichnung nicht anders hinnahm als einen normalen Händedruck.

»Einigen wir uns darauf: Ich war siebenmal Gast des Kanzlers«, sagte Wegener milde. »Es hat uns gut geschmeckt, der Wein war bestens, wir haben bis nach ein Uhr morgens getanzt, ich habe eine Menge Bekannter dort gesehen, auch solche, bei denen ich mich gefragt habe, warum sie eingeladen wurden. Immerhin eine Demonstration allerhöchster Demokratie.«

Dr. Pfifferling blätterte weiter in dem Dossier. Dann klappte er es kurz entschlossen zu und schob es auf den Tisch zurück. Einmal diese Seiten durchsehen zu können, dachte Wegener. Einmal sehen, wie die anderen dich sehen! Vielleicht steckt da ein ganz anderer Mensch in den Seiten als der, mit dem man es täglich zu tun und an den man sich gewöhnt hat? Was mag man alles in seinem Leben verbrochen haben – in den Augen dieser Herren – und ahnt es gar nicht! Aber da steht es drin, in nüchternen Sätzen. Eine Fleißarbeit von Maulwürfen im Garten der Menschlichkeit.

Wegener und Dr. Pfifferling unterhielten sich noch eine Stunde lang über alle möglichen Themen, doch kaum über Hellmuth Wegener. Man diskutierte über die EG und ihre Subventionen, die NATO, die Ostpolitik der Regierung, über den Polenvertrag, die Chancen der Parteien bei den nächsten Wahlen, über das Ende der Kolonialherrschaft in Afrika, das Problem Israel, den von Land zu Land rasenden Kissinger, das neue Steuerrecht, die Auswirkungen der beginnenden Rezession, die Jugendarbeitslosigkeit, sogar über die berühmte ›Pillenrede‹ des Papstes sprachen sie und über den Weinüberschuß in Italien und Deutschland. Ab und zu flocht Wegener einen Witz ein, über den Dr. Pfifferling entgegenkommend lachte, auch als Wegener einen losließ, der aus Dr. Schwanglers Kiste stammte.

Aber Pfifferling war kein Mann, den man auf solche Weise ablenken konnte. Immer wieder streute er Fragen in die Unterhaltung, kam auf die Vergangenheit zu sprechen, auf den Onkel in Hannover, der auch Giftgas hergestellt hatte, auf Wegeners Reisen und seine Freundschaft zu Rudi Velbert, der aktenbekannt war, aber dem man nie etwas hatte nachweisen können.

»Es war ein Genuß, mit Ihnen zu plaudern«, sagte Dr. Pfifferling nach einer guten Stunde. Er warf die Akte Wegener auf den großen Schreibtisch, als wolle er sagen ›Das ist erledigt‹. »Und Sie wollen wirklich nicht ins Ministerium?«

»Nein!« Wegener drückte wieder die freundliche Hand. »Ganz im Gegenteil – ich will mich allmählich aus verschiedenen Funktionen zurückziehen und mehr an mich und vor allem an meine Frau denken.«

»Mit fünfundfünfzig in Pension?! Dazu sind Sie nicht der Mann. Gerade Sie nicht!«

»Ab und zu merke ich jetzt den Streß! Diese Alarmzeichen sollte man nicht überhören. Jeder Autofahrer läuft sofort die nächste Werkstatt an, wenn er hört, daß sein Motor klingelt. Nur das Klingeln in uns selbst ignorieren wir.« Er fand es übertrieben höflich, daß Dr. Pfifferling ihn bis zum Lift begleitete und wartete, bis die Tür zuklappte. »Muß ich wiederkommen?« fragte er noch.

»Wir lassen von uns hören!« antwortete Dr. Pfifferling überaus freundlich.

Und das war es, was Wegener wieder aller Sicherheit beraubte. Er hatte geglaubt, den heutigen Vormittag gut überstanden zu haben, und alles sei in bester Ordnung. Aber ›Wir lassen von uns hören‹ – das hieß nichts anderes als: Du bleibst ein schwebendes Verfahren! Nichts ist abgeschlossen! Unsere Maulwürfe werden weiterwühlen. Wiege dich in dem Gefühl, du habest eine blütenweiße Weste! Wir bleiben dir im Nacken. Ein Menschenleben, ein für uns wichtiges Menschenleben kann man nicht in einer Stunde durchforsten. Das ist wie ein Urwald, den man roden muß. Warte nur ab... Wir lassen noch von uns hören...

Wegener fuhr nicht in seine Werke zurück, sondern nach Hause. Im Schlafzimmer saß Dr. Bernharts und trank mit Irmi Sekt.

»Aha!« sagte Wegener sarkastisch. »Da kann natürlich die pharmazeutische Industrie in die roten Zahlen kommen, wenn die Ärzte grippale Infekte nur noch mit Champagner heilen!« Er ging zum

Bett, küßte Irmi auf den Mund und ließ sich auf die Bettkante plumpsen. »Ich war in meinem Leben immer für Autarkie. Irmi, ich kaufe uns ein Champagnergut in Frankreich!«

»Das sieht ihm ähnlich! Sag bloß nicht: Ha, wie fein! Er tut's!« Dr. Bernharts stellte sein Glas auf dem Nachttisch ab, unter dem venezianischen Mohren. »Wieso kommst du jetzt schon nach Hause?«

»Störe ich?«

»Habe ich dir nicht gesagt, dein Mann ist eifersüchtig? Seit zwanzig Jahren ist er eifersüchtig auf mich!« Bernharts lachte laut. »Er hatte sogar mal die Idee, mich durchs Fenster zu werfen!«

»Du bist ein dämlicher, alter, eitler und verräterischer Quatschkopf!« sagte Wegener. Er sah zu Boden, wollte jetzt nicht Irmi ansehen, aber er schielte auf die Spiegelwand und sah, wie Irmi sanft lächelte.

»Ich bin hier, um festzustellen, daß Irmis Erkrankung erstaunlich schnell abklingt. Das feiern wir mit einem Glas Sekt.«

»Weil du glaubst, das sei dein Verdienst! Es ist unser Grippemittel!«

»Welches Grippemittel?« fragte Dr. Bernharts und blickte Wegener ratlos an. »Ich habe Irmi verschrieben...«

»Deine Rezepte kenne ich und habe sie in den Papierkorb geworfen. Seit drei Tagen bekommt Irmi ein neues Grippemittel, das bei uns, in der Abteilung VIII, als abgeschlossen gilt.« Er sah, wie sich Dr. Bernharts Gesicht verdunkelte, und fügte schnell hinzu: »Nach Tausenden von Tierversuchen ist die Humanerprobung erfolgt.«

»Und dein erster Menschenversuch war Irmi. Hellmuth, ich –« Dr. Bernharts holte tief Luft.

»Ist Irmi, wie du selbst sagst, nicht in erstaunlich kurzer Zeit von der Infektion befreit oder nicht?!« schrie Wegener plötzlich unbeherrscht. »Für deinen Ausdruck ›Menschenversuch‹ sollte ich dir eine knallen!«

»O mein Lieber, ich schlage zurück!« Dr. Bernharts sprang auf. »Irmi, er hat an dir ein neues Mittel ausprobiert, das noch nicht zugelassen ist! Von dem es keinerlei Erfahrungswerte gibt, keine Blindversuche, keine Ahnung von etwaigen Spätfolgen! Erst Ratten, Meerschweinchen, Kaninchen, Hunde und Affen – jetzt du! Das ist so ungeheuerlich...«

»Wenn du nicht in zehn Sekunden aus dem Zimmer bist, fliegst du wirklich durch das Fenster!« sagte Wegener. Er erhob sich von der Bettkante, aber Irmis Hand hielt ihn fest.

»Was habt ihr denn?« sagte sie. »Mir geht es fabelhaft. Ewald, traust du Hellmuth zu, daß er mich vergiften wollte?«

Dr. Bernharts fuhr sich mit der Hand übr sein erregtes Gesicht. »Irmi, diese Frage ist dämlich, das weißt du genau! Aber was hier geschehen ist, paßt wieder einmal zu Hellmuth Wegener: Ich, der Gott! Alles Leben in meinen Händen! Ich bin doch der Größte!«

»Irmi, laß mich bitte los!« sagte Wegener gedämpft. »Ich muß Ewald in den Hintern treten!«

»Wie kleine Jungen auf dem Schulhof!« Sie hielt Wegener weiter an der Hose fest. »Ewald, der Erfolg gibt ihm recht.«

»Wie immer! Das ist es ja! Nie fällt er auf die Schnauze! Und dabei wäre es so nötig, daß auch er einmal sieht, wie schnell man von den Füßen gerissen werden kann!« Er packte seine Arzttasche zusammen, warf Stethoskop und tragbares EKG-Gerät in einen Lederkoffer und ging zur Tür. »Ich werde hier wohl nicht mehr gebraucht!«

»Ganz richtig!« sagte Wegener laut.

»Aber zum Abendessen.« Irmi ließ Wegeners Hose los. »Um acht Uhr, ja, Ewald? Klöße mit Sauerbraten...«

»Ich komme!« Dr. Bernharts klinkte die Tür auf. »Was seid ihr für ein Paar! Der eine probiert neue Medikamente an seiner Frau aus... die Frau füttert ihren Mann mit Klößen und dicken Braten unter die Erde! Auch das kann eine Abart von Rache sein!«

»Raus!« rief Wegener.

»Wie heißt das neue Mittel?«

»Es hat noch keinen Namen. Ist vorläufig nur eine chemische Formel.«

»Auch das noch! Schade...«

»Wieso?«

»Ich habe zur Zeit vierundvierzig Grippepatienten. Das wäre eine gute Reihenuntersuchung für den Anfang gewesen...«

Er verließ schnell das Schlafzimmer und warf die Tür hinter sich zu. Wegener drehte sich um, setzte sich wieder aufs Bett und küßte Irmis Hände.

»Danke –« sagte er leise.

»Wofür?«

»Daß du dem Knallkopf gesagt hast, daß ich dich nicht vergiften will.«

»Das würdest du auch nie tun!« Sie legte sich in die Kissen zurück, ordnete ihr rotblondes Haar und zog Wegener zu sich herüber. Sie trug ein weit ausgeschnittenes Hemd, das die obere Hälfte ihrer Brüste freiließ.

»In einem solchen Hemd empfängst du Ewald?« fragte er.

»Eifersüchtig?«

»Ja, Irmi! Wahnsinnig! Wie am ersten Tag!«

»Dann soll Ewald nicht wiederkommen.«

»Quatsch! Ewald würde dich, außer mit medizinischen Fingern, nie anrühren! Ewald... daß ich kurz lache! Aber, es ist immer so gewesen, und es wird immer so bleiben: Ich zittere vor dem Augenblick, an dem dir ein anderer mehr gefällt.«

Sie legte ihm die Hand auf den Mund und erstickte seine weiteren Worte.

»Du bist ein kleiner dummer Junge«, sagte sie zärtlich.

»Dick und zwei Zentner schwer...«

»Ich liebe jedes Gramm an dir.«

»Ich weiß. Du hast es schon einmal gesagt.« Er legte sich, angezogen wie er war, neben Irmi ins Bett und schob seinen Arm unter ihren Nacken. Aus ihrem Haar wehte der zarte Parfümgeruch, den er seit fast achtundzwanzig Jahren kannte. »Ich muß dir etwas gestehen...« sagte er.

»Da bin ich aber gespannt.«

»Das neue Medikament...«

»Ich habe sofort an der Packung gesehen, daß es ein Medikament in der Erprobung ist.«

»Und hast nichts gesagt?«

»Wozu? Wenn du es mir gibst, muß es gut sein! Du würdest mir nie etwas Schlechtes geben.«

»Es *ist* gut!« Er schlang ihr Haar um seine Finger und spielte damit. »Ich hatte vor sechs Wochen einen Anfall von Grippe und habe gegen den Widerstand meines Chefchemikers das Mittel als erster Mensch genommen! In zwei Tagen war alles wie weggeblasen. Ich war vollkommen virenfrei! Und lebe noch, wie du siehst.«

»Das tust du nie wieder!« sagte sie ernst. Sie befreite sich aus seinem Griff und starrte ihn mit flatternden Augenlidern an. »Nie wieder! Versprich mir das!«

»Angst? Um mich?«

»Nur um dich! Immer um dich! Ich kenne doch nichts anderes! Was ist das alles, was wir hier haben, ohne dich?! Ich könnte auf alles verzichten, um mit dir allein in einer kleinen Dachkammer zu wohnen. Schmuck, Pelze, die Häuser, die Teppiche und Gemälde, die Ikonensammlung... Mein Gott, was ist das alles, wenn ich dich nicht habe!«

»Und wenn ich diese wahnsinnige Liebe gar nicht wert bin?« Jetzt kannst du es ihr sagen, durchfuhr es ihn. Jetzt ist der richtige Augenblick. Jetzt gestehe ihr, wer du wirklich bist. Wenn sie dich, den Menschen, wirklich so unverbrüchlich liebt, dann wird sie dir auch verzeihen können. Los, sag es ihr, Peter Hasslick! Der Ansatz war schon gut: Ich bin diese Liebe nicht wert! Führe das Gespräch jetzt logisch fort. Warum bin ich es nicht wert? Weil ich dich bis zur Selbstzerfleischung liebe, Irmi, aber dich dennoch ein ganzes Leben lang belogen habe. Ich bin...

Aber er sagte es nicht. Er schwieg. Er schloß die Augen, als sie sich über ihn beugte und ihn auf den Mund küßte. Er schlang die Arme um ihren Rücken und spürte den Druck ihrer festen runden Brüste durch sein Hemd.

»Was bist du denn wert?« fragte sie an seinen Lippen.

»Dich nicht!«

»Dann sagen wir es umgekehrt, du dummer Junge: Du bist für mich genug wert! Oder anders: Du bist meiner wert. Einer muß sich doch im klaren sein, wie wertvoll er ist. Zufrieden?«

»Du bist ein Juwel aus Gottes Krone...«

»O Himmel! Er wird poetisch!« Sie lachte hell, küßte ihn wieder und rollte sich auf den Rücken. »Hol den Sekt! Die Flasche ist noch halb voll.«

Sie lagen dann wieder im Bett, er angezogen und mit den Schuhen – was sie erstaunlicherweise nicht rügte! – sie in ihrem weit ausgeschnittenen Nachthemd. Sie ließen die Gläser aneinander klingen und tranken den schon etwas warm gewordenen Champagner.

»Wann haben wir das letztemal Sekt zusammen im Bett getrunken?« fragte sie.

Er sah sie erstaunt an. »Ich weiß nicht. Das muß lange her sein...«

»Was haben wir verpaßt!« Sie räkelte sich zu ihm hin und legte ihren Kopf in seine Halsbeuge. »Wir sollten viel öfter Sekt im Bett trinken...«

Wegeners Absage an das Ministerium nahm man mit Bedauern hin. Dreimal sprach noch ein Ministerialdirigent mit ihm, der Staatssekretär lud ihn zu einem Essen ein – es nutzte nichts: Hellmuth Wegener tat kund, daß er jetzt, mit fünfundfünfzig Jahren, nicht noch mehr schuften wolle, sondern, ganz im Gegenteil, an die aktive Pflege seiner Gesundheit denke.

»Wozu habe ich ein Sommerhaus in Tirol, ein Chalet im Wallis, ein Landhaus an der Côte d'Azur, wenn ich das alles nur für ein oder zwei Wochen im Jahre sehe?! Im Wallis war ich seit vier Jahren nicht mehr! Nein! Man muß im richtigen Moment Platz machen können, wenn man weiß, daß man gute Nachfolger herangezogen hat! Ich habe sie – also fange ich jetzt an zu leben! Ich bewundere meine Frau, daß sie das bald achtundzwanzig Jahre mitgemacht hat. Kommen Sie mir nicht damit: Sie hat ja alles, was eine Frau sich wünschen kann! Sie hatte es nicht! *Ich* war nicht da! Und ich war auch nicht da, wenn ich neben ihr saß! Verstehen Sie, was ich meine?«

»Erfolgreiche Männer gehören nun einmal nicht einer Frau allein! Das ist das große Schicksal dieser Frauen.«

»Aber man sollte so etwas nicht einfach als unüberwindbar hinnehmen. Mein lieber Herr Staatssekretär, man wird mich in Zukunft weniger am Schreibtisch im Konzern, aber mehr im Sand an der Mittelmeerküste finden. Ich werde da liegen wie ein kleiner Junge, Burgen bauen, die die Wellen bei Flut wieder wegwaschen, mit meiner Frau Federball spielen, Bratfisch am Stecken essen und guten einfachen roten Landwein trinken. Und ich werde – das kann ich Ihnen jetzt schon sagen – nichts von dem vermissen, was mich bisher umgeben hat: die Fabriken, die Gesellschaft, die Partys, die langen Arbeitsessen, die Konferenzen, die Reisen rund um die Welt, die versteckten Anträge der Frauen, für die es, trotz meiner zwei Zentner, ein besonders prickelndes Erlebnis wäre, mit dem großen Wegener einmal ins Bett zu steigen! Das alles wird ein Nichts sein gegen das kleine Glück, die Füße in die Wellen stecken zu können und zu sich sagen zu dürfen: Nun hast du endlich einmal Zeit, mein Junge! So viel Zeit! Spürst du den warmen Wind auf der Haut? Hörst du das Meeresrauschen? Über dir schreit eine Möwe. Und dann werde ich die Arme ausbreiten, den Sand durch meine Finger rinnen lassen und endlich wissen, was wunschloses Glück ist!«

»Nachdem Sie der große Wegener geworden sind! Das ist einfach.«

»Aber es war schwer! Ich habe eine Aufgabe erfüllt bis zur Perfektion. Jetzt habe ich endlich den Zeitpunkt erreicht, wo ich mich aus diesem einen Leben wegschleichen kann, um wieder nur Ich zu sein. Was mir diese Aussicht bedeutet, kann ich niemandem erklären, weil es keiner glauben würde. Jetzt nicht mehr...«

Aber so sicher war er sich doch nicht, ob ihm wirklich niemand mehr glauben würde, er sei nicht Hellmuth Wegener, sondern Peter Hasslick. In den vergangenen Monaten hatte er sich oft gesagt: Wenn ich jetzt aller Welt verkünde, ich sei nicht ich, dann wird man vermuten, der Alte hat einen Knall bekommen. Mehr nicht. Es als Wahrheit hinzunehmen, würde sich jeder weigern. Womit könnte ich auch beweisen, daß ich Peter Hasslick bin? Seine Papiere sind in Rußland und in Osnabrück verbrannt. Ich habe Wegeners Armnarbe, ich habe seine Schrift angenommen, ich habe alle seine Papiere, ich bin jetzt zweifacher Dr. h. c., ich bin Konzernherr, Besitzer einer Apothekenladenkette, Mitbesitzer von vier anderen Fabriken, sitze in – rechnen wir mal nach – ja, in genau dreiundzwanzig Aufsichtsräten... Und dieser Mann steht nun da und behauptet, nicht Wegener zu sein. Ein Fall für den Psychiater.

Doch – so schön es war, sich so etwas einzureden! – die Unsicherheit, dieses Trauma der Angst, das bis in die Urtiefen seines Wesens reichte, blieb nach wie vor. Und es wurde genährt durch einige Telefongespräche, die er mit Dr. Pfifferling führte.

»Natürlich sehen wir uns wieder«, sagte Pfifferling herzlich. »Die Unterhaltung mit Ihnen liegt mir noch im Ohr. Sie war ein Genuß. Ich komme auf Ihre Einladung zurück, Herr Wegener...«

Natürlich sehen wir uns wieder... Lag darin nicht eine verdeckte Drohung? Wonach forschten sie noch beim Verfassungsschutz? Wo wühlten die Maulwürfe in seinem Leben herum? Was fehlte ihnen noch zum Bild des Hellmuth Wegener? Wo waren Mosaiksteinchen herausgefallen, die man noch finden mußte?

Es waren Monate zwischen Hoffnung und Warten. Monate der Selbstbeobachtung und des ständigen Aufsichselbsteinredens: Du bist unangreifbar! Du *bist* Hellmuth Wegener. Es gibt keinen Gegenbeweis, wenn nicht du selbst ihn lieferst. Und selbst dann – denk an deine eigenen Überlegungen – wird man es dir nicht glauben. Wahrheit in dieser Potenz ist immer unglaubwürdig.

Heimlich – um Irmi damit zu überraschen – ließ er für einen langen Weihnachtsurlaub eine Reise in die Südsee buchen. Vom 15. Dezember bis 31. Januar auf Samoa. Peter war Weihnachten, das hatte man schon lange abgesprochen, in Bremen bei seiner Schokoladen-Braut. Vanessa Nina wollte über die Feiertage mit Freundinnen nach Gran Canaria, wo es einen exklusiven Strandclub für junge Menschen gebe. Die halbe Opernklasse der Musikhochschule fuhr mit ihr.

Wegener sagte zu allem ja. Samoa war in seinem Bewußtsein zum Beginn des neuen Lebens geworden. Mit Irmi auf Samoa. Und dann – wie ein Wechselbad – sechs Wochen Schneeurlaub im Wallis, darauf der Frühling in Südfrankreich, umweht von Mimosenduft und dem Geruch der blühenden Kräuter der Provence... Man konnte die Jugend nicht mehr zurückholen, aber jetzt, jetzt war es endlich möglich, die letzten zwanzig Jahre voll kindhaften Glücks zu durchwandern, Hand in Hand, wie damals, als Irmi ihn in Friedland abholte, den schmalen, ausgehungerten, hohläugigen Plenny aus Sibirien, der neben ihr hertrappte, sie immer und immer wieder anstarrte und zu sich sagte: Diese Frau wird mein Leben sein! Nur diese Frau! Das schwöre ich!

Am Morgen des 28. Oktober 1975 – Irmi war schon beim Friseur, er hatte länger geschlafen, auch das war schon der Beginn einer Umstellung seiner Lebensgewohnheiten – holte er aus dem Tresor hinter dem Bild von Gauguin sein letztes Tagebuch – 1974 bis... – und trug in aller Ruhe, wie in den vergangenen siebenundzwanzig Jahren, seine Gedanken und Reflexionen ein, seine Wünsche, Nöte und Erfüllungen. Er schrieb:

»Am 15. Dezember fahren Irmi und ich nach Samoa. Nächste Woche muß ich es ihr sagen, denn wenn eine Frau eine solche Reise vorbereitet, sind vier Wochen Vorlauf bereits zu knapp. Und ich weiß schon, was sie sagen wird! ›Samoa, warum denn das? Warum so weit? Wegen der halbnackten Mädchen mit ihren Blütenketten? Dicker, da guckt dich keine mehr an, und wenn du den Bauch noch so sehr einziehst! Aber wenn du willst... gut, fliegen wir hin!‹ Wenn du willst... das hat sie nun siebenundzwanzig Jahre lang gesagt. Geduldig, immer bereit: Wenn du willst! – Gott! Ich rede Dich wieder an, obwohl wir keine guten Freunde sind: Womit habe ich eine solche Frau verdient?«

An diesem Morgen des 28. Oktober rasierte sich Hellmuth Wegener wie immer im Badezimmer vor dem Spiegel, in den Fritzchen Leber eine raffinierte indirekte Flutlichtanlage eingebaut hatte. Man sah dadurch im Spiegel jede Pore, jeden vergessenen Bartstoppel.

Wegener seifte sich ein – er rasierte sich nur naß, weil seine Haut das elektrische Rasieren nicht vertrug und rote Flecken bekam, setzte den Rasierapparat an und fuhr über seine rechte Gesichtshälfte. Dabei sah er sich kritisch an und stellte verblüfft, ja geradezu magisch angezogen fest, daß seine Augen eine merkwürdige Veränderung durchmachten. Jetzt, genau in diesem Augenblick... er sah es überdeutlich im Spiegel. Sie wurden größer, weiteten sich über die Höhlen hinaus und bekamen eine schreckliche Stumpfheit.

Der Rasierapparat fiel aus seinen plötzlich matt gewordenen Fingern, irgendwo in seinem Inneren spürte er einen massiven Druck, er sah sein Spiegelbild in die Knie sinken und seinem Blick entschwinden... und dann lag er auf dem griechischen Marmorboden, er war allein, das wußte er, aber doch war jemand da, unsichtbar, der ihm die Kehle zudrückte und die Luft abschnitt, und er war viel zu schwach, um sich wehren zu können, er rührte sich nicht, wußte plötzlich auch nicht mehr, ob er lag oder noch stand, das Bewußtsein für Gleichgewicht verließ ihn, der Druck im Inneren blieb, die würgende Hand löste sich, es war köstlich, so köstlich, wieder tief atmen zu können... und dann wurde alles nebelhaft und unwirklich, und er atmete und atmete und hörte, wie es um ihn herum zu rauschen begann, als habe man eine Schleuse geöffnet...

»Er starb zwischen 9½ und 10 Uhr«, sagte Dr. Bernharts später. »Ein typischer Herzinfarkt. Irmi, so schrecklich es ist, es auszusprechen: Es war ein schöner Tod. Er hat nichts gespürt. Ein Sekundentod.«

Sie legte das letzte Tagebuchheft auf ihren Schoß und blickte auf den offenen Tresor. Dann lehnte sie sich weit zurück und schloß die Augen. Es regnete nicht mehr. Die Leichenfeier im ›Rosengarten‹ war nun in vollem Gang. Über achthundert Personen, eine Riesenparty zu Ehren eines Toten. Peter nahm die Kondolenzen entgegen, Vanessa Nina ließ die meist geheuchelten Worte der Frauen über sich ergehen. Man würde noch lange von dieser Totenfeier sprechen. So wie Hellmuth Wegener gelebt hatte, so verabschiedete er sich auch.

Hellmuth Wegener...

Sie stand auf, packte die Tagebücher wieder zu einem Bündel zusammen und trug sie zurück in den Tresor. Sie verschloß ihn wieder, schob das Bild von Gauguin darüber und legte die Schlüssel zurück in den kleinen venezianischen Holzkasten, diesen buntbemalten Touristenkitsch, den man an jeder Bude kaufen kann. Und sie begriff jetzt, warum Hellmuth Wegener die Schlüssel zu seinem Leben gerade in dieses Kästchen gelegt hatte.

Seht, das bin ich! Da gehöre ich hinein! Ihr alle habt in mir immer nur einen Heros gesehen. In Wahrheit war ich nur ein ganz billiges Exemplar Mensch.

Sie nahm das Kästchen, ging zu Hellmuths Schreibtisch und schloß es dort ein. Den Schlüssel zu diesem Fach würde Dr. Schwangler bekommen, und auch ihre letzte Verfügung, wonach die Kinder Peter und Vanessa Nina den Tresor hinter dem Gauguin erst drei Monate nach ihrem, Irmgard Wegeners, Tod öffnen sollten.

Wie hatte Hellmuth geschrieben, wie war sein letzter Satz in dem Tagebuch:

»Ich habe sie geliebt, ich habe siebenundzwanzig Jahre mit ihr in einem eigenen Paradies gelebt als ihr Mann, ohne mit ihr verheiratet zu sein. Es war eine glückliche Ehe.«

»Sie war es, Dicker!« sagte sie und ging langsam zum Fenster. Im Park tropfte es von den Bäumen und Sträuchern, Nebelschwaden glitten über das Teehaus und die Grillhalle, der Rasen glänzte wie poliert. Eine phantastische, märchenhafte, schwebende, alles Schwere aufhebende Stimmung der Natur.

Sie wußte es schon seit Jahren. Hatte es bereits geahnt, als er seinen Sohn nach dem gefallenen Kameraden nannte. Und war ihrer Sache sicher, als es um das Klassentreffen ging. Aus unzähligen Indizien hatte sie Gewißheit gewonnen.

Aber warum hatte sie ihn in der Angst belassen, eines Tages könnte sie sein Spiel durchschauen und alles zerstören, was sie sich aufgebaut hatten?

Sie hatte geschwiegen, weil es so besser war – für ihn. Sie hätte seinen Stolz zutiefst verletzt – und diese Wunde wäre nie vernarbt. Sie hätte ihn damit vernichtet. Warum hätte sie also reden sollen? War es nicht längst gleichgültig, ob dieser Mann, *ihr* Mann, Hellmuth Wegener war? Sie liebte ihn. Das war genug für ein ganzes herrliches Leben.

Sie drückte die Stirn gegen die kalte nasse Scheibe und legte ihre Hände an den Kopf, als müsse sie ihn zusammenpressen, damit er nicht zerspringe.

Es war eine glückliche Ehe.

Ich danke dir, Hellmuth.

Leseprobe

**Konsalik, wie man ihn kennt.
Lebensnah. Vital. Packend.**

Band 3536

Schuldig aus Liebe ...

Bei der Feier ihrer Promotion lernt Gisèle Parnasse den erfolgreichen Chirurgen Dr. Gaston Rablais kennen. Sie wird Narkoseärztin in seiner Klinik und – verliebt sich in den talentierten Mann.

Dr. Gaston Rablais erwidert ihre Gefühle. Doch da versucht auch Gisèles Schwester Brigit, Gaston für sich zu gewinnen. Zunächst ohne Erfolg. Zwischen Gisèle und Gaston aber keimt Mißtrauen und Argwohn auf. Von Tag zu Tag wird das Verhältnis der Liebenden gespannter. Und schließlich führt Gisèles Eifersucht zu einer Katastrophe ...

1

Während ich diese Zeilen schreibe, müßte ich eigentlich traurig sein.

Ich sitze allein an der steinernen Balustrade des kleinen Cafés »Riborette« und schaue über die bunten Badezelte und die flatternden Wimpel hinweg, die man über den weiten, in der Sonne flimmernden weißen Strand von Juan les Pins gespannt hat. Das tintenblaue Wasser des Mittelmeeres klatscht träge an den Ufersteinen empor, und die Palmen, Pinien, Zypressen und Maulbeerbäume entlang der breiten Straße und im Garten des Cafés »Riborette« sind ein wenig verstaubt, so still ist der Wind und so heiß brennt die Sonne, als leuchte sie herüber über das Meer, direkt aus der afrikanischen Wüste.

Ich bin allein, allein mit meinen Gedanken und meiner Sehnsucht, allein auch mit meinem Schmerz, den ich mir selbst zufügte und den ich doch nicht verhindern konnte.

Gaston hat mich verlassen.

Es ist ein kleiner Satz, und wie oft hört man ihn aus dem Munde eines unglücklichen Mädchens. Manchmal heißt er Paul oder François, Erich oder Peter, Julien oder Pablo ... Und immer wird dieses Mädchen zu Boden blicken und seine Augen werden weinen, wenn es sagt: Er hat mich verlassen.

Ich weine nicht und sehe nicht zu Boden, ich starre nur über das träge Meer und trinke ein kleines Glas Orangeade, denn im Innern bin ich froh, daß alles so gekommen und Gaston gegangen ist; gestern abend, nachdem er groß und schlank vor mir stand und sagte: »Ma chère, ich gehe nach New Orleans. Übermorgen fährt mein Schiff ab Genua ...«

Nach New Orleans! Und ich habe nichts gesagt, ich habe nur genickt und mich umgedreht und bin in mein Zimmer gegangen. Eine gute Lösung, habe ich mir gedacht, die beste Lösung nach allem, was zwischen uns geschehen ist. Aber im Innern, im Herzen, dort, wo ich glaubte, immer die Liebe zu fesseln, tat es weh, so weh, daß ich die Zähne zusammenbiß, um nicht doch zu weinen wie all die Mädchen, zu denen ein Mann sagt: »Übermorgen geht unser Leben für immer auseinander.«

Wie das alles gekommen ist? Warum es so sein mußte? Warum es keinen anderen Ausweg gab als die Trennung, diese Flucht nach New Orleans?

Ach, es ist eine lange Geschichte, und wenn ich sie hier erzähle, so ist es mehr die Beichte einer Frau, die nur nehmen wollte, die immer nur forderte, die unersättlich war in dem, was Leben heißt und die schließlich daran zerbrach, weil ihr das Maß aller Dinge verloren ging in einem Taumel von Glück und Erfüllung, von dem sie dachte, *das* sei das wahre Leben, das wert sei, gelebt und geliebt zu werden.

So ehrlich bin ich – wirklich –, ich erkenne mich, als blicke mir im Spiegel nicht mein glattes, schönes Ebenbild entgegen, sondern der Mensch, zerlegt wie auf dem marmornen Seziertisch des Hospitals Necker in Paris. Ein Mensch, nicht nur bestehend aus Muskeln, Knochen, Häuten, Venen, Arterien und Drüsen, sondern ein Mensch, der in geheimnisvoller Art in seinen Nerven noch die Seele trägt und sie jetzt bloßlegt vor den Augen der staunenden und entsetzten Vivisektoren.

Gaston – wer ihn kannte, mußte ihn lieben. Dieser Dr. Gaston Rablais, Chirurg aus Paris, Erster Oberarzt bei Prof. Dr. Bocchanini, war ein Mann.

Hier könnte ich eigentlich aufhören, weitere Dinge in Worte zu kleiden. Was gibt es Umfassenderes, Deutlicheres und Bestimmenderes als dieses Wort Mann? Es schließt ein ganzes Leben ein, es ist ein Wort des Schicksals, es kann Himmel und Hölle bedeuten, Freude und Leid, Glück und Entsetzen, Liebe und Haß, Seligkeit und Trauer. Alles, alles ist in diesem Wort verborgen, quillt aus ihm hervor wie die Wundergaben aus dem Füllhorn der Aurora . . . Ach, welch ein Wort, welch eine ganze Welt: Mann!

Mir wurde es zum Verhängnis, dieses Wort, weil es Dr. Gaston Rablais verkörperte mit all dem hinreißenden und willenlos machenden Charme, dem wir Frauen erliegen, kaum, daß er unser Bewußtsein trifft und uns innerlich zittern und erbeben läßt.

Seine Augen, die kleinen Fältchen in den Augenwinkeln, die schmalen Lippen vor dem herrischen Mund, die etwas gebogene, schmale Nase in diesem braunen, manchmal asketisch wirkenden Gesicht, dessen heftigster und schönster Ausdruck seine Augen waren, diese braunen, großen, strahlenden Augen, die mich ansahen und unter denen ich wegschmolz und willenlos wurde.

Bis gestern. Gestern abend, als er in den Salon des Hotels trat und zu mir sagte: »Ich fahre.« Da waren seine Augen kein Geheimnis mehr, da verloren sie die Kraft der Suggestion auf mich, da sah ich ihn anders, den großen, schönen Gaston. Er war ein Mann wie alle anderen, vielleicht ein wenig eleganter, gepflegter, weltgewandter, sicherer. Aber im Grunde genommen doch nur ein Mann, der feige war und in dem Augenblick, in dem er sagte: »Ich gehe«, auch ein Mann, der es nicht wagte, mich anzusehen.

Seine großen Bestseller im Taschenbuch.

Liebesnächte in der Taiga
729 / DM 5,80

Der rostende Ruhm
740 / DM 4,80

Entmündigt
776 / DM 3,80

Zum Nachtisch wilde Früchte
788 / DM 4,80

● Der letzte Karpatenwolf
807 / DM 3,80

Die Tochter des Teufels
827 / DM 4,80

Der Arzt von Stalingrad
847 / DM 5,80

Das geschenkte Gesicht
851 / DM 4,80

Privatklinik
914 / DM 4,80

Ich beantrage Todesstrafe
927 / DM 3,80

● Auf nassen Straßen
938 / DM 3,80

Agenten lieben gefährlich
962 / DM 4,80

● Zerstörter Traum vom Ruhm
987 / DM 3,80

● Agenten kennen kein Pardon
999 / DM 3,80

● Der Mann, der sein Leben vergaß
5020 / DM 3,80

● Fronttheater
5030 / DM 3,80

Der Wüstendoktor
5048 / DM 4,80

● Ein toter Taucher nimmt kein Gold
5053 / DM 4,80

Die Drohung
5069 / DM 5,80

● Eine Urwaldgöttin darf nicht weinen
5080 / DM 3,80

Viele Mütter heißen Anita
5086 / DM 3,80

● Wen die schwarze Göttin ruft
5105 / DM 3,80

● Ein Komet fällt vom Himmel
5119 / DM 3,80

● Straße in die Hölle
5145 / DM 3,80

Ein Mann wie ein Erdbeben
5154 / DM 5,80

Diagnose
5155 / DM 4,80

Ein Sommer mit Danica
5168 / DM 4,80

Aus dem Nichts ein neues Leben
5186 / DM 3,80

Des Sieges bittere Tränen
5210 / DM 4,80

● Die Nacht des schwarzen Zaubers
5229 / DM 3,80

● Alarm! Das Weiberschiff
5231 / DM 4,80

● Bittersüßes 7. Jahr
5240 / DM 4,80

Engel der Vergessenen
5251 / DM 5,80

Die Verdammten der Taiga
5304 / DM 5,80

Das Teufelsweib
5350 / DM 3,80

Im Tal der bittersüßen Träume
5388 / DM 5,80

Liebe ist stärker als der Tod
5436 / DM 4,80

Haie an Bord
5490 / DM 4,80

● Niemand lebt von seinen Träumen
5561 / DM 4,80

Das Doppelspiel
5621 / DM 6,80

● Fahrt nach Feuerland
5702 / DM 5,80
(erscheint Juni 1980)

● Das unanständige Foto
5751 / DM 5,80
(erscheint Oktober 1980)

● = Originalausgabe